Roland Roth

Bürgermacht

Schriftenreihe Band 1229

Roland Roth

# Bürgermacht

## Eine Streitschrift für mehr Partizipation

bpb:
Bundeszentrale für politische Bildung

Roland Roth ist Professor für Politikwissenschaft am Fachbereich Sozial- und Gesundheitswesen der Hochschule Magdeburg-Stendal.



Bonn 2011
Lizenzausgabe für die Bundeszentrale für politische Bildung
Adenauerallee 86, 53113 Bonn



Umschlaggestaltung: Michael Rechl, Kassel
Umschlagfoto: © Saba Laudanna. Bürgerprotest gegen Fluglärm und den Ausbau des Flughafens Berlin-Schönefeld, Januar 2011

Herstellung: Das Herstellungsbüro, Hamburg
Druck und Bindung: CPI – Clausen & Bosse, Leck

ISBN 978-3-8389-0229-6

www.bpb.de

*Für Karin, Johannes und Laurens*

# Inhalt

# Vorbemerkung

Dieses Buch greift Motive und Ideen auf, die mich schon lange umtreiben. Als ich vor rund zwei Jahren mit dem Schreiben begann, schien Bürgermacht ein Liebhaberthema ohne Aktualität zu sein. Dies hat sich bis zum Frühsommer 2011 drastisch verändert. Zur politischen Brisanz der Demokratie-Agenda hat der völlig unerwartete »Arabische Frühling« ebenso beigetragen wie die Katastrophe von Fukushima, die anhaltenden Proteste gegen die Atompolitik der Bundesregierung ebenso wie der unbeugsame zivile Widerstand gegen das Bahnprojekt in Stuttgart. Inzwischen haben sich zwei neue Landesregierungen, die es ohne die Mobilisierung der »Mutbürger« so gar nicht geben würde, das Thema Bürgerbeteiligung auf ihre Fahnen geschrieben. Zum ersten Mal seit Willy Brandts Regierungserklärung »Mehr Demokratie wagen« von 1969 ist die Demokratisierung der institutionellen politischen Praxis in Deutschland nicht nur ein Thema der Straße, sondern auch zur Regierungsangelegenheit geworden. In Spanien und Portugal orientieren sich jugendlich geprägte Oppositionsbewegungen am arabischen Vorbild, distanzieren sich von den etablierten politischen Repräsentanten und besetzen dauerhaft zentrale öffentliche Plätze. Was aus all diesen Protestbewegungen, Revolten und Revolutionen wird, welche demokratischen Experimente sie hervorbringen werden, wissen wir heute noch nicht.

Damit die Aufbruchstimmung in Deutschland nicht zu schnell verfliegt, wird es auch weiterhin starke politische Mobilisierungen geben müssen. Aber nichts ist schwieriger, als Protest dauerhaft aufrechtzuerhalten. Es braucht dazu eine eigene Agenda, die den radikaldemokratischen Anspruch herrschaftskritisch konkretisiert. Dabei helfen »reale Utopien«, die es heute als gute Praxis in erstaunlich großer Zahl auf dem Globus gibt. Nützlich sind auch Beteiligungserfahrungen von Kindern und Jugendlichen oder in Bürgerhaushalten, die das große Projekt »Demokratisierung liberaler Demokratien« in kleinen Schritten voranbringen können.

Dieses Buch möchte einen Beitrag zur Debatte über diese Agenda leisten. Einführend skizziert es Eckpunkte eines möglichen und wünschbaren Reformprojekts, das in Richtung Bürgerdemokratie weist. Sie sind keineswegs radikal, sondern naheliegend, wenn man die aufgelaufene Kritik ernst nimmt.

In Kapitel I werden zentrale Ursachen für das gegenwärtige Unbehagen an der real existierenden Demokratie benannt. Es geht nicht um wechselnde Stimmungen, sondern um die Korrosion eines minimalistischen Demokratiemodells, dessen beste Zeit schon einige Jahrzehnte zurückliegt. Es wirkt in seiner Anspruchslosigkeit an die Bürgerschaft zwar robust, aber seine Leistungsbilanz überzeugt immer weniger. Dies gilt vor allem für die vorherrschende Praxis von Reformen ohne und gegen die Bürgerinnen und Bürger, aber auch für die Orientierung an einer »Geschäftspolitik«, die sich von demokratischer Legitimation und Gemeinwohlorientierung immer weiter entfernt. Nicht zuletzt sind es die gestiegenen Beteiligungsansprüche der Bürgerschaft, die Demokratiereformen auslösen sollten.

Kapitel II präsentiert eine Auswahl der Wege, auf denen sich der Souverän in jüngster Zeit Gehör verschafft. Protest, vor allem als Straßendemonstration, gehört heute zum Alltag – er ist eine urdemokratische Form der politischen Wortmeldung. Bürgerinitiativen gibt es an vielen Orten und zu zahllosen Themen. Proteste verdichten sich immer wieder zu sozialen Bewegungen, die eine eigene, durchaus positive Agenda entwickeln. Gegen die Schmährede von den »Wutbürgern« – Wut soll ja bekanntlich blind machen – wird Nein sagen und Protest als demokratische Ressource verstanden, als Schubkraft für eine vitalisierte Demokratie. Besonders eindrucksvoll sind die demokratischen Experimente auf lokaler Ebene. Bürgerhaushalte, kleine Gesellschaftsverträge und andere Beteiligungsformen haben Eingang in das Leitbild Bürgerkommune gefunden. Dabei wird deutlich, dass Demokratieentwicklung als permanenter Lernprozess zu verstehen ist, bei dem Audits und Empowerment helfen können.

In Kapitel III werden einige Grundorientierungen dieses Buches konzeptionell ausgeführt: Bürgermacht und Bürgerschaft, Bürgerdemokratie und Partizipation. Dies ist nicht als akademische Fingerübung gedacht, sondern als Orientierungshilfe für engagierte Bürgerinnen und Bürger.

Ihnen widme ich mein abschließendes Plädoyer. Mögen wir die historische Chance nutzen. Denn die Zeit ist reif für mehr Demokratie.

Zahlreiche Argumente dieses Buches habe ich auf unterschiedlichen politischen und wissenschaftlichen Marktplätzen erprobt, zur Diskussion gestellt und weiterentwickelt. Letztlich aber ist das Ergebnis, das Buch selbst, wiederum ein kleiner Ausschnitt aus dem »Wissen der Vielen«. Ihnen gebührt mein Dank.

Danken möchte ich besonders Jutta Aumüller, Michael Bürsch, Jörg Dräger, Serge Embacher, Frank Gesemann, Peter Grottian, Hans Grünberger, Norbert Kersting, Susanne Lang, Karin Lenhart, Wolf-Dieter Narr, Thomas Olk und Dieter Rucht für klärende Streitgespräche, aber auch für die kollegiale und freundschaftliche Zusammenarbeit in verschiedenen Themenfeldern.

Mein besonderer Dank gilt den Kolleginnen und Kollegen der Körber-Stiftung, die mich durch ihre Wertschätzung immer wieder motiviert haben, am Ball zu bleiben. Allen voran Ulrike Fritzsching, die mit Einfühlungsvermögen, Beharrlichkeit und konstruktiver Kritik dafür gesorgt hat, dass aus der Buchidee ein Buch geworden ist.

*Berlin, im Juni 2011*

# Nur ein Traum?

## Eine realutopische Einführung

»Wir setzen uns für die umfassende Stärkung der Bürgerrechte und der Bürgerbeteiligung ein. Diese Rechte müssen im Bewusstsein aller, vor allem auch der politischen Repräsentanten, stärker verankert werden. (...) Wir werden die Partizipation aller Bürgerinnen und Bürger von Anbeginn fördern und uns dafür einsetzen, dass sie ihre Lebenswelten und die Gesellschaft insgesamt mitgestalten können.«[1]

Mit dieser mutigen Ankündigung reagierte die Bundesregierung im Frühjahr 2012 auf die Proteste und Aktionen der vergangenen Jahre. »Wutbürger« und »alternativlos« waren bereits 2010 zu Worten beziehungsweise Unworten des Jahres gekürt worden. Eine dichte Folge von Mobilisierungen engagierter Bürgerinnen und Bürger in erster Linie gegen die Laufzeitverlängerung von Kernkraftwerken, gegen neuerliche Castortransporte, gegen sozialpolitische Zumutungen, aber

---

1 Dieses fiktive Zitat knüpft an entsprechende Formulierungen zu Kinderrechten im aktuellen Koalitionsvertrag zwischen CDU, CSU und FDP für die 17. Legislaturperiode an (»Wachstum. Bildung. Zusammenhalt«, S. 70). Dort nimmt die Regierungskoalition lediglich Verpflichtungen aus der UN-Kinderrechtskonvention auf, die von der Bundesrepublik bereits 1992 unterzeichnet wurde.

auch gegen städtebauliche Großprojekte, wie den geplanten unterirdischen Stuttgarter Bahnhof, hatte die Bundesregierung aufgeschreckt – nicht zuletzt, weil Teile der eigenen Wählerschaft auf die Straße gingen und die demoskopischen Zustimmungswerte zur Regierungsarbeit abstürzten. Mit der Reaktorkatastrophe von Fukushima und der herben Wahlniederlage für die CDU in Baden-Württemberg war im Frühjahr 2011 ein Wendepunkt erreicht.

Die Bundesregierung zieht damit endlich die nötigen Konsequenzen aus den bereits seit Jahrzehnten zu beobachtenden Entwicklungen: Die Bürgerschaft meldet sich zunehmend zu Wort; sie will direkten Einfluss auf politische Entscheidungen nehmen und nicht nur periodisch das Personal auswählen, das für sie und über ihre Köpfe hinweg entscheidet. Dies bekundeten im Frühjahr 2011 laut einer Emnid-Umfrage mehr als 80 Prozent der wahlberechtigten Bevölkerung – im Jahr zuvor war es noch knapp die Hälfte.[2] Sie bevorzugt heute zumeist unkonventionelle Wege und demonstrative Formen, auch weil die üblichen Einflussmöglichkeiten blockiert sind. Heute sind in der Bevölkerung deutliche Mehrheiten dafür, im Zweifel auch gegen Projekte zu demonstrieren, die durch Mehrheitsbeschlüsse in Parlamenten und Stadträten zustande gekommen sind.[3] Die Entfremdung zwischen den Akteuren

---

2 Beide Umfragen wurden im Auftrag der Bertelsmann Stiftung durchgeführt und sind auf deren Netzseite dokumentiert (www.bertelsmann-stiftung.de).

3 Im Rahmen einer neueren Studie über »Autorität in Deutschland« billigen zwei Drittel der jüngeren Befragten (16–29 Jahre) diese Form des Un-

in Regierungen, Parlamenten und Parteien auf der einen und den politisch in Initiativen und Protesten zivilgesellschaftlich Engagierten auf der anderen Seite ist enorm gewachsen. Ihr lauter Protest ist durchaus vernehmbar und bleibt dennoch häufig wirkungslos. Aus Mutbürgern[4] werden Wutbürger, die ihre Entmündigung nicht länger hinnehmen wollen. In dieser zugespitzten Konfliktsituation profitieren bei Wahlen nur jene Parteien, die sich glaubwürdig für die Anliegen der Protestierenden einsetzen.

Die Bundesregierung hat daraufhin erste Leitlinien beschlossen. Die konkreten Maßnahmen, die auf allen politischen Ebenen und in allen Politikfeldern notwendig sind, werden derzeit in einem umfangreichen Konsultationsprozess in Zukunftswerkstätten, Planungszellen, Bürgerforen, auf Internetseiten und in sozialen Netzwerken mit der Bürgerschaft diskutiert und entwickelt. Nach dem Motto »Wir haben verstanden« kündigt die Regierung einen Auszug aus der Wagenburg des etablierten Politikbetriebs an. Bürgerinitiativen, soziale Bewegungen, Proteste und andere Formen des bürgerschaftlichen Engagements werden als »demokratischer Phönix«[5] begrüßt, der zu einer runderneuerten und bürgerschaftlich gestärkten Demokratie beitragen soll. Alle Bürge-

---

gehorsams, bei den über 60-Jährigen sind es immerhin noch 37 Prozent (Petersen 2011: 74).

4 Aus Gründen der Lesbarkeit wird nicht durchgängig eine geschlechtergerechte Sprache verwendet.

5 Diesen Titel hat die an der Harvard University lehrende Politologin Pippa Norris (2002) gewählt, um die politischen Umbrüche in den westlichen Demokratien zu charakterisieren.

rinnen und Bürger sind zur aktiven Teilnahme an den vielfältigen Praxisexperimenten aufgerufen, die in den nächsten Jahren erprobt werden sollen. Ihr Ziel ist die Neuerfindung, Intensivierung und Belebung der Demokratie in Deutschland. Eine zunehmend selbstbewusste und demokratisch gestimmte Bürgerschaft soll nicht länger in ein repräsentatives Laufställchen gezwängt werden, zu dem sich die Nachkriegsdemokratie in der Bundesrepublik verengt hat.

Der Wille zum Aufbruch in die Bürgerdemokratie[6] durchzieht die neuen Leitlinien der Bundesregierung, die hier in Ausschnitten zitiert werden:

»**1. Demokratiepolitik.** Demokratie bedarf der ständigen Erneuerung und Stärkung. Sie ist kein Zustand, sondern wesentlich Prozess. Die Förderung von Beteiligung und Engagement wird deshalb als zentrale politische Aufgabe angesehen. Bund, Länder und Kommunen regen zur Erprobung von niedrigschwelligen und aufsuchenden Beteiligungsformen an, deren Funktionsfähigkeit, Qualität und Wirksamkeit regelmäßig durch die Beteiligten bewertet und verbessert werden. Angestrebt wird ein Prozess kontinuierlicher dialogischer Qualitätssicherung, der

6 Kritische Stimmen werden zu Recht einwenden, dass auch dieser Begriff – wie schon Zivilgesellschaft oder Bürgergesellschaft – eigentlich ein »weißer Schimmel« ist. Im Begriff Demokratie (»Herrschaft des Volkes«) steckt ja bereits die Bürgerschaft bzw. das Volk als Souverän. Dennoch signalisiert er eine wichtige Veränderungsrichtung: Weg von einem staatsfixierten und staatsgeprägten Demokratieverständnis hin zu einem, das eine selbstbewusste und aktive Bürgerschaft ins Zentrum des politischen Geschehens rückt.

dazu beiträgt, Beteiligungshürden in öffentlichen Verwaltungen und Einrichtungen, aber auch in der Zivilgesellschaft zu erkennen und abzubauen.

Um von anderen Ländern, vor allem von den mutigen Experimenten im globalen Süden, zu lernen, werden erfahrene Demokratieberater angeworben und Entwicklungsagenturen eingerichtet, die solche Erfahrungstransfers für die verschiedenen Formen der Bürgerbeteiligung organisieren. Als Vorbild dient die Arbeit von InWEnt[7], die sich bereits erfolgreich für die Verbreitung von Bürgerhaushalten in der Bundesrepublik eingesetzt hat.

Lokale Demokratieagenturen beraten Politik und Bürgerschaft über die jeweils angemessenen Formen der Mitwirkung, klären über Kosten und Nutzen auf und sorgen für die entsprechende Qualität der Partizipationsverfahren.

Die Organisation von Beteiligungsverfahren und die Kooperation mit der Bürgerschaft auf gleicher Augenhöhe werden zu zentralen Qualifikationen für die Beschäftigten im öffentlichen Dienst.

2. **Bürgerdemokratie.** ›Nichts für uns, ohne uns!‹ Diese Parole der Kinderrechtsbewegung soll zur Leitlinie einer beteiligungsorientierten Regierungspolitik werden. Wir sichern

7 Die Internationale Weiterbildung und Entwicklung gGmbH (InWEnt), eine der drei entwicklungspolitischen Organisationen des Bundes, die Anfang 2011 zur Deutschen Gesellschaft für Internationale Zusammenarbeit (GIZ) verschmolzen wurden, hat sich besonders für den Süd-Nord-Transfer von Ideen und Projekten eingesetzt.

den Bürgern Mitsprache, Mitwirkung und Mitentscheidung in allen Lebensbereichen zu, die sie betreffen. Wir nehmen damit Abschied von einem repräsentativen Alleinvertretungsanspruch, der politische Entscheidungen einzig den gewählten Vertreterinnen und Vertretern vorbehalten und die Bürgerschaft in den Status von Unmündigen gedrängt hat. Bürgerfernes Durchregieren und eine unbelehrbare Basta-Politik werden der Vergangenheit angehören. Wir wollen unsere Regierungstätigkeit künftig auf eine breite Legitimationsbasis stellen, die sich daran messen lässt, ob und wie es gelungen ist, eine möglichst intensive und wirksame Beteiligung der Bürgerschaft in allen wichtigen Sachfragen und Vorhaben zu ermöglichen. Was wichtig oder unwichtig ist, entscheiden letztlich die Bürgerinnen und Bürger durch ihr Engagement. Kein Thema soll prinzipiell ausgenommen sein. Dies gilt besonders für die Verwendung öffentlicher Mittel und die Ausgestaltung öffentlicher Einrichtungen und Dienste. Staatliches Handeln muss sich in Zukunft daran messen lassen, ob es das Engagement der Bürgerschaft ermöglicht und fördert.

3. **Bürgermacht.** Wir setzen auf Bürgermacht. Die staatlichen Machtmittel, die im Wesentlichen auf einer zwangsbewährten Gesetzgebung gründen[8], taugen nur begrenzt

8 Im Hintergrund eines jeden Gesetzes steht zu dessen Durchsetzung bekanntermaßen das von Max Weber eindringlich analysierte »staatliche Monopol physischer Gewaltsamkeit«. Dass davon staatliche Politik möglichst sparsam und besonnen Gebrauch machen sollte, wenn sie ihre

zur Lösung gesellschaftlicher Probleme. Wir wollen davon nicht mehr, sondern weniger Gebrauch machen. Auch professionelle Politik und Expertenwissen können bürgerschaftliches Engagement nicht ersetzen. Parteien und Verbände funktionieren heute kaum noch als zivilgesellschaftliche Orte der gemeinsamen Willensbildung und politischen Kontrolle des Regierungshandelns. Vielmehr werden sie als Teil des Problems, als Ausdruck von Bürgerferne wahrgenommen. Nur die Bürgerinnen und Bürger selbst können heute weithin akzeptierte Problemlösungen voranbringen, die auf gemeinsamen Erörterungen, wechselseitigem Vertrauen und kooperativem Handeln beruhen.

Staatliche Akteure unterstützen solche bürgerschaftlichen Kompetenzen, geben die nötigen Gestaltungsspielräume frei und fördern durch eine bürgerorientierte Infrastruktur die Selbstorganisation, Mitwirkung und Koproduktion der Bürgerschaft. Wir haben keine Angst vor Machtverlust, wenn Parlamente die Bürger direkt in Debatten und Entscheidungsprozesse einbinden. Im Gegenteil: Dies steigert die gesellschaftliche Handlungsfähigkeit und hilft uns, gemeinsam den aktuellen Herausforderungen gerecht zu werden. Ob in der Bildung, in der Regionalentwicklung, bei großen Infrastrukturprojekten oder im wachsenden Bedarf an Pflege und Betreuung in

---

Legitimation nicht verspielen will, haben zum Beispiel die gewaltsamen Konflikte um das Stuttgarter Bahnhofsprojekt eindrucksvoll vor Augen geführt.

einer Gesellschaft des hohen Alters, überall benötigen wir bürgerschaftliches Engagement und Koproduktion, um zu angemessenen, von der Bürgerschaft getragenen Lösungen zu kommen.

4. **Die Weisheit der Vielen.** Wir sehen in der ›Weisheit der Vielen‹ eine entscheidende Quelle zur notwendigen Stärkung unserer Gegenwarts- und Zukunftsfähigkeit. Wir wollen dieses urdemokratische Vertrauen erneuern und stärken.

Künftig wird es keine Politik der geschlossenen Türen, keine Reformen ohne Bürgerbeteiligung und Mitwirkung der Betroffenen geben. Wir verpflichten uns zu einer neuen Beteiligungskultur, in der wir von Anbeginn und in jeder Phase der Umsetzung von Reformen auf das ›Wissen der Vielen‹ setzen. Dazu gehören entsprechende Bürgerforen und Beteiligungsinitiativen, die transparente, öffentliche, unabhängige und direkte Formen der Mitwirkung anbieten. Solche O-Töne sind unverzichtbar, steigern sie doch die Vielfalt möglicher Alternativen und bieten zugleich die Chance zur politischen Korrektur und Nachjustierung.

Anstelle professioneller Think Tanks und kommerzieller Beratungsunternehmen sollen verstärkt Bürgerinnen und Bürger frühzeitig in die Politikberatung eingebunden werden. Mit repräsentativ zusammengesetzten und professionell unterstützten Planungszellen wurden bereits gute Erfahrungen gemacht. Inzwischen gibt es eine Fülle deliberativer Verfahren (Bürgerforen, Bürgerpanels, Online-Abstimmungen etc.), die einer breiten Öffentlichkeit dazu verhelfen, gemeinsame Vorschläge und Entwürfe für staatliches Handeln und die Lösung öffentlicher Aufgaben zu entwickeln. Der kluge Einsatz von netzgestützten Kommunikationsverfahren kann die Bandbreite dieser Bürgerberatung zusätzlich erweitern und die Zugänge erleichtern.

Der Souverän hat das Wort – wir hören zu! Wir setzen uns deshalb verstärkt für demokratische Foren und Audits auf allen Ebenen der Politik ein, die den Bürgerinnen und Bürgern die Chance eröffnen, ungefiltert ihre Meinung zu allen anstehenden Fragen mitzuteilen und von den politisch Verantwortlichen gehört zu werden.[9] Besonders wenn es um tiefgreifende reformerische Veränderungen und massive Eingriffe in die Lebenssituation von Vielen geht, sind in jeder Planungsphase Initiativen, Protestbewegungen, Gruppen engagierter Bürgerinnen und Bürger von den Parlamenten und Behörden anzuhören. Ausführliche und begründete Stellungnahmen der zuständigen Stellen zu den Anliegen der Bürgerschaft sollen verpflichtend sein.

---

9 Mit solchen Audits gibt es bereits seit Jahren international positive Erfahrungen. Ihren Ausgangspunkt hatte diese Form der Demokratiebewertung durch die Bürgerschaft in Großbritannien (vgl. www.democraticaudit.com). Auch in Deutschland gibt es einige Erfahrungen mit lokalen Demokratiebilanzen, die im Zusammenhang mit Netzwerken bürgerorientierter Kommunen (etwa dem Civitas-Netzwerk), z. B. in Viernheim, Nürtingen oder Leipzig, erprobt wurden. Aktuell bietet das internationale Institut »IDEA« eine Fülle von Materialien und Anregungen zur Bewertung von Demokratiequalität (www.idea.int).

5. **Alternativen.** Politik fängt da an, wo es Alternativen gibt. Dies gilt vor allem für demokratische Politik. Die besseren Argumente im Rahmen der zu berücksichtigenden Interessen entscheiden. Wo solche Abwägungen fehlen, herrscht (Sach-)Zwang. Behörden und Einrichtungen, die mit der Umsetzung öffentlicher Vorhaben befasst sind, müssen von Anfang an mit Alternativszenarien arbeiten und sie veröffentlichen. Der Bürgerschaft bleibt es zu jedem Zeitpunkt des Planungsprozesses vorbehalten, eigene Gegenvorschläge einzubringen. Entwicklungskosten dürfen kein ausschlaggebendes Argument sein, wenn es um die Abwägung der Vor- und Nachteile von Alternativentwürfen geht.

   Die Palette der vorhandenen Alternativen kann zum Beispiel gezielt dadurch gesteigert werden, dass sich Bürgerinnen und Bürger im Rahmen von kommunalen Beteiligungshaushalten mit eigenen Projektvorschlägen für die Lösung öffentlicher Aufgaben bewerben können. Ihre Vorschläge werden dann in einem öffentlichen Abstimmungsverfahren ausgewählt.

6. **Transparenz.** Die demokratische Qualität von Entscheidungsprozessen ist eng mit der Veröffentlichung aller Informationen verbunden, die für die Entscheidungsfindung maßgeblich sind. Dies gilt nicht zuletzt für die erwartbaren Kosten und die beteiligten Interessen. Es ist deshalb eine Bringschuld der öffentlichen Hand, ihre Vorhaben und Entscheidungsgrundlagen in einer Weise öffentlich zu präsentieren, die für alle Interessierten prin-

zipiell nachvollziehbar und bewertbar ist.[10] Transparenz gilt für alle Beteiligten, auch für Nichtregierungsorganisationen und Unternehmen, die sich für öffentliche Aufträge bewerben. Betriebs- und Geschäftsgeheimnisse dürfen kein Argument mehr sein, um Verträge mit Privaten nicht zu veröffentlichen.[11]

7. **Zeitpolitik.** Beteiligung und gute Entscheidungen benötigen Zeit. Der Weg in Richtung Bürgerdemokratie benötigt verlangsamte Entscheidungsprozesse, die genügend Zeitfenster für bürgerschaftliche Interventionen und Mitwirkungsangebote offen halten. Zentral ist die Qualität von Entscheidungen, nicht die Geschwindigkeit, mit der sie gefällt werden. Wenn wir Bürgerinnen und Bürger frühzeitig beteiligen, unsere Grundannahmen offenlegen und Alternativen anbieten, können wir womöglich langwierige Blockaden in der Umsetzung vermeiden.

---

10 Dass dies prinzipiell möglich ist, haben z. B. partizipative Haushalte in brasilianischen Städten gezeigt, wo es durch gründliche Vereinfachung der Vorlagen und entsprechende fachkundige Begleitung gelungen ist, auch Analphabeten und Kinder an der lokalen Haushaltsplanung wirksam zu beteiligen. In seinen Analysen brasilianischer Bürgerhaushalte betont vor allem Danilo Streck die Dimension politischer Lernprozesse und die Einbindung von bisher eher ausgegrenzten Gruppen in eine verantwortliche Bürgerschaft (vgl. Streck 2006 & 2008).

11 Zu begrüßen ist in diesem Zusammenhang der von Greenpeace, Netzwerk Recherche und der Deutschen Gesellschaft für Informationsfreiheit im Dezember 2010 vorgelegte Entwurf für ein Bürgerinformationsgesetz (BIG), das an die Stelle des Verbraucherinformationsgesetzes, des Umweltinformationsgesetzes sowie des Informationsfreiheitsgesetzes treten soll.

Es geht nicht nur um die Gestaltung von Entscheidungsverfahren, sondern auch um die verfügbare Zeit der Bürger. Demokratische Beteiligung kann nicht verordnet werden. Aber wir werden bei künftigen Reformen darauf achten, dass sie nicht zu einer künstlichen Verknappung der individuell verfügbaren Zeit führen.[12]

8. **Investitionen.** Der Weg in Richtung mehr Beteiligung kann nicht ohne zusätzliche Mittel beschritten werden. Demokratieausgaben dürfen nicht länger fast ausschließlich in die Arbeit von Parteien und Parlamenten (staatliche Parteienfinanzierung, Wahlkampfkostenerstattungen, professionelle Apparate für Parlamente, Diäten für Mandatsträger etc.) investiert werden. Auch Beteiligungsprozesse benötigen eine Infrastruktur und angemessene Unterstützung. Hervorzuheben ist zum Beispiel die Ausbildung und der Einsatz von Demokratieassistenten, die Beteiligungsprozesse moderieren, vorbereiten und auswerten, Bürgerbefragungen organisieren oder die Beteiligung von Kindern unterstützen. Ziel dieser Investitionen ist nicht nur die Qualitätssicherung von Beteiligungsprozessen, sondern auch die differenzierte Förderung eines gleich-

12 Eine der ersten Maßnahmen wäre hier, das beschleunigte und verdichtete Lernen, zu dem verkürzte Gymnasialzeiten (von G 9 zu G 8) und Studiengänge (Bachelor-/Masterstudiengänge nach der Bologna-Reform) erheblich beigetragen haben, zu entfristen und zeitlich zu öffnen. Im Sinne des Demokratielernens müssen besonders für jüngere Menschen die zeitlichen Gelegenheiten zur Bürgerbeteiligung und zu bürgerschaftlichem Engagement verbessert werden.

berechtigten und vor allem chancengleichen Zugangs aller Bevölkerungsgruppen.

9. **Demokratielernen.** Die hohen Erwartungen an die Stärkung der gestaltenden Möglichkeiten der Bürgerschaft setzen kompetente und beteiligungsfreudige Bürgerinnen und Bürger voraus. Es gibt sie heute in größerer Zahl als in früheren Zeiten. Beteiligung kann gelernt werden – am besten in realen Beteiligungsprozessen und je früher, desto besser: in Familien, in Kindergärten und Schulen, im Gemeinwesen. Zentral ist die Erfahrung, selbst etwas bewirken zu können. Um diese demokratische Mitgift geht es in unserem umfassenden Konzept der Kinder- und Jugendbeteiligung, das mit den Verpflichtungen der Kinderrechtskonvention ernst macht. Wir wollen auf Dauer weder bildungs- noch beteiligungsferne Milieus, die ohnehin oft miteinander verschränkt sind.

10. **Inklusive Bürgerschaft.** Wir halten am Ziel fest, Bürgerdemokratie und politische Gleichheit zu verknüpfen. Dies ist nur möglich, wenn wir Bürgerrechten ihren exklusiven Charakter nehmen. An erster Stelle gilt dies für Menschen ohne deutschen Pass, die seit Jahren, zuweilen seit Generationen in Deutschland leben. Das kommunale Wahlrecht für Drittstaatenangehörige ist ein erster Schritt in diese Richtung. Die anderen politischen Ebenen müssen folgen. Ebenso gilt es, Flüchtlinge und Asylsuchende rechtlich so zu stellen, dass sie zu Bürgerinnen und Bürgern werden können.

Ebenso wollen wir uns verstärkt für Menschen mit Behinderungen, in Heimen und Anstalten, in Pflegeeinrichtungen und Krankenhäusern einsetzen, damit sie ihre Bürgerrechte so uneingeschränkt wie möglich wahrnehmen und ihre Lebensumstände selbst gestalten können.

Uns ist bewusst, verstärkte politische Beteiligung setzt voraus, dass es ausreichende soziale Garantien für alle gibt. Wir werden deshalb alles daransetzen, die in den letzten Jahrzehnten gewachsene soziale Kluft wieder zu verkleinern. Niemandem soll es an den sozialen Voraussetzungen zur Teilhabe an der Bürgerdemokratie fehlen.«

## Erwartbare Widerstände und reale Chancen

Solche Leitlinien der Bundesregierung gibt es nicht, nicht einmal in Ansätzen. Selbst die Oppositionsparteien konnten sich bislang zu keiner gemeinsamen Demokratieoffensive zusammenraufen. Aber sie hätten eine mögliche und zukunftsfähige Konsequenz aus den Erfahrungen der letzten Jahre sein können. Sosehr der Schwung neuer demokratischer Leitlinien zu begrüßen wäre, so offen bleiben zahlreiche Strukturfragen zur Bürgermacht. Dies gilt vor allem für das Verhältnis der neuen Beteiligungsdemokratie zu den bestehenden Formen politischer Repräsentation. Die skizzierte Beteiligungspolitik kann zwar zur Verringerung der gewachsenen Kluft zwischen Regierenden und Bürgern beitragen, was aber bedeutet dies für die Rolle der bisherigen Kerninstitutionen repräsentativer Demokratie, die Parlamente und Parteien?

Moderne bevölkerungsreiche Gesellschaften können auch in Zukunft nicht auf repräsentative Formen des Regierens und Entscheidens verzichten. Dies bedürfte einer radikalen Kommunalisierung. Angesichts der vielfältigen Entscheidungsbedarfe wäre es schlicht unrealistisch, Politik auf direkte Demokratie und partizipative Verfahren reduzieren zu wollen. Zweifellos aber werden Parlamente Entscheidungsbefugnisse abgeben müssen, wenn Beteiligungsverfahren nicht zur Spielwiese verkümmern sollen. Gleichzeitig kann die Konzentration auf weniger Entscheidungsbereiche die Kompetenz und Verantwortlichkeit von Parlamenten stärken. Entscheidend ist sicher in erster Linie ein institutionelles Design, welches ein produktives Zusammenspiel zwischen den verschiedenen Demokratieformen, zwischen repräsentativen, deliberativen, direktdemokratischen und assoziativen Formen erlaubt und fördert. Abgeordnete könnten sich dabei selbst als Demokratielotsen profilieren, endlich ein freies Mandat jenseits der Partei- und Fraktionszwänge erobern, sich für erweiterte Formen der Bürgerbeteiligung einsetzen und diese entwickeln helfen. Anhörungen, Foren, Fragestunden und Petitionen käme unter bürgerdemokratischen Bedingungen ein größerer Stellenwert zu.

Politische Parteien haben in den letzten Jahren weithin an öffentlichem Ansehen verloren. Ihre Rolle im politischen Prozess wird einerseits als zu dominant wahrgenommen, andererseits erscheinen sie oft als eigentümlich machtlos und im Wesentlichen von Regierungen, Verwaltungen, Ministerialbürokratien und dem nachgelagerten Parlamentsbetrieb gesteuert – vom dominanten Einfluss gesellschaftlicher Machtgruppen einmal ganz abgesehen. Nicht selten beschränken sie sich allzu einseitig auf die Legitimationsbeschaffung für Regierungsentscheidungen oder unterwerfen die Vermittlung von Bürgerinteressen dem Kalkül, Regierungsfähigkeit zu demonstrieren. Die mit großem Aufwand inszenierte politische Konkurrenz um Wählerstimmen und politische Unterstützung, der obligatorische Schlagabtausch zwischen Regierung und Opposition werden heute von vielen als rituelle Handlungen wahrgenommen und oft als verdummende Zumutung abgelehnt.

Für eine vitale Demokratie wäre es wichtig, dass die politischen Parteien zu ihrer ursprünglich angedachten Rolle zurückfinden, die Interessen von Bürgerinnen und Bürgern aufzugreifen, zu bündeln und in den politischen Prozess einzubringen – und dies mit der notwendigen Bescheidenheit, die ursprünglich aus Artikel 21 des Grundgesetzes spricht: »Die Parteien wirken bei der politischen Willensbildung des Volkes mit.« An Formeln, wie demokratisch renovierte, für eine Bürgerdemokratie offene politische Parteien aussehen könnten, herrscht kein Mangel (von der »postkonventionellen Rahmenpartei« über die »Bürgerpartei« bis hin zur »Netzwerkpartei«). Ob sich die Parteien der Bundesrepublik in diese Richtung entwickeln können und wollen, steht auf einem anderen Blatt.

Strukturelle Widerstände gehen auch von öffentlichen Verwaltungen und der Ministerialbürokratie aus. Bis zur bürgerorientierten, auf Beteiligungsprozesse eingestellten Verwaltung ist es jedenfalls noch ein weiter Weg. Mit Blick auf eine traditionell durch das Recht gesteuerte Verwaltungskultur, die Aushandlungsprozessen, wie sie Bürgerbeteiligung einfordert, abhold ist, sind grundsätzliche Zweifel angebracht. Daran hat auch der mehr oder weniger spürbare Einzug betriebswirtschaftlichen Denkens in die öffentlichen Verwaltungen wenig geändert, denn die Bürgerschaft wird dabei allenfalls in ihrer Kundenrolle gestärkt. Immerhin haben einige Dutzend »Bürgerkommunen« im letzten Jahrzehnt gezeigt, dass – zumindest auf kommunaler Ebene – mehr demokratische Beteiligung möglich ist. Leider ist es bislang in der Bundesrepublik bei einer überschaubaren Zahl geblieben, was auf strukturelle Barrieren schließen lässt.

Sie sind vielfältig. Gerade für die kommunale Ebene ergibt sich ein Beteiligungsparadox, ist sie doch einerseits innerhalb der Staatsorganisation in Deutschland traditionell am offensten für Bürgerbeteiligung. Bürgerbegehren und Bürgerentscheide, aber auch vielfältige andere Formen der Beteiligung bis hin zum Bürgerhaushalt gehören heute in einigen Kommunen, wenn auch noch viel zu selten, zum kommunalen Alltag. Andererseits sind die Kommunen rechtlich und finanziell so eingeschnürt, dass Beteiligung leicht im Versuch endet, auf einer Glatze Locken zu drehen. »Land unter« gehört zu den in regelmäßigen Abständen vernehmbaren Hilferufen aus den Rathäusern. Erst jüngst haben die kommunalen Spitzenverbände eine Erklärung veröffentlicht, in der sie zur Rettung der kommunalen Demokratie aufrufen. Wo es schon aus finanziellen Gründen fast nichts mehr zu entscheiden gibt und nur noch die Pflichtaufgaben mehr schlecht als recht erfüllt werden können, blamiert sich noch jede anspruchsvolle Form der Bürgerbeteiligung.

Die Befürchtung vom »Ende der kommunalen Selbstverwaltung« (Wohlfahrt/Zühlke 2005) wird aber nicht nur durch den Blick in leere Gemeindekassen ausgelöst. Die zunehmende Privatisierung öffentlicher Aufgaben, der Verkauf von »Tafelsilber« samt zweifelhafter Leasingmodelle für vormals öffentliche Betriebe (Cross Border Leasing) engen die politischen Gestaltungsmöglichkeiten zusätzlich ein. Dazu haben auch falsche, manageriell geprägte Leitbilder (»Konzern Stadt«) erheblich beigetragen.

In einigen Kommunen gibt es zwar bereits Initiativen zur Rekommunalisierung kürzlich privatisierter Versorgungsbetriebe, aber eine nachhaltige Stärkung der kommunalen Ebene durch eine Föderalismusreform, die politische Entscheidungsprozesse nach »unten« verlagert, um sie beteiligungsorientiert vom Kopf auf die Füße zu stellen, zeichnet sich gegenwärtig nicht ab. Erst solche Strukturreformen könnten zur Vereinfachung politischer Entscheidungs- und Abstimmungsstrukturen beitragen und sie damit überhaupt erst in die Reichweite der Bürgerschaft bringen. Gesucht wird nach Wegen aus der »Politikverflechtungsfalle« (Scharpf 1976), die seit Jahren einen Zuwachs an Bürgerdemokratie hintertreibt. Mit Blick auf das Bahnprojekt »Stuttgart 21« wird zu Recht eine frühe, mit Alternativen versehene, umfassende Beteiligung der Bürgerschaft an Infrastrukturplanungen gefordert. Gleichzeitig bietet es ein Lehrstück in Sachen einer scheinbar undurchdringlichen Mehrebenenpolitik mit angeschlossener Mischfinanzierung – und mächtigen privaten und pseudoprivaten

Interessen im Hintergrund. Es genügt deshalb nicht, für alle Investitionen, die einen bestimmten Anteil am Gesamthaushalt von Kommunen oder Ländern übersteigen, eine obligatorische Beteiligung einzufordern. Es bedarf zugleich bürgernah veränderter und in ihrer Verantwortung eindeutiger Zuständigkeiten.

Wie weit wir tatsächlich von einem demokratischen Aufbruch entfernt sind, zeigt ein Gesetzentwurf des Bundesinnenministeriums für ein »Planungsvereinheitlichungsgesetz« vom 6. Dezember 2010, das auf mehr behördliche Beschleunigung durch weniger Beteiligung von Betroffenen setzt. Offensichtlich haben die Wünsche von Wirtschaftsverbänden dabei die Hand geführt, denn schließlich gehe es ja darum, so der Tenor der offiziellen Begründungen, den kräftigen Wirtschaftsaufschwung nicht durch demokratische Beteiligung zu behindern. Bereits Mitte der 1970er Jahre war nach der Ölkrise von einem »Investitionsstau« die Rede, verursacht von Bürgerinitiativen, die in der Wahrnehmung ihrer Bürgerrechte damals von einem einflussreichen konservativen Staatsrechtler der »Initiativenkriminalität« bezichtigt wurden. Das neue Gesetz soll den Genehmigungsbehörden die Möglichkeit eröffnen, »auf den Erörterungstermin zu verzichten, wenn absehbar ist, dass er seine Funktion nicht erfüllen kann und nur zu einer Verfahrensverzögerung führen würde«. Auch weitere Bereiche der Regierungspraxis, wie zum Beispiel der obrigkeitlich geprägte Umgang mit der Förderung des bürgerschaftlichen Engagements oder die von grundlegendem Misstrauen geprägte »Demokratieerklärung«, die ausgerechnet jenen zivilgesellschaftlichen Akteuren abverlangt wird, die gegen Fremdenfeindlichkeit und für mehr Demokratie unterwegs sind, deuten aktuell eher in Richtung autoritärer Staatlichkeit. Ihr genügt die dünne Legitimationsdecke, die sie in gewohnt minimalistischer Form einzig über Wahlen beansprucht. Sich auf gleiche Augenhöhe mit der Bürgerschaft und ihren Initiativen zu begeben und deren gestiegene Beteiligungs- und Begründungsansprüche anzuerkennen, liegt nicht in dieser Vorstellungswelt.

Weitreichende Reformen wären notwendig, soll die Idee der Bürgerdemokratie mit einer soliden sozialen Grundlage ausgestattet werden. Ohne garantierte soziale Bürgerrechte hat politische Beteiligung »für alle« keine Chance. Hier setzen die vielfältigen Vorschläge für ein garantiertes Grundeinkommen an. Es soll jenen Rückhalt verschaffen, der – unabhängig vom Erwerbseinkommen – Engagement in allen Lebensbereichen ermöglicht. Ein zweiter Pfeiler der sozialen Bürgerrechte kann gar nicht genug betont werden: Bildung. Fast scheint es müßig, auf einen permanenten Skandal hinzuweisen. Eines der reichsten Länder der Erde leistet sich noch immer eine weit unterdurchschnittliche Bildungsfinanzierung. Es lässt zu, dass rund 20 Prozent eines Jahrgangs als »Risikojugendliche« ohne die heute notwendigen Bildungsabschlüsse die Schule verlassen. Gerade deshalb gilt: Jedes ambitionierte Demokratieprojekt muss auf soziale Bürgerschaft setzen, wenn politische Gleichheit als Wesenselement von Demokratie eine Chance haben soll.

In der Bürgerschaft wächst das Unbehagen an einem politischen Betrieb, der sie auf die Zuschauerbänke verweist. Was ihnen dann in Parlamenten, Pressekonferenzen und Talkshows geboten wird, löst überwiegend Langeweile und Ärger aus. Dröhnend hohl klingt mit der Zeit ein Politikjargon, der mehr verschleiert als aufklärt, kleinste Unterschiede zu fundamentalen Gegensätzen aufbläht und eine politische Lagermentalität inszeniert, die als permanenter Verdummungsversuch längst strafbar sein müsste. Gleichzeitig werden milliardenschwere Entscheidungen in Nachtsitzungen und Hinterzimmern gefällt – unter Ausschluss der Öffentlichkeit, vorbei am Parlament und den Parteien. Regierungen eilen von Erfolg zu Erfolg, sprechen zuweilen gar von »Revolution« und »Paradigmenwechsel«, wenn sie banale Lobbyinteressen und die Wünsche der eigenen Klientel erfüllen. Mit großem Werbeaufwand sporadisch an die Wahlurne gebeten, reagiert die Bürgerschaft zunehmend widerwillig und bleibt einfach zuhause. Es sei denn, es bietet sich die Gelegenheit, zu einem grundlegenden politischen Konflikt Stellung zu beziehen, wie dies jüngst im März 2011 in Baden-Württemberg der Fall war. Zu oft haben Wählerinnen und Wähler die Erfahrung gemacht, dass Wahlversprechen und Regierungspolitik getrennte Welten sind und die konkreten Einflussmöglichkeiten per Wahlzettel gegen null tendieren. Die politischen Eliten gefallen sich noch immer darin, in wichtigen Fragen gegen Mehrheiten in der Bevölkerung zu regieren. Dies reicht von wesentlichen EU-Verträgen bis zur Beteiligung am Afghanistankrieg. Vor Fukushima galt dies auch für die Atompolitik. Zur Entfremdung tragen auch die politischen Parteien bei, in denen Programmdebatten, wenn sie überhaupt noch angeboten werden, zu folgenloser Selbstbeschäftigung verkümmern. Fest in der Hand von Politikprofis, die sich ausschließlich »top-down« am Erhalt und Erwerb der Regierungsfähigkeit beziehungsweise angelagerter Machtpositionen orientieren, verkümmert das Parteileben. Der allfällige Ratschlag, doch Mitglied einer Partei zu werden, wenn man mehr politische Beteiligung anstrebt, bekommt so einen drohenden Unterton.

Das Unbehagen an der bestehenden politischen Kultur speist sich heute noch weitgehend, darin sind sich professionelle Beobachter einig, aus demokratischen Quellen[13]. Dass es auch andere Potentiale gibt, zeigt die überraschende Resonanz von Parolen der extremen Rechten in vielen westlichen Demokratien (Norris 2005). Auch wenn dies auf der Ebene der Wahlunterstützung in Deutschland weniger der Fall ist, gibt ein überraschend erfolgreicher Bestseller Anlass zur Sorge, der rechtspopulistisch Bedrohungsängste und Ausgrenzungsphantasien bedient. »Integrationsunwillige« Zuwanderer aus »allzu fremden« Kulturen werden zur Gefahr für »Deutschland« stilisiert, weil sie uns angeblich nicht nützlich sind, sondern vor allem Kosten verursachen. Dass hier auch Menschen ausgegrenzt werden, die schon in der zweiten oder dritten Ge-

13 Zu den vergleichenden Standardtexten gehören die Arbeiten von Norris (2002), Dalton (2004), Geißel (2011) und Norris (2011). Norris sieht in demokratischen Grundeinstellungen eine wesentliche Barriere, die verhindert, dass aus dem Unbehagen über politische Defizite antidemokratische Haltungen erwachsen. Es kommt darauf an, die Kritik an demokratischen Defiziten zur Quelle von politischen Reformen zu machen (Norris 2011: 245 f.).

neration in der Bundesrepublik leben und längst die deutsche Staatsbürgerschaft besitzen, stört jene »bürgerliche Mitte« wenig. Statt auf die Kraft der Beteiligung zu setzen und dafür die notwendigen sozialen und politischen Voraussetzungen zu schaffen, wird Ausschluss propagiert.

Gerade deshalb ist es an der Zeit, von populären Argumenten gegen mehr Bürgermacht Abschied zu nehmen: vom »desinteressierten Bürger« beispielsweise, der – sein privates Glück fest im Blick – nicht mit Politik belästigt werden will. Schließlich ist er das heimliche Leitbild und eine wesentliche Funktionsvoraussetzung der »demokratischen Methode« der Elitenauswahl. Vor fast 70 Jahren meinte Joseph A. Schumpeter, dass Bürgerinnen und Bürger in politischen Dingen in der Regel erstaunlich dumm und wenig urteilsfähig seien. Beim Kauf eines Autos oder einer Waschmaschine zeigten sie sich zumeist besser informiert als bei politischen Wahlen. Zudem seien die Bürgerinnen und Bürger heute, so ein weiteres Gegenargument, ohnehin notorisch überbeschäftigt und litten unter Zeitstress. Wer ihnen mehr Beteiligung abverlange und zumute, werde sein blaues Wunder erleben, denn mehr als der gelegentliche Gang zur Wahlurne sei einfach nicht drin. Überhaupt, wissen die Beteiligungsgegner, sei Politik heute derart kompliziert und viel zu spezialisiert, um sie Laien zu überlassen. Nur ein »Profi« habe den Blick für rechtsstaatliche Grenzen, durchschaut die komplexen Verflechtungen der verschiedenen politischen Ebenen, kennt die Akteursnetzwerke in einzelnen Politikfeldern und respektiert die finanziellen Spielräume. Er allein helfe uns in Krisenzeiten, Aufregungsschäden zu vermeiden. Der breite Einzug von Laien könne den politischen Betrieb doch nur paralysieren. Da wir weder bei den angestrebten Beteiligungsprozessen noch bei der Ausgestaltung sozialer Bürgerrechte sicher sein könnten, dass mehr Beteiligung auch zu mehr Demokratie und größerer politischer Gleichheit führe, sollten wir es beim repräsentativen Betrieb bewenden lassen. Selbst wenn deutlich weniger als die Hälfte der Berechtigten zur Wahl gingen, sei deren Zahl doch größer als die der Aktiven in sozialen Bewegungen oder Bürgerinitiativen. Mehr direkte Beteiligung – ja bitte, aber nur in homöopathischen Dosen. Schließlich, so der Grundton der zu erwartenden Einwände gegen mehr Bürgermacht, seien wir mit der demokratischen Nachkriegsordnung doch gut gefahren. In vielen Nachbarländern sehe es in Sachen repräsentativer Demokratie doch deutlich schlechter aus …

Diese Streitschrift wird versuchen, gute Argumente gegen die Evergreens konservativer Rhetorik, gegen den verbreiteten Pessimismus der einen und die übergroße Bescheidenheit der anderen Seite zu entwickeln. Das sichtbarste Argument aber sind die engagierten Bürgerinnen und Bürger selbst. Es sind in den letzten Jahrzehnten deutlich mehr geworden. Genug jedenfalls, um mit mehr Bürgermacht eine Vitalisierung der Demokratie anzugehen. Dazu braucht es den Mut zu sozialen und politischen Experimenten.

# I. Bürgerschaftliches Unbehagen

> *»Wir können alles. Außer Demokratie.«*
> PROTESTSLOGAN GEGEN »STUTTGART 21«

## Krisen der Demokratie

Berlin ist nicht Weimar. Das Unbehagen[1] über den realen Zustand und die Leistungen der aktuellen demokratischen Praxis ist groß. Dies gilt nicht nur für die Bundesrepublik, sondern für die große Mehrheit der westlichen Demokratien. Jenseits aktueller Anlässe und Regierungskoalitionen geht es um einen längerfristigen Trend. Dieses Unbehagen ist weit überwiegend demokratisch motiviert. Nicht weniger, sondern mehr Demokratie steht auf der Agenda einer wachsenden Zahl von Bürgerinnen und Bürgern. Es ist an der Zeit, aus

1 Der Begriff Unbehagen ist bewusst gewählt. Er bezieht sich auf Sigmund Freuds berühmte Schrift »Das Unbehagen in der Kultur« (1930). Analog zu Freuds Kulturkritik werden heute demokratische Motive immer wieder beschworen, aber zugleich durch eine politische Praxis enttäuscht, die wenig direkte Einflussnahme eröffnet. Im Unbehagen steckt nicht nur Verdruss, sondern auch die Ahnung, dass es nicht so sein und bleiben muss.

dem langen Schatten von Weimar zu treten, der in der Nachkriegszeit gegen mehr direkte demokratische Beteiligung beschworen wurde.[2] Zu lange wurde so jeder Versuch blockiert, mehr bürgerschaftliche Mitsprache zu ermöglichen. Selbst die bürgerbewegt ermöglichte deutsch-deutsche Vereinigung wurde nicht als Gelegenheit zur demokratischen Erneuerung genutzt.

Gleichwohl gelten Demokratien seit der Antike als besonders stabile und zugleich extrem wandlungsfähige Formen politischer Herrschaft. Stabil sind sie, weil sie auf Veränderung setzen: Ihre zentrale Quelle ist die politische Beteiligung der Vielen, im Idealfall der gesamten Bürgerschaft. Politische Gleichheit, die gleiche Chance aller, sich beteiligen zu können, ist ihr normatives Zentrum. Die Formen, in denen politische Gleichheit praktisch gelebt wird, sind vielfältig und gestaltbar. Politische Bürgerrechte (Versammlungs-, Meinungs- und Vereinigungsfreiheit) und periodische freie, gleiche und geheime Wahlen schaffen eine politische Öffentlichkeit, vor der sich gewählte Regierungen verantworten müssen. Dies macht sie sensibel für neue gesellschaftliche Herausforderungen und veränderte Ansprüche der Bürgerinnen und Bürger.[3] Sie sind

2 Dass nicht das nationalsozialistische Regime, sondern die Weimarer Republik zur Negativfolie für das Nachkriegsverständnis von Demokratie gemacht wurde, gehört zu den prägenden Eigentümlichkeiten der frühen Bundesrepublik (vgl. Ullrich 2009).

3 Dies macht Demokratien freilich auch zu einem günstigen Betätigungsfeld für antidemokratische und rechtspopulistische Bewegungen, die dort weitgehend offen für autoritäre Herrschaftsverhältnisse werben können. Solche illiberalen Transformationen sind keineswegs selten; gerade nach den demokratischen Aufbrüchen im letzten Jahrzehnt ist ein

prinzipiell in der Lage, darauf mit erweiterten Beteiligungsangeboten und neuen politischen Strategien zu reagieren, ohne das demokratische Gefüge selbst infrage zu stellen. Autoritäre Herrschaftsformen hingegen versuchen Ansprüche und Veränderungen so lange zu ignorieren, bis sie zusammenbrechen. Während funktionsfähige Demokratien auf die »Weisheit der Vielen« setzen, vertrauen autokratische Regime auf ihre angehäuften, meist militärisch abgesicherten Machtmittel. Für sie ist Macht die Chance, nicht lernen zu müssen. Je mächtiger ihre Spitze ist, desto brutaler und törichter ihre Reaktionen – eine Dynamik, die wir aktuell im Frühjahr 2011 in einigen Ländern Nordafrikas und des Mittleren Ostens erleben konnten.

In abgeschwächter Form gibt es diese Dynamik aber auch, wie das deutsche Beispiel zeigt, in demokratischen Ordnungen. Krisen, neue Herausforderungen und veränderte Erwartungen gehören zum demokratischen Alltag. Auch demokratisch gewählte Regierungen können Fehlentwicklungen und Proteste – zumindest eine Weile – ignorieren, Beteiligungswünsche leerlaufen lassen, Probleme aussitzen oder auf Formen der Legitimation vertrauen, die in der Bürgerschaft längst an Zustimmung verloren haben. Aber irgendwann werden sie abgewählt. Zuweilen ist dann nicht nur eine neue Regierung, sondern auch ein anderes Regieren angesagt. Viele Anzeichen sprechen dafür, dass die gegenwärtige Blockadesituation in der Mehrzahl der gefestigten Demokratien des Westens mehr als nur einen Regierungswechsel erfordert.

---

Wachstum »illiberaler Demokratien« zu beobachten. Auf diesem Wege befinden sich auch EU-Länder wie Ungarn oder Italien.

In Barack Obamas Siegesformel »Yes, we can!« kam die Gewissheit zum Ausdruck, dass es Zeit für grundlegende Veränderungen sei. Seine Regierungstätigkeit macht zugleich für viele seiner Wählerinnen und Wähler enttäuschend deutlich, wie schwer es ist, eine solche Aufbruchstimmung in politisches Alltagshandeln zu übersetzen. In der Parole »Yes, we can!« sind gezielt zwei unterschiedliche Lesarten von Macht verschmolzen worden, wie es für charismatische Mobilisierungen typisch ist.[4] Einmal geht es um das Wahlkampfversprechen auf eine bessere Zukunft und den Glauben an die Handlungsfähigkeit eines demokratisch gewählten Führers der noch immer größten Weltmacht. Ihr ungeheurer militärisch-bürokratischer Machtapparat soll von ihm eingesetzt werden, um die Wahlkampfziele zu erreichen. »Wählt mich, dann werde ich die gegebenen Versprechen durch Regieren, das heißt durch staatliches Handeln, einlösen«, lautet die eine Teilbotschaft. Gleichzeitig signalisiert das »Wir« einen Appell an die gemeinsame Handlungsfähigkeit von Regierenden und Regierten: »Gemeinsam können wir es schaffen, unseren gesellschaftspolitischen Zielen näherzukommen.« John F. Kennedy hatte dieses klassische Motiv in seiner Antrittsrede vom Januar 1961 auf die berühmte Formel gebracht: »Frage

4 Das Grundmuster charismatischer Ermächtigung hat Sigmund Freud bereits in seiner Schrift »Massenpsychologie und Ich-Analyse« (1921) analysiert. Der Führungspersönlichkeit gelingt es, sich glaubhaft als übermächtige Gestalt zu inszenieren, an deren Machtfülle die Anhängerschaft durch Idealisierung beteiligt ist. In diesem Aufwertungsangebot steckt in der Regel ein doppelter Betrug: Weder ist der Führer so mächtig, noch werden seine Anhänger entsprechend gestärkt. Kurzfristig können jedoch zusätzliche Energien freigesetzt werden.

nicht, was dein Land für dich tun kann. Frage, was du für dein Land tun kannst.« Zumindest im Wahlkampf setzte Obamas Kampagne stark auf diese zweite Lesart einer aktiven Bürgerschaft, die ihre Angelegenheiten, in diesem Fall die Mobilisierung für den Wahlsieg des Kandidaten der Demokraten, selbst in die Hand nimmt. Die Hoffnungsformel »Yes, we can!« lässt freilich vieles offen: die gemeinsame Agenda, die Rolle staatlichen Handelns, die Erwartungen an die im Wahlkampf mobilisierte Bürgerschaft, ob und wie dieses Wir nach einem Wahlsieg noch gebraucht wird.

In der Bundesrepublik meldet sich zwar kein Obama, er hätte in der deutschen Demokratievariante auch wenig Entfaltungsmöglichkeiten, aber das Gefühl, es sei Zeit für einen Wandel, ist auch in der Bundesrepublik weit verbreitet. Es geht dabei nicht um die Alles-oder-nichts-Frage: Demokratie, ja oder nein? Das Unbehagen und der Aufbruch in der Bürgerschaft ist weit überwiegend demokratisch motiviert. Gesellschaftliche Mehrheiten wollen heute stärkeren Einfluss auf die Gestaltung ihres Alltagslebens, aber auch auf politische Richtungsentscheidungen. Das aktuelle Zusammenwirken von enormen gesellschaftlichen Herausforderungen, schwachen Regierungsleistungen und einer wachsenden Beteiligungslücke erfordert eine grundlegende Vitalisierung der Demokratie – eine Konstellation, die in vielen Ländern des wohlhabenden Westens anzutreffen ist. Zur Steigerung des Unbehagens haben Internetkommunikation und soziale Netze erheblich beigetragen. Sie machen die Demokratiedefizite und -krisen offensichtlich, verschärfen sie zuweilen, weil sie populistische Mobilisierungen und herrschaftliche Kontrolle erleichtern. China hat vorgeführt, wie eine Milliardenbevölkerung vom Netz genommen und damit überwacht werden kann. Die aktuellen Mobilisierungen gegen die autoritären Regime in Nordafrika und dem Mittleren Osten verdeutlichen, dass auch ein herrschaftskritischer Gebrauch von Internet und sozialen Netzwerken möglich ist. Jedenfalls erleichtern sie Mobilisierungen. Gleichzeitig können auch die Ansprüche an Transparenz und Verantwortlichkeit des Regierungshandelns durch Nichtregierungsinstitutionen und soziale Bewegungen erheblich gesteigert werden.

Aber das Medium ist nicht die Botschaft. Einige Quellen des aktuellen politischen Unbehagens sollen hier näher betrachtet werden.

## Kritik der Elitenherrschaft

Im Zentrum der Kritik steht heute eine Nachkriegsversion der liberalen Demokratie, die fast ausschließlich auf politische Repräsentation im Sinne einer »demokratischen Elitenherrschaft« gesetzt hat. Die Bürgerschaft wird dabei weitgehend vom eigenen politischen Engagement entlastet, sie wählt zwischen konkurrierenden politischen Profimannschaften und hat kaum direkten Einfluss auf politische Entscheidungen. Politik sei, so will es eine bekannte Karikatur, wie Profifußball: Zweiundzwanzig spielen, und Millionen schauen zu. Lediglich der Gang zur Wahlurne werde als »Bürgerpflicht« angesehen. Die aktuelle Kritik übersieht gern, dass es sich hier um ein – nach vorherrschenden Maßstäben – durchaus erfolgreiches Modell gehandelt hat. Bis in die 1960er Jahre hinein schien der weitgehende Verzicht auf ein intensives und anspruchsvolles politisches Engagement als Systemvorteil gegenüber den dauermobilisierten Volksgenossen Ost- und Mitteleuropas. Wie in anderen Lebensbereichen sollte auch die politische Professionalisierung bessere Erträge sichern, als dies von »Laiendarstellern« zu erwarten war. Sich gleichzeitig ohne schlechtes Gewissen dem privaten Glück und der ökonomischen Erwerbstätigkeit widmen zu können, war einst eine weithin akzeptierte und breit unterstützte Lebensweise – und sie hat auch heute noch viele Anhänger.

In Abkehr von diesem Demokratiemodell der Nachkriegsjahre, das Jürgen Habermas als »staatsbürgerlichen Privatismus« charakterisiert hat, beanspruchen heute beachtliche Teile der Bevölkerung politische Mündigkeit. Sie wollen nicht länger, dass lediglich *für sie* politisch entschieden wird, sondern *mit ihnen* gemeinsam. Nach einer repräsentativen Befragung wollen heute 82 Prozent der Bevölkerung mehr Einfluss auf politische Entscheidungen nehmen (TNS Emnid März 2011). Neun Monate zuvor waren es noch 48 Prozent, nur bei den jüngeren Jahrgängen wollte bereits damals deutlich mehr als die Hälfte der Befragten mehr Beteiligung (TNS Emnid Juli 2010). In diesem raschen Anstieg der Beteiligungsansprüche spiegeln sich vermutlich auch die jüngsten Protesterfahrungen.

Der repräsentativen Verfahren zugrunde liegende politische Tausch von pauschaler Wahlunterstützung und der Produktion bindender Entscheidungen, die allgemeine Akzeptanz finden, bringt offensichtlich nur unter spezifischen

Bedingungen befriedigende und weithin als legitim anerkannte Ergebnisse hervor. Er fordert ein enormes generalisiertes Vertrauen der Bürgerschaft in die Verantwortlichkeit und Leistungsfähigkeit der zentralen politischen Institutionen (Parlamente, Parteien, Regierungen etc.) und ihrer Kontrollinstanzen (Bundesverfassungsgericht, Justiz etc.) ein, denn ein »recall«, eine kontroverse Entscheidung im Einzelfall an die Bürgerschaft selbst zurückzugeben, ist nicht systematisch vorgesehen.

Direktdemokratische Formen (Bürgerbegehren, Bürgerentscheide, Abwahl etc.) breiten sich erst in den letzten beiden Jahrzehnten vor allem auf kommunaler Ebene aus. Sie sind zumeist mit solchen Hürden versehen (hohe Quoren, lange Positiv- und Negativlisten über mögliche Themen, Haushaltsvorbehalte etc.), dass ihre politische Alltagstauglichkeit beschränkt ist. Häufig werden sie in der Bundesrepublik immer noch als »Fremdkörper« in einer repräsentativ geprägten Demokratie wahrgenommen. Mit dem weitgehenden Verzicht direktdemokratischer Verfahren auf Bundes- und auf Landesebene nimmt Deutschland inzwischen eine Sonderstellung ein. Im internationalen Vergleich zeigt sich, dass sich einige der Schwachstellen und Problemzonen direkter Beteiligung durch entsprechende institutionelle Designs und Verfahrensregelungen beheben lassen (vgl. IDEA 2008).

Generalisiertes politisches Vertrauen ist nicht dauerhaft enttäuschungsfest. Es wird nur langsam aufgebaut, kann aber schnell verspielt werden, und offensichtlich ist es stark an die wahrgenommene Leistungsfähigkeit des Regierungshandelns gebunden.

Mit der Formel »Wohlstand für alle« wurden bereits in der Zeit des »Wirtschaftswunders« ökonomische Prosperitätserwartungen als zentrale Legitimationsquelle beansprucht. In Zeiten der deutsch-deutschen Vereinigung wurde diese Verheißung in das Bild der »blühenden Landschaften« übersetzt. Als Grundmotiv »Wirtschaftskompetenz« hat es alle Wahlkämpfe begleitet. Solche Formeln markieren allgemein den Ausgangspunkt für individuelle Aufstiegs- und Wohlstandserwartungen, die Kompensationen und Umverteilungen auch für die negativ von Entscheidungen Betroffenen glaubwürdig in Aussicht stellen kann. Unbequeme Regierungsentscheidungen und massive Eingriffe in die eigenen Lebensbedingungen werden aktuell hingenommen, weil sich dies – so das politische Versprechen – auf mittlere Sicht rentieren soll. Der »kurze Traum immerwährender Prosperität« (Lutz 1984) ist Nachkriegsgeschichte, und der Versuch, ihn im Vereinigungsprozess noch einmal zu träumen, ist weitgehend gescheitert. Politische Entscheidungen und Reformen werden heute deshalb sehr differenziert in ihren positiven wie negativen Folgen für die eigene Lebensführung wahrgenommen. Die Vertröstung, dass es auf mittlere Sicht zu einem Nachteilsausgleich kommen wird, überzeugt nur noch wenige (Embacher 2009: 54 ff.).

Dies hat in den letzten Jahrzehnten verstärkt dazu geführt, dass Einzelentscheidungen der Regierung von Bürgerinitiativen und Protestgruppen erfolgreich und mit breiter Unterstützung infrage gestellt werden. Die großen vertrauensbildenden Friedensformeln des Nachteilsausgleichs und der Zuversicht können nicht mehr überzeugen. Denn Modernität,

Zukunft und Fortschritt, aber auch Wohlstand und ökonomisches Wachstum sind inzwischen selbst zu umkämpften Konzepten geworden.

## Fragilität der politischen Lager und Parteien

Die Zugehörigkeit zu politischen Lagern, die einmal in spezifischen sozialmoralischen Milieus verankert waren und die heute in ihren sozialstrukturellen Lagerungen längst nicht mehr existieren, sichert nur noch sehr eingeschränkt pauschale Legitimation. Mit der »politischen Heimat« hat auch ihre Bindungskraft stark gelitten. Politische Parteien können so ihre Aufgabe, spezifische Milieus zu repräsentieren und dort für die Akzeptanz von konkreten Regierungsentscheidungen zu sorgen beziehungsweise sinnvolle Alternativen zu entwickeln, nur noch sehr begrenzt erfüllen. Lediglich ein Viertel der Wählerschaft fühlt sich heute parteipolitisch noch so gebunden, dass mit deren Wahlunterstützung sicher gerechnet werden kann (Embacher 2009: 73). Dazu haben gerade die Erfolgsbedingungen von Volksparteien, die als »catch all«-Parteien auf der Suche nach Mehrheiten immer wieder bestimmte Wählermilieus frustrieren müssen, erheblich beigetragen. Wenn mit einem pauschalen Wahlkredit aber immer weniger zu rechnen ist, werden Einzelentscheidungen zunehmend strittig. Die Grundlage ihrer Legitimation muss folglich durch eine möglichst breite Beteiligung an wichtigen Entscheidungen und durch zusätzliche Verfahren immer wieder erneut gesichert werden.

Dies hat auch mit einer zentralen Quelle der breit beobachteten nachlassenden Parteienunterstützung bei Wahlen und durch Mitgliedschaften zu tun, von der die großen Volksparteien besonders betroffen sind (Merkel 2010). Die deutsche Entwicklung bestätigt Ergebnisse international vergleichender Langfriststudien: Ausgerechnet die »Verstaatlichung« der Parteien, ihre Ablösung aus zivilgesellschaftlichen Zusammenhängen ist die Hauptursache der Mitgliederverluste vor allem der großen Volksparteien (Whiteley 2010). Die Übernahme staatlicher Aufgaben und die zunehmende staatliche Parteienfinanzierung haben die Bedeutung einer aktiven Mitgliedschaft für die Parteiführungen deutlich reduziert. Was nicht mehr ehrenamtlich geleistet werden kann, wird von professionellen Agenturen übernommen, solange dafür ausreichend Geld vorhanden ist. Zugespitzt lässt sich formulieren, dass selbstbewusste und engagierte Parteimitglieder heute nur stören, denn sie schränken potentiell die Handlungsfähigkeit der Parteispitzen ein. Eigentlich braucht es nur noch einige wenige Mitglieder mehr, als jeweils an öffentlichen Positionen – über Parlamentssitze hinaus, von den Rundfunkräten bis zu den Wohlfahrtsverbänden – zu vergeben ist. In etlichen Regionen Ostdeutschlands fehlt es bereits an Bewerbern für kommunale Mandate. Ihre »Verstaatlichung« sorgt zwar dafür, dass Parteien nicht untergehen können, aber jenseits von Karrieremotiven und der Vergabe diverser politischer Ämter sind sie für politisch Interessierte weitgehend uninteressant geworden. Die politische Debatte findet an anderen Orten statt.

Zudem wird die binäre Logik des Parteienwettbewerbs zunehmend als inszenierte Zumutung erfahren. Sacherwägungen bleiben auf der Strecke, wenn es darum geht, Unterschiede zu markieren. Gerade wenn sie nicht oder nur in Nuancen bestehen, ist aus Konkurrenzgründen ihre übertreibende Inszenierung geboten. Besonders Wahlkämpfe geraten so zu »Blödmaschinen« (Metz/Seeßlen 2011: 643), denen sich ein wachsender Teil des Publikums verweigert.

## Neue soziale Ungleichheiten

Politische Gleichheit ist ein demokratischer Zentralwert, der ohne zureichende gesellschaftliche Voraussetzungen nicht zu haben ist. Zu Beginn der Nachkriegsära formulierte der Brite Thomas H. Marshall eine politische Vision[5], die bis in die 1970er Jahre für die gesellschaftliche Entwicklung in Westeuropa wirksam schien (vgl. Marshall 1950). Er sah einen engen, sich wechselseitig verstärkenden Zusammenhang von zivilen, politischen und sozialen Bürgerrechten und prognostizierte eine Dynamik in Richtung volle Bürgerschaft (»full citizenship«) für die gesamte Bevölkerung. Die staatliche Garantie von guter Bildung und sozialer Sicherheit sollte die gleichberechtigte gesellschaftliche und politische Teilhabe aller Bürgerinnen und Bürger ermöglichen. Diese breite Teilhabe werde – so die Erwartung – wiederum dafür sorgen, dass der inklusive Charakter sozialer Bürgerrechte stets aufs Neue politisch

---

5 Wesentliche Elemente finden sich bereits in der Allgemeinen Menschenrechtserklärung von 1948. Auch sie setzt auf ein Zusammenspiel von zivilen, politischen und sozialen Menschenrechten. Allerdings ist dies für viele Weltregionen weitgehend Utopie geblieben (Moyn 2010).

gestärkt wird. Im Rückblick ist diese wohlfahrtsstaatliche Dynamik irgendwann in den 1970er Jahren erlahmt. Dieser Nachkriegsglaube, die zunehmende Integration sei nur eine Frage der Zeit, ist heute schwer erschüttert. Von einer vollen Bürgerschaft, die in ihrer ursprünglichen Version ohnehin auf den »male breadwinner«, den männlichen Verdiener, zugeschnitten war, sind – so müssen wir erkennen – immer mehr gesellschaftliche Gruppen ausgeschlossen.

Dies gilt für die »Bildungsverlierer«, die nicht nur in ihren Arbeitsmarktchancen, sondern auch in ihren Kompetenzen zur politischen Beteiligung beschnitten sind. PISA und andere Untersuchungen haben deutlich gemacht, dass Bildung – entgegen den Erwartungen von Marshall und den geltenden menschen- und bürgerrechtlichen Normen – besonders in der Bundesrepublik keinen Beitrag zur sozialen Gleichheit leistet, sondern soziale Unterschiede und damit auch politische Ungleichheit verfestigt. Die damit verbundenen Ausgrenzungserfahrungen schlagen sich in besonders großer Politik- und Demokratieverdrossenheit nieder.

Ausgeschlossen sind ebenso viele Zugewanderte und ihre Familien mit ihren eingeschränkten Bürgerrechten. Da sich in der heterogenen Gruppe der Menschen mit Migrationshintergrund überproportional viele finden, die weder im Bildungssystem noch am Arbeitsmarkt chancenreich sind, verschärft sich deren politische Marginalisierung weiter. Noch immer gibt es kein kommunales Wahlrecht für Drittstaatenausländer in Deutschland, von ihrer Repräsentation auf Landes- und Bundesebene ganz zu schweigen (vgl. Wüst/Heinz 2009). Im EU-Vergleich wird deutlich, wie sehr sich die Bundesrepublik gegen die Einsicht sperrt, dass eine Demokratie, die erhebliche Teile der Bevölkerung von der politischen Beteiligung ausschließt, auf Dauer weder legitim noch lebensfähig ist.

Zudem erzeugen die Umbrüche auf den Arbeitsmärkten und in den flankierenden Sozialsystemen gravierende demokratische Probleme. Unter diesen Voraussetzungen ist eine Tendenz in Richtung »volle Bürgerschaft« kaum zu erwarten,[6] vielmehr müssen wir heute von einer starken Dynamik in Richtung gespaltener Arbeitsmärkte ausgehen, die nicht mehr in inklusive Sozial- und Bildungssysteme eingebettet sind. Diese Grundaussage ist weithin unstrittig und in unterschiedlichen Versionen beschrieben worden.[7] Besorgnis sollte außerdem die im Vergleich mit anderen Ländern der EU beachtliche Ungleichheitsdynamik auslösen (Alber u. a. 2010). Auch die spezifischen Defizite an sozialer Gerechtigkeit in Deutschland in den Bereichen Bildungszugang, Armutsvermeidung und Arbeitsmarktinklusion sind häufig angemahnt worden.[8] Im OECD-Vergleich wird deutlich, dass dies nicht so

---

6 Ihr hat Helmut Schelsky mit der These von der »nivellierten Mittelstandsgesellschaft« 1953 ein Denkmal gesetzt.

7 Grundlegende sozialstatistische Informationen bieten SOFI u. a. (2005), biografische Fallstudien aus einer Arbeitswelt im Umbruch präsentieren Schultheis u. a. (2010), und eine aktuelle Gesamtsicht gibt Castel (2011).

8 »Eine Bekämpfung von Bildungsarmut durch die Auflösung von Sonderschulen und die Inklusion aller Schülerinnen und Schüler in einem egalitären Bildungswesen stärkt die gesellschaftliche Teilhabe aller Kinder und Jugendlichen. So können sie als Erwachsene Demokratie mitgestalten und ihrer sozialen Ausgrenzung besser entgegenwirken – auch wenn ihre Ausgangspositionen nicht die gleichen waren« (Pfahl 2010: 13). Von diesem dynamischen Zusammenspiel von sozialer und politischer Bür-

sein muss. Einigen anderen europäischen Ländern, allen voran in Skandinavien, ist es gelungen, eine ökonomisch erfolgreiche Krisenpolitik mit einem hohen Maß an sozialer Inklusion zu verknüpfen (vgl. Bertelsmann Stiftung 2010).

Um die politische Brisanz dieser Ungleichheitsdynamik zu diskutieren, lassen sich im Anschluss an Robert Castel (2000) mit Michael Vester (2009) vier soziale Großlagen unterscheiden: der gesicherte Wohlstand (»Zone der Integration«), der instabile Wohlstand (»Zone der Verwundbarkeit«), die Unsicherheit (»Zone der Prekarität«) sowie die verfestigte Armut (»Zone der Exklusion«).

Für die Bundesrepublik müssen wir heute davon ausgehen, dass weniger als die Hälfte der Bevölkerung in der »Zone der Integration« lebt. Die anderen Zonen haben in den letzten Jahrzehnten deutlich an Gewicht gewonnen. Auch wenn der Rückgang der Arbeitslosenzahlen und die erhöhte Erwerbsquote der letzten Jahre als Ergebnis der aktivierenden Arbeitsmarktpolitik der Agenda 2010 beansprucht werden, sind doch Zweifel an deren sozialintegrativen Wirkungen angebracht. Die Zonen der Exklusion und der Prekarität sind nicht abgeschmolzen, sondern eher angewachsen.

In Zeiten von »Hartz IV« unterliegen Arbeitssuchende immer neuen bürokratischen Regelungen, die wenig fördernd, respektvoll und beteiligungsorientiert sind. Die Betroffenen werden gerade nicht als »full citizens« behandelt (Dörre 2010). Auch unsichere »atypische Beschäftigungen« haben deutlich

---

gerschaft ging Marshall bereits vor mehr als 60 Jahren aus. Was ist in der Zwischenzeit schiefgelaufen?

zugenommen; sie lassen oft nur noch wenig Raum und Selbstbewusstsein für politische Partizipation. In allen Formen politischer Beteiligung – vom Sozialprofil der Wählerschaft über die Mitgliedschaft in Parteien[9] bis hin zum niedrigschwelligen bürgerschaftlichen Engagement[10] – sind heute soziale Benachteiligungen bis hin zum Ausschluss zu verzeichnen.

Um den Prozess wachsender politischer Ungleichheit umzukehren, bedürfte es einer »demokratischen Repolitisierung der Gesellschaft«. Gefragt ist eine »zivile Solidarität«, das heißt eine Sozialpolitik, die darauf abzielt, »die Bürger, soweit sie der Hilfe bedürfen, politisch zu befähigen und zu ermächtigen« (Heitmeyer 2010: 179). Die Chancen dafür stehen, so die Diagnose zahlreicher Beobachter, eher schlecht. »Die Bürger selbst müssten also erheblichen Druck aufbauen, um Veränderungen durchzusetzen. Doch gerade die Menschen, die am meisten unter den Folgen eines autoritären Kapitalismus leiden, haben politisch resigniert. Die Individualisierung, der Verlust eines kollektiven Bewusstseins sowie individuelle Vermeidungskonzepte im Umgang mit Krisen tragen ein Übriges dazu bei, dass starke politische Bewegungen immer unwahrscheinlicher werden« (Heitmeyer 2010: 180). Es gibt zwar aktuell mehr Proteste denn je, aber keine, die das hier beschriebene Dilemma zu überwinden in der Lage wären.

---

9 Es gehört zu den bitteren Ironien, dass die Abgeordneten der extrem rechten NPD sozialstrukturell repräsentativer sind als die der demokratischen Parteien.

10 Wie sich ein flexibler Beschäftigungsstatus, aber auch Zeitstress und Mobilitätszwänge als Blockaden für bürgerschaftliches Engagement auswirken, zeigt der jüngste Freiwilligensurvey (Gensicke/Geiss 2010).

Die wachsende soziale und damit ebenso politische Ungleichheit wirkt auch als Barriere, wenn Reformen in demokratiefördernder Absicht gefordert werden. Gerade intensive, thematisch anspruchsvolle Formen der Beteiligung schließen zum Beispiel bildungsferne Schichten »naturwüchsig« aus und laufen somit Gefahr, politische Ungleichheit noch zu steigern. Einfach zu warten, bis sich die sozialen Voraussetzungen für politische Partizipation angeglichen haben, stellt sicher keine Lösung dar. Und ebenso sinnlos wäre es, eine wachsende politische Ungleichheit durch neue Beteiligungsinitiativen in Kauf zu nehmen. Immerhin gibt es ja vielfältige Möglichkeiten (vgl. Kapitel II), dieser selektiven Wirkung von Beteiligungsangeboten entgegenzuwirken. Mehr Beteiligung ist unter den Bedingungen sozialer Exklusion und Prekarität kein Selbstläufer, sondern erfordert gezielte demokratische Investitionen. Dies gilt bereits für die spezifischen Potentiale von partizipativen Reformvorschlägen selbst. Gefordert ist nicht allein: »Genauer hinschauen und diskutieren, welche Handlungs- und Einflussmöglichkeiten bestimmte Repräsentationsformen für welche Gruppen und Interessen bieten« (Thaa 2009: 76)[11]. Auch der Investitionsbedarf für Beteiligung steigt in dem Maße, wie soziale Ausgrenzungen in den Beteiligungsprozessen selbst bearbeitet werden müssen, damit sie nicht zum Privileg von Exklusivbürgern werden.

11 Dazu finden sich einige brauchbare Kriterien (Inklusion, öffentliche Kontrolle, Entscheidungsqualität, Transparenz, Effizienz, Übertragbarkeit) in einer vergleichenden Studie über demokratische Innovationen von Graham Smith (2009: 162 ff.).

Trotz wohlfeiler Lippenbekenntnisse fehlt es noch immer an der Bereitschaft, diese öffentliche Aufgabe der Demokratieentwicklung jenseits kleiner Modellprogramme und gelegentlicher Projekte ernsthaft anzugehen[12]. Die noch immer zu kleine Zahl partizipativer Erfolgsbeispiele (Bürgerkommunen, Bürgerhaushalte etc.) wird gelegentlich sogar als populäres Argument gegen mehr Bürgermacht nach dem Motto genutzt: »Wenn es gewollt, machbar und überzeugend wäre, gäbe es längst viel mehr davon.«

## Globale und nationale Krisendiagnosen

Nicht nur im Themenfeld Migration und Zuwanderung wird spürbar, dass globale Entwicklungen heute erheblichen Einfluss auf das Regierungshandeln haben. Sie prägen auch das Streben nach ökonomischer Wettbewerbsfähigkeit, die Reformen des Bildungswesens oder der Arbeitsmarktpolitik – von den großen ökologischen Themen, die eine transnationale Perspektive aufdrängen, vom Klimawandel bis zur Artenvielfalt, ganz zu schweigen. Diese postnationale Konstellation ist kein Schicksal, sondern zu einem erheblichen Teil das Ergebnis politischer Entscheidungsverlagerungen auf die

---

12 Bundespolitisch lässt sich ein gegenläufiger Trend beobachten, nämlich die völlige Missachtung von politischen Ansätzen, die auf die verstärkte Beteiligung von benachteiligten Gruppen ausgerichtet sind. So wurden im Bundeshaushalt 2011 keine Mittel mehr für die nicht investiven, d. h. die beteiligungsfördernden Teile des Programms »Soziale Stadt« eingestellt.

Europäische Union, auf G-8-Konsultationen, den Internationalen Währungsfonds oder die Weltbank und mehr als 300 ähnliche transnationale Regulierungsinstanzen. Als Rechtfertigung für Leistungs- und Repräsentationsdefizite taugen sie für Länder von der Größe und dem politisch-ökonomischen Gewicht der Bundesrepublik nur begrenzt. Seit die transnationale politische Ebene verstärkt von Nichtregierungsorganisationen, globalen sozialen Bewegungen, Themenkampagnen und Gegengipfeln besiedelt wird, die auch für diese Ebene politische Alternativen ins Spiel bringen (wie zum Beispiel auf den Weltsozialforen), verlieren nationale Ausreden an Glaubwürdigkeit. Mit der Parole »Eine andere Welt ist möglich« werden von globalisierungskritischen Initiativen Gestaltungsansprüche signalisiert, an denen sich auch die Beiträge nationalstaatlicher Akteure messen lassen müssen. Aus einem legitimatorischen Verschiebebahnhof ist ein weiteres Aufgabenfeld geworden, auf dem sich Regierungen bewähren, aber auch scheitern können. Diese eher hoffnungsvolle Diagnose ist jedoch zu relativieren. Mit nachlassendem Druck der globalisierungskritischen Bewegungen und Nichtregierungsorganisationen droht ein Rückfall in die klassische, auf nationalstaatliche Vorteile bedachte Diplomatie – nur noch aufgeschreckt durch Enthüllungen von WikiLeaks, die deren Blöße allzu deutlich offenlegen.

Nachdem vor zwei Jahrzehnten mit dem Zusammenbruch Osteuropas der »Sieg der Demokratie« durch eine dritte Demokratisierungswelle unaufhaltsam schien, meldeten sich bald kritische Stimmen zu Wort. Bereits 2002 widmete sich der Human Development Report der Vereinten Nationen umfassend dem Thema »Deepening Democracy in a Fragmented World« (UNDP 2002). Er benannte einige zentrale Krisenzonen demokratischer Zukunftsentwicklung, wie politische Korruption, Parteien- und Wahlkampffinanzierung, Verfassung der medialen Öffentlichkeit, Missachtung demokratischer Grundrechte – Themen, die uns bis heute umtreiben. Es ging in diesem Bericht nicht nur um die Festigung neuer Demokratien, sondern gleichzeitig um die Überwindung demokratischer Defizite in konsolidierten westlichen Demokratien und eine Vertiefung demokratischer Politik auf globaler Ebene. Während dieser globale Entwicklungen und alle Weltregionen einbeziehende Diskurs in Deutschland vergleichsweise wenig Resonanz fand, hat sich in den letzten Jahren auch hierzulande der Eindruck verstärkt, dass es erheblichen demokratischen Erneuerungsbedarf in den etablierten westlichen Demokratien gibt.

Zu einem zentralen wissenschaftlichen Stichwort entwickelte sich dabei der Begriff »Postdemokratie«, von Colin Crouch 2004 über einen akademischen Rahmen hinaus populär gemacht (vgl. Jörke 2005). Seit der Übersetzung der schmalen Studie im Jahr 2008 wird diese Zeitdiagnose auch in der Bundesrepublik breiter wahrgenommen. »Der Begriff bezeichnet ein Gemeinwesen, in dem zwar nach wie vor Wahlen abgehalten werden, Wahlen, die sogar dazu führen, dass Regierungen ihren Abschied nehmen müssen, in dem allerdings konkurrierende Teams professioneller PR-Experten die öffentliche Debatte während der Wahlkämpfe so stark kontrollieren, dass sie zu einem reinen Spektakel verkommt, bei dem man nur über eine Reihe von Problemen diskutiert, die die Experten zuvor ausgewählt haben. (…) Im Schatten dieser politischen Inszenierung wird die reale Politik hinter verschlossenen Türen gemacht: von gewählten Regierungen und Eliten, die vor allem die Interessen der Wirtschaft vertreten« (Crouch 2008: 10).

Die Tendenz zur Postdemokratie wird vor allem durch die Schrumpfung des öffentlichen Raums und die systematische Reduktion des politischen Gestaltungsanspruchs (»it's the economy, stupid!«), durch die Konzentration einer enormen unkontrollierten Machtfülle bei transnationalen Konzernen und Finanzunternehmen sowie durch die Übernahme von weiten Teilen des politischen Willensbildungsprozesses, inklusive der politischen Wahlen durch große Medienunternehmen, vorangetrieben. Die Debatte über eine heraufziehende »Postdemokratie« ist allerdings nur eine Ausdrucksform einer allgemeinen demokratischen Rezession, die eine Welle der Demokratisierung nach dem Ende des Kalten Krieges ablöste. Die Anschläge des 11. September 2001 haben eine Rückkehr zu autoritären Regimen beschleunigt. In Form einer nachlassenden demokratischen Unterstützung und sinkenden Demokratiezufriedenheit sind solche Tendenzen auch in vielen Ländern zu beobachten, die ihre demokratischen Strukturen erhalten konnten. Bedroht werden sie zusätzlich durch illiberale, das heißt zentrale Bürgerrechte missachtende Regierungspraktiken – es entstehen »illiberale Demokratien« (Zakaria 2003; Diamond 2008).

In der Summe türmen sich die demokratieabträglichen Problemberge in einschüchternder Weise auf. Für die westlichen Demokratien scheint der Trend eindeutig: »By almost any measure, public confidence and trust in, and support for politicians, political parties, and political constitutions has eroded over the past generation« (Dalton 2004: 191). Auch wenn einzelne Erscheinungsformen der Demokratiekrisen unstrittig sind, gibt es kontroverse Bewertungen und Beschreibungen der Ursachen. Es lohnt dennoch ein Blick auf einige Krisendiagnosen, um bei der Suche nach Auswegen und Alternativen nicht zu kurz zu springen:[13]

- **Die Substanzkrise des Politischen:** Mit dem Rückzug des Staates (durch die Privatisierung öffentlicher Güter, den Regulierungsverzicht des Staates beziehungsweise die wachsende Selbstregulierung privater Akteure) schrumpft der politisch zu gestaltende öffentliche Raum und damit die Reichweite demokratischen Handelns. Dafür bietet die »Liberalisierung« der Finanzmärkte im letzten Jahrzehnt und die nicht zuletzt dadurch provozierte Finanz- und Bankenkrise ein eindrucksvolles Beispiel. Diese Tendenz wurde durch die staatlichen Antworten auf die weltweite Finanzkrise seit 2008 nur scheinbar revidiert. Indem die öffentlichen Haushalte in einer zuvor kaum vorstellbaren Weise für die Rettung »systemrelevanter« Banken nach dem Motto »Too big to fail« in Anspruch genommen wurden,[14] dürften sich letztlich die politischen Gewichte

13 Eine aktuelle, empirisch gehaltvolle Übersicht über die nationalen Ausprägungen der verschiedenen Krisenerscheinungen und Defizite westlicher Demokratien bietet Pippa Norris (2011).

14 Ein US-Verlag hat für den Umschlag eines gleichnamigen Titels zum Thema Finanzkrise einen Dinosaurier ausgewählt, um auf die Gefahren einer solchen Argumentation aufmerksam zu machen.

weiter in Richtung Privatwirtschaft verschoben haben (vgl. Crouch 2011). Dieser Logik folgen auch die jüngsten Rettungspakete für die überschuldeten Mitgliedsstaaten der Europäischen Union.

- **Die Verantwortungskrise repräsentativer Demokratie:** Responsivität und Verantwortlichkeit von Regierungen erreichen in den Bewertungen von Bürgerinnen und Bürgern immer neue Tiefststände.[15] Dem entspricht eine wachsende Korruptionsintensität, die Besetzung des öffentlichen Raums durch in sich abgeschlossene politische Eliten, eine von ungewählten Experten und Lobbyisten beherrschte öffentliche Debatte, der wachsende Einfluss des »großen Geldes«, von Medienunternehmen und starken Lobbygruppen.[16] Dazu passt spiegelbildlich die skeptische Selbsteinschätzung von Abgeordneten, wie sie jüngst in einer empirischen Studie in Deutschland erhoben wurde. Je nach Politikfeld bezweifeln danach zwischen 65 und 88 Prozent der Volksvertreter, selbst großen Einfluss auf die politische Gestaltung wichtiger Lebensbereiche

15 Ein niederländischer Demokratiereport (»The State of our Democracy 2006«) präsentiert folgende Daten: »The responsiveness of government leaves much to be desired. Thus 83% of people feel that the government pays little attention to the problems of citizens, 90% feel that the government scarcely involves citizens in the policy-making and 79% feel that the government is not sufficiently accountable for its performance« (Ministry 2006).

16 Robert Reich (2008: 174ff.) hat die Dynamik dieser Eroberung des politischen Raumes anschaulich beschrieben und als Konsequenz verschärfter internationaler Konkurrenzbedingungen plausibel gemacht.

zu haben – ein alarmierendes Resultat für eine fast ausschließlich repräsentativ verfasste Demokratie.[17]

- **Die Performanzkrise des politischen Systems:** Negative Leistungsbilanzen in zentralen Politikfeldern, von der ökonomischen Entwicklung bis zu ökologischen Herausforderungen, haben in der Bevölkerung Erwartungen in die Leistungsfähigkeit von Politik drastisch reduziert. So gehen heute regelmäßig und unabhängig von den jeweiligen Regierungsmehrheiten zwei Drittel der Menschen davon aus, dass die Politik nicht in der Lage sein wird, die großen Herausforderungen unserer Zeit zu lösen.

- **Die Grenzen der Verteilungspolitik:** Westliche Demokratien hatten ihre beste Zeit, als sie über wohlstandsgestützte Handlungsspielräume verfügten. Seit dem Ende des »kurzen Traums immerwährender Prosperität« schwinden die Verteilungsspielräume und höhlen eine zentrale Prämisse wohlfahrtsstaatlicher Interessenberücksichtigung aus.

- **Die Repräsentations- und Strukturkrise der politischen Interessenvertretung und -vermittlung:** Zu den Krisensymptomen zählen hier die sinkende Wahlbeteiligung sowie die »Erosion der Mitgliederparteien«.[18] Auch die Wertschät-

17 Vgl. DEUPAS – Deutsche Parlamentarierstudie 2010 (Klewes u. a. 2011).

18 Eindrucksvolle internationale Daten zum Niedergang der Parteimitgliedschaft liefert der UNDP-Bericht (2002: 69), wobei die Entwicklung in Deutschland (auch vereinigungsbedingt) moderater ausfällt als in Län-

zung von und die Mitgliedschaft in Verbänden und Gewerkschaften wird geringer. Dem stehen ein wachsendes bürgerschaftliches Engagement und intensivere politische Aktivitäten außerhalb der institutionellen Kanäle in Bürgerinitiativen, Protesten und sozialen Bewegungen gegenüber.

- **Die Vertrauens- und Akzeptanzkrise in der Bürgerschaft:** Systemvertrauen und Demokratievertrauen sind rückläufig. Ein Bedeutungsverlust der Volkssouveränität wird wahrgenommen und ein sinkender Einfluss von Wahlentscheidungen beklagt. Hinzu kommen uneingelöste Sicherheitsversprechen, seien sie nun auf Terrorgefahren, ökologische und technologische Risiken oder materielle Unsicherheiten bezogen.

- **Die Krise der Menschen- und Bürgerrechte:** Nach dem 11. September 2001 sind Menschen- und Bürgerrechte in vielen Demokratien verstärkt in eine Abwärtsspirale geraten, indem sie teils programmatisch hinter sicherheitspolitischen Erwägungen zurückgestellt werden, teils zu den kollateral Geschädigten des »Kriegs gegen den Terror« gehören (Rückkehr der Folter, Entrechtung von Gefangenen à la Guantánamo etc.; zu den verschiedenen internationalen Facetten vgl. Wilson 2005).

---

dern wie Frankreich, Italien oder den USA, wo sich die Zahl der Parteimitglieder in den letzten beiden Dekaden des 20. Jahrhunderts mehr als halbiert hat. Zuwächse werden lediglich für die »neuen« Demokratien ausgewiesen.

- **Die Vereinigungskrise:** Sie markiert eine spezifisch deutsche Herausforderung, indem sich die Krisenprozesse der westlichen Demokratien und die der Transformationsprozesse in den osteuropäischen Ländern vor allem im Osten Deutschlands überlagern (Buzogany/Frankenberger 2007).

Die genannten Krisenelemente bilden bei weitem keine vollständige Liste (vgl. ergänzend diverse Beiträge in Brodocz u.a. 2008). Nun gehören Krisendiagnosen untrennbar zur demokratischen Entwicklung. Dass Defizite wahrgenommen, artikuliert und zum Anlass für Erneuerungen genommen werden können, gehört zu den Stärken von Demokratien. Auch über die »Krisen der Krisentheorien« ist schon häufig gelächelt worden, weil der Hinweis auf Krisen zu den stabilen Elementen in der Selbstbeschreibung letztlich erstaunlich robuster Demokratien zu zählen ist. Gerade die Erfahrungen mit dem Untergang des Ostblocks könnten zu einer paradoxen Bewertung von Krisendiagnosen verführen: Nur wenn es sie nicht gibt (beziehungsweise wenn sie nicht zugelassen werden), ist der Systembestand wirklich bedroht. Wie weit sich die genannten Krisenerscheinungen und Defizite zu realen und folgenreichen Bedrohungen auswachsen oder zur »normalen« Begleitmusik stets angesagter demokratischer Neujustierungen gehören, mit denen wir entspannt leben sollten, sei hier einmal dahingestellt. Allerdings häufen sich demoskopische Befunde, die eine wachsende Kluft zwischen den Erwartungen der Bürgerschaft an eine funktionierende Demokratie und ihrer Verwirklichung in der Bundesrepublik signalisieren. Dies gilt besonders für Fragen der politischen Gleichheit, der sozialen Gerechtigkeit, der Transparenz und Bürgerorientierung politischer Entscheidungen und der Verantwortlichkeit von Regierungen (Embacher 2009: 65f.; Geißel 2011).

## Reformen ohne Bürgerschaft

Josiah Ober, ein an der Universität in Stanford lehrender Spezialist in Sachen attischer Demokratie, ist zu Beginn seiner Studie über »Demokratie und Wissen« in die Rolle eines »freien Bürgers von Athen« geschlüpft, der die gegenwärtigen USA bereist. Der zeitreisende Demokrat, so seine Vermutung, würde die aktuelle Praxis verurteilen, die das öffentlich vorhandene Wissen ignoriert, wenn es um politische Strategien und Entscheidungen geht. Diese Ignoranz gegenüber dem »Wissen der Vielen« gilt sowohl für konservative wie für liberale Präsidentschaften und ist weit über die USA hinaus verbreitet. Sie verbindet das immergleiche Politikmuster: Experten versammeln, Türen verschließen, Reformplan formulieren und ihn umsetzen, Kritik zurückweisen (vgl. Ober 2008: 1). Selbst wenn es gelänge, in solchen abgeschlossenen Expertenrunden alle wichtigen Informationen und Gesichtspunkte zu versammeln, schadet diese Praxis der Demokratie und dem Gemeinwesen, denn sie macht aus freien Bürgern passive Unterworfene, deren Kenntnisse und Perspektiven keine Wertschätzung erfahren. Dieses Grundmuster gilt auch für politische Reformen in der Bundesrepublik. Angesichts vielfältiger

Expertenkommissionen wurde bereits zu Beginn des letzten Jahrzehnts vor einer »neuen Räterepublik« gewarnt, in der die Mitwirkung von Parteien und Parlamenten an den Rand geschoben und die der Bürgerschaft nicht einmal erwogen werde. Erinnert sei nur an die »Agenda 2010« der rot-grünen Bundesregierung, die sich rühmte, den Vorschlag eines Expertengremiums gegen alle Widerstände »eins zu eins« umgesetzt zu haben.

Reformen ohne und gegen die Bürgerschaft, oft auch ohne angemessene parlamentarische Beteiligung, innerparteiliche und öffentliche Debatte sind ein gemeinsames Kennzeichen der letzten Reformdekade. Als »Basta-Politik« hat es dieses von Kanzler Schröder verkörperte, aber keineswegs auf ihn beschränkte Politikmuster zur stehenden Redewendung gebracht. Ob Agenda-Gesetzgebung, Föderalismus-Reform, die unendlichen Gesundheits- und Bildungsreformen, der Bologna-Prozess an den Hochschulen oder die EU-Verfassung, sie sind – Letztere zumindest in Deutschland – weitgehend ohne jede Form der Bürgerbeteiligung erfolgt. Die »Weisheit der Vielen« war ebenso wenig gefragt wie die Ressource bürgerschaftliches Engagement in der Umsetzung von Reformen. Ihr antidemokratischer Impuls besteht nicht nur darin, dass an ihrer Entwicklung weder die Bürgerschaft insgesamt noch die direkt Betroffenen oder die dafür vorgesehenen Parteien und Parlamente einflussreich beteiligt worden sind. Es geht der »Basta-Politik« in erster Linie um den Beleg von autoritativer Führerschaft, die darin besteht, die in Experten- und Lobbyrunden im jeweils eigenen Interesse ausgedachten Reformkonzepte als modern, sachgerecht und alternativlos zu präsentieren und gegen jeden Widerstand durchzusetzen. Wer darin erfolgreich ist, kann sich breiter Zustimmung in den Medien gewiss sein, die häufig dem gleichen vordemokratischen Leitbild durchsetzungsfähiger Führerschaft verpflichtet sind. Maßstab ist einzig, ob es gelingt, die Widerstände in Parlamenten, von Interessengruppen und letztlich in der eigenen Partei zu brechen und auf diese Weise »Handlungsfähigkeit« zu demonstrieren. Dass dabei selbst die demokratischen Minima parlamentarischer Debatte oder innerparteilicher Demokratie auf der Strecke bleiben, von einer breiten ergebnisoffenen und öffentlichen Debatte des Souveräns ganz abgesehen, wird nur selten bedauert, sondern als notwendige Bedingung für erfolgreiche Reformen in Kauf genommen. Seit der Reformbegriff in der Öffentlichkeit wesentlich als Drohung wahrgenommen wird, hat die Schrumpfversion des »Durchregierens« an Bedeutung gewonnen. Erneut geht es um das Durchsetzen von einmal getroffenen politischen Entscheidungen »gegen jeden Widerstand«. Unverhohlenes Leitbild für das politische Spitzenpersonal ist der CEO (Chief Executive Officer), der erfolgreiche, visionäre oder pragmatische Unternehmensmanager, ein Leitbild, das im öffentlichen Sektor zuweilen zu skurrilen Vermischungen mit der klassischen bürokratischen Amtsautorität geführt hat.

Die Art und Weise, wie Reformen (nicht) debattiert und durchgesetzt werden, bleibt ihren Inhalten nicht äußerlich. Sie sind von der autoritären Anmaßung geprägt, die bereits die »Weisheit der Vielen« und die Perspektive der Betroffenen ausgeschlossen hat. Gemeinsam ist der Bologna-Reform und Hartz IV, um zwei prominente Beispiele zu nehmen, dass sie die Betroffenen und Beteiligten einem rigiden bürokratischen Regime unterworfen haben, das zuvor noch vorhandene Spielräume der Selbst- und Mitbestimmung oder des bevormundungsfreien sozialen Rückhalts drastisch reduziert hat.

Es gibt sicherlich keinen Grund, die Studiensituation vor der Durchsetzung der verkürzten Bachelor-Studiengänge und der anschließenden – nur noch für einen Teil der Studierenden offenen – Masterstudiengänge zu idealisieren. Desorientierung, Beliebigkeit, Wildwuchs sind zuvor häufig und zu Recht beklagt worden. Aber die gestrafften, gekürzten, reglementierten, genormten und dicht mit Prüfungen bestückten neuen Studiengänge haben nicht nur Zweifel an ihrer Studierbarkeit aufkommen lassen. Sie haben das Studium und die Lehre selbst radikal verändert – zumindest in den Fächern und Fachbereichen, die »Bologna« nicht schon zuvor praktizierten. Momente der Selbstbestimmung und Selbstreflexion, der Kritikfähigkeit und Kreativität sind bei allen Beteiligten weitgehend auf der Strecke geblieben. Es darf bezweifelt werden, ob dieser taylorisierte Lehr-/Lernbetrieb, als schlechte Fortsetzung einer curricular gesteuerten Schule, die Bildungswirkungen entfalten kann, die zu seiner Rechtfertigung bemüht werden. Jedenfalls sind die mit der Hochschulreform unmittelbar verbundenen Versprechen wie schnellere Studienabschlüsse, geringere Abbrecherquoten, mehr Flexibilität in der Wahl der Studienorte, leichterer Wechsel an ausländische Hochschulen kaum eingelöst worden. In Bildungsstreiks und Besetzungsaktionen haben sich die Studierenden zu Wort gemeldet – nicht zuletzt, weil sie in großer Zahl die Erfahrung gemacht haben, dass die verkürzten und dicht mit Prüfungen bestückten Studiengänge nicht studierbar sind.

Der durch die »doppelte Professorenmehrheit« ohnehin schwindsüchtigen akademischen Selbstverwaltung trauern nur wenige nach. Aber es ist nicht mehr, sondern weniger Demokratie an ihre Stelle getreten. Auf der Strecke geblieben ist die Idee des Studiums als eines gemeinsamen Bildungsprozesses, in dem sich Erkenntnisinteresse, Selbstorganisation und Urteilskraft entfalten können. Von der Studienzeit als einem »sozialen Moratorium«, in dem neue Rollenmodelle, Lebensweisen und Werthaltungen ausprobiert werden können, wird man angesichts der verdichteten und verschulten Studiengänge immer weniger sprechen können. Hochschulen scheiden so als Orte aus, an denen Studierende und Lehrende die Erfahrung machen können, dass es auf sie ankommt, sie etwas gestalten und ihre eigene Wirksamkeit erfahren können. Die Bologna-Hochschule mag für Vieles taugen, nur nicht als demokratischer Lernort.[19]

Ähnliche Verlustgeschichten und Neuformierungen haben die Umsetzung der Hartz-IV-Reform begleitet. Eigentlich klingt die Grundidee des »Forderns und Förderns« gar nicht so schlecht. Warum nicht mehr für Arbeitslose mit den Mitteln der aktiven Arbeitsmarktpolitik (Bildung, Weiterbildung,

19 An kritischen Analysen der Bologna-Reformen herrscht kein Mangel. Zwei Aufsatzsammlungen verdienen besondere Aufmerksamkeit: »Humboldts Albtraum« (Schultheis u.a. 2008) und »Bildung MACHT Gesellschaft« (Sandoval u.a. 2011).

Qualifizierung etc.) tun, um ihre Beschäftigungsfähigkeit zu verbessern, statt ihnen Arbeitslosen- oder Sozialhilfe als »Stilllegungsprämie« zu zahlen, also workfare statt welfare? Aber bereits im Fordern steckt das wohlfeile und gern bespielte Ressentiment, dass es sich Arbeitslose womöglich zu bequem machen und deshalb eines staatlichen Vormunds bedürfen. Übersehen wird die Dominanz des Arbeitsmarkts, der je nach Konjunktur Beschäftigungschancen zuweist oder versperrt. Das individualisierende Vorurteil ist zu einer Kontrollbürokratie ausgebaut worden, die Arbeitslose fest in den Griff nimmt. Oft mit Übergriffen und falschen Mitteln, wie die anhaltende Prozessflut um die Hartz-IV-Gesetzgebung deutlich macht. Vom individuellen Fördern durch möglichst gleichberechtigt ausgehandelte Eingliederungsvereinbarungen ist wenig geblieben. Ausgerechnet diesen Bereich der aktiven Arbeitsmarktpolitik hat die Bundesagentur für Arbeit in einem solchen Umfang gekürzt, dass der Anteil der Bildungsausgaben am Inlandsprodukt in der Bundesrepublik in den letzten Jahren rückläufig ist.

Auch hier gilt: Nicht alle Maßnahmen und Kurse der Arbeitsverwaltung und einer einst blühenden Qualifizierungsindustrie waren sinnvoll und hilfreich. Aber das immer wieder aufs Neue eingeschränkte Angebot ist inzwischen so übersichtlich wie das eines HO-Ladens in der DDR. Dass ausgerechnet damit eine individualisierte, »passgenaue« Förderung von Arbeitssuchenden möglich sein soll, wie es der Gesetzgeber einst versprochen hat, entbehrt jeder Grundlage. Die weitere Verfestigung von Langzeitarbeitslosigkeit muss deshalb nicht verwundern. »Erfolgreich« war und ist Hartz IV in einem ganz anderen Sinne. Die Absenkung der Geldleistungen, die Anrechnung von Vermögen und Sparguthaben, die neuen Zwangsmittel, aber auch die staatlichen Zuschüsse bei Niedriglöhnen (»Aufstocker«) haben erheblich dazu beigetragen, dass Deutschland heute über einen beachtlichen prekären Beschäftigungssektor verfügt, in dem oft Löhne gezahlt werden können, die nicht ausreichen, um ein eigenständiges Leben zu führen. Ohne auf arbeitsmarktpolitische Erfolge und Misserfolge im Detail einzugehen, lässt sich doch festhalten, dass die neue Sozial- und Arbeitsmarktpolitik mit der Grundidee sozialstaatlicher Sicherungssysteme der Nachkriegszeit gebrochen hat. Es ging dabei um die Garantie gesellschaftlicher Teilhabe jenseits der Unwägbarkeiten des Arbeitsmarkts. Sozialleistungen sollten Rückhalt und Sicherheit vermitteln und den Bürgerstatus auch in ökonomisch prekären Zeiten sichern. Der Bürgerstatus von Transferempfängern und prekär Beschäftigten ist seit den Agenda-Reformen kein schützenswertes Gut mehr. In der Umsetzung von Hartz IV ist vom Fördern wenig übrig geblieben, vom Fordern umso mehr. Es hat durchaus einen Beigeschmack von Wahrheit und entspricht der Erfahrungswelt vieler Hartz-IV-Betroffener, wenn Götz Werner, der sozialpolitisch aktive Gründer einer Drogeriekette, von Hartz IV als »offenem Strafvollzug« spricht.

Dem Gefühl, dass die eigenen sozialen Bürgerrechte nicht ernst genommen werden, entsprechen die Fallzahlen, die vor Sozialgerichten landen. Seit Einführung der Hartz-Gesetze ist die Zahl der Klagen Jahr für Jahr sprunghaft gestiegen (von 2005 – 56 578 auf 174 618 – 2008 und 193 981 – 2009). Dass das SGB II – nicht zuletzt dank der vielen Kompromisse – Murks sei, wird von vielen namhaften Juristen betont, vom Desaster der Umsetzungen ganz zu schweigen.

Auch die gern hervorgehobenen arbeitsmarktpolitischen Erfolge fanden vorwiegend im Bereich prekärer Beschäftigungsverhältnisse statt – schufen also einen ungesicherten Erwerbsstatus, von dem keine günstigen Auswirkungen auf die gesellschaftliche Teilhabe und das politische Engagement der Betroffenen zu erwarten sind.

Der Verzicht auf die Beteiligung der Betroffenen und ihre Missachtung in der reformierten Praxis der Jobcenter ist diesen Reformen nicht gut bekommen, denn sie haben sich – getarnt hinter einem manageriellen Neusprech (»moderne Dienstleistungen auf dem Arbeitsmarkt«) – als bürokratische Monster erwiesen und generelles Unbehagen gegen angekündigte Veränderungen hervorgerufen (vgl. Embacher 2009). Sie wurden als »Reformokratie« (Jürgen Kaube) erlebt und weitgehend abgelehnt. Von Greser und Lenz stammt eine Karikatur, wo sich ein Herrchen mit Kampfhund und ein Passant begegnen. Bemerkung des Hundebesitzers: »Ich habe ihn Reform getauft, da schrecken alle gleich zurück.« Dies gilt besonders für die Bologna-Reformen und die Hartz-IV-Gesetzgebung, die beeindruckende Protestbewegungen auslösten. Für sie gibt es, jenseits der überschaubaren Anzahl der unmittelbar Begünstigten, kaum mehr öffentliche Unterstützung. Es fehlt, so scheint es, gegenwärtig nur an der Kraft zur Rückabwicklung.

Je stärker auf die Ressource freiwilliges Engagement und Beteiligung gesetzt wird, desto eher entfällt ein zentraler, aber selten offen proklamierter Ertrag expertokratischer Reformen: die Steigerung staatlicher Macht, genauer ihre Konzentration an der Spitze von Einrichtungen. Sie wird verdeckt durch einen modernen Managementjargon. Über die Unzulänglichkeit der Ergebnisse wird – wie bei den Vorbildern – Hochglanz und PR ausgebreitet. Im Hochschulbereich fällt dies besonders auf, weil sich am politischen Gestaltungsanspruch der Wissenschafts- und Kultusministerien wenig geändert hat. Rektoren präsentieren sich als Manager des Unternehmens Universität und stammeln in einem ihnen zumeist fremden Jargon, ohne zu bedenken, dass sie eben gerade keine Waren und Dienstleistungen produzieren oder vertreiben. Faktisch vollzieht sich nicht selten ein bürokratischer Overkill mit beachtlichen Zuwachsraten in den Präsidialämtern bei drastisch reduziertem Personal in den weniger gewünschten Bereichen von Lehre und Forschung, während noch die letzten Reste von Mitbestimmung und Selbstverwaltung ausgetrieben werden. Exzellenzwettbewerbe können kaum vergessen machen, dass die Grundausstattung immer dürftiger geworden ist. Wieder einmal bleiben – für die Hochschulplaner überraschend – viele Studienwillige außen vor. Hartz IV und Bologna stehen auch für den aussichtslosen Versuch, mit geringerem Mitteleinsatz größere Zahlen von Menschen zu betreuen beziehungsweise mit Wissen zu versorgen. Solche Sparabsichten führen nicht nur bei vielen Bildungsreformen zum Gegenteil des angestrebten Ergebnisses. Da die Betroffenen keine eigene Stimme haben, bleibt diese schlechte Nachricht womöglich verborgen – zumindest für eine Weile.

Hier liegt auch ein »rationaler« Kern verweigerter Partizipation. Eine Bildungsreform, an der Kinder, Jugendliche und ihre Eltern sowie die Lehrerschaft von Anbeginn und mit eigener Stimme beteiligt werden, dürfte eine wesentliche Voraussetzung für ihren Erfolg eingelöst haben. Aber sie könnte auch weitergehende Ansprüche an die Ausstattung, an die Ausbildung, die Curricula, an die Öffnung der Schulen formulieren und unbequeme Rückmeldungen über den Status quo und aktuelle Reformwiderstände geben. Sie wäre womöglich erfolgreich, aber unbequem – also weiter top-down, weiter mit der beschriebenen Reformokratie und den erwartbaren Protesten der Betroffenen.

## Schlechte Leistungsbilanzen

Auch die Politik zur Bewältigung der Finanzkrise, deren Folgen uns auch 2011 beschäftigen, verzichtet bislang vollständig auf das Engagement der Bürger und spricht sie, beispielsweise mit der Abwrackprämie, lediglich als Konsumenten und Kunden an. Sie ist mit ihrer Förderung des Automobilstandorts und seiner Infrastruktur im Wesentlichen strukturkonservativ angelegt (es fehlen deutliche reformpolitische Komponenten etwa ökologischer und sozialer Art) und setzt damit ausgerechnet auf jene Kräfte, die erheblich zur gegenwärtigen Krise beigetragen haben. Entsprechend negativ fiel die Bewertung der zentralen Akteure aus. Nach einer vorübergehenden Lähmung war 2010 zu beobachten, dass sich Verzweiflung und Empörung bei unerwarteten Anlässen Luft verschaffen kann. Auch hier gilt: Die reichlich vorhandenen bürgerschaftlichen Ressourcen und Kreativitätspotentiale werden nicht genutzt. Es bestünde die Alternative, auf die Bürgerschaft zu setzen.

Warum wird zum Beispiel im Kontext milliardenschwerer Konjunktur- und Stabilisierungsprogramme kein lokaler bürgerschaftlicher Dialog über die Infrastrukturbedarfe der örtlichen Gemeinschaft angeregt? Das politische Spitzenpersonal hat diese Möglichkeit nicht erwogen, und dort, wo es dennoch geschieht (wie zum Beispiel in Halberstadt, Augsburg oder Berlin Schöneweide), wird bürgerschaftliches Engagement überregional kaum sichtbar, geschweige denn politisch programmatisch gefördert.

Immerhin sind die Auswirkungen begrenzter staatlicher Leistungsfähigkeit im Bewusstsein der politischen Repräsentanten angekommen. Mit Blick auf die eigene Ohnmacht lautet die zynische Devise vieler Parlamentarier: »Die Bürger sollen es richten« (Alemann/Klewes 2011). Den notwendigen sozialen Wandel sollen (und müssen) die Bürger selbst bewirken. In vielen Bereichen, allen voran im Umwelt- und Klimaschutz, wird in erster Linie auf die Eigenaktivität und den individuellen Verhaltenswandel in der Bürgerschaft gesetzt. Dieser – zunächst vor allem mentale – Rückzug aus der staatlichen Verantwortung und die – ebenfalls nur angedachte – Ermächtigung des Bürgers, seine Angelegenheiten selbst zu regeln, verdankt sich nicht nur dem Weltbild von neoliberal gestimmten Abgeordneten.[20] Dieser Mentalitätswandel bei den Abgeordneten ist auch Ausdruck weithin gescheiterter Reformen, die ohne und nicht selten gegen die Bürgerschaft

20 Der Aussage »Für Veränderungen und Innovationen in unserem Land ist vor allem der Einzelne zuständig« stimmen 53,1 % der FDP-Abgeordneten, 47,6 % der Parlamentarier von Bündnis 90/Die Grünen, aber nur 28,2 % der SPD-Volksvertreter zu (Alemann/Klewes 2011: 21).

durchgezogen wurden. Die Anrufung des Bürgers kann in dieser Ohnmachtssituation zu einer weiteren Privatisierung von Zuständigkeiten und Aufgaben führen und damit zur Beschädigung und weiteren Schwächung des Gemeinwesens beitragen.[21] Eine gezielte Stärkung der Bürgerschaft, vor allem ihrer schwächeren Gruppen, zeichnet sich jedoch nicht ab.

Zu den schlechten Leistungsbilanzen bürgerferner Reformen kommt die Unzufriedenheit mit Einzelentscheidungen hinzu, wie sie protestierend von Stuttgart bis Gorleben vorgebracht wird. Bundesweit aber hegen die Menschen die größten Zweifel, dass Regierungen im Bund und in den Ländern in der Lage sind, Herausforderungen wie Bildungsungerechtigkeit und soziale Ausgrenzungen in der Bundesrepublik zu meistern. Schon vor 60 Jahren hat T. H. Marshall festgestellt, dass der allgemeine Zugang zur Bildung den Kern moderner Sozialpolitik ausmacht, denn im Wesentlichen entscheidet dieser, welche Erwerbsbiografie erwartet werden kann. Und Bildung ist schließlich das Nadelöhr für alle Formen gesellschaftlicher Beteiligung. Sie ist noch immer der wichtigste Einzelfaktor, wenn es um das Ausmaß an politischer Beteiligung geht.

---

21 Dies vollzieht sich gegenwärtig in Großbritannien, wenn man den Kritikern der Cameron-Regierung und ihres »Big Society«-Programms Glauben schenkt, das auf eine weitgehende »Autonomie« bürgerschaftlichen Handelns vor Ort setzt (autonome Schulen und Krankenhäuser, private Versorgungseinrichtungen etc.), ohne dafür die nötige Infrastruktur bereitzustellen und deren öffentliche Finanzierung zu übernehmen. Diese massiven Kürzungen im öffentlichen Sektor haben heftige Protestbewegungen ausgelöst (vgl. www.coalitionofresistance.org.uk/).

In welch erbärmlichem Zustand sich die Bundesrepublik in Sachen Bildungsgerechtigkeit befindet, ist ihr in dichter Folge im letzten Jahrzehnt in internationalen Vergleichsstudien bescheinigt worden. Dass die Föderalismusreform zwar die Zuständigkeiten in Sachen Bildung geklärt, aber das Problem nicht verkleinert hat, gehört zu einem Dauerskandal, der durch unverbindliche »Bildungsgipfel« nur kläglich verdeckt werden soll. Der Niedergang des Anteils der öffentlichen Bildungsausgaben am Bruttoinlandsprodukt widerlegt solche Euphemismen wie den der »Bildungsrepublik Deutschland«. Laut Bildungsfinanzbericht des Statistischen Bundesamtes von 2009 lässt sich eine gegenläufige Entwicklung beklagen: 1975 – 5,11 Prozent, 1995 – 4,11 Prozent, 2005 – 3,86 Prozent und 2008 – 3,69 Prozent. Die Werte liegen auch in den Daten der OECD deutlich unter dem Durchschnitt der reichen Industrieländer. Im OECD-Durchschnitt wurden 2005 für Bildung 5,4 Prozent des Bruttoinlandsprodukts ausgegeben, in Deutschland waren es nur 4,5 Prozent, in Schweden dagegen 7 Prozent. Dieser ohnehin unterdurchschnittliche Anteil der Bildungsausgaben am Bruttoinlandsprodukt wurde in den letzten Jahren weiter gesenkt. »Einsparungen« werden mit »Reformkonzepten« vorangebracht, die den Kürzungen ein pädagogisches Mäntelchen umhängen sollen. Eine Folge des alltäglich wahrnehmbaren Elends vieler innen und außen sanierungsbedürftiger Bildungsanstalten ist der Auszug der Besserverdienenden aus dem staatlichen Bildungssystem. Um die öffentlichen Schulen hat sich längst ein kommerzielles Sekundärsystem gebildet, das sich mit einem breiten Spektrum von Nachhilfe bis Therapie anbietet, die negativen Leistungsbilanzen des staatlichen Bereichs zu kompensieren. Nur wenn dies das Ziel der Unterfinanzierung sein sollte, könnte von einem rationalen Verhalten gesprochen werden.

## Reformbaustelle Verwaltung

Die Politik des letzten Jahrzehnts lässt sich auf Kombinationen dreier Grundmuster reduzieren: Routine, Reform und Rettung. Im routinierten Normalbetrieb geht es um die üblichen Verfahren nach bekannten Regeln, um das Abarbeiten von Anliegen und Problembergen nach geläufigen Mustern. Routinepolitik tritt der Bevölkerung als öffentliche Verwaltung gegenüber – sei es bei der Bewilligung von Parkausweisen für Anlieger oder bei der Anmeldung für einen Kita-Platz. Kontaktfolie ist klassisch das Formular, das von allen auszufüllen ist. Es steht für die Erwartung, ohne Ansehen der Person gleich und fair behandelt zu werden. Vielleicht treffen wir dabei sogar auf freundliches und bürgerorientiertes Personal, wenn sich das in den Verwaltungsreformen der letzten Dekade gern bemühte Leitbild der »Kundenorientierung« bereits in der entsprechenden Behörde durchgesetzt hat. Schon die Bindung an Vorschriften und Gesetze sorgt dafür, dass es nur wenig Spielräume für Aushandlungen gibt.

Dennoch ist die Einstellung zum Verwaltungshandeln heute in Deutschland durch eine Mischung von Vertrauen und Skepsis geprägt. Im westeuropäischen Vergleich präsentiert sich die Bevölkerung hierzulande sogar verwaltungskritischer. Dies gilt besonders in Ostdeutschland, wo die Erfahrung weitgehender Rechtlosigkeit gegenüber Verwaltungsakten angesichts behördlicher Allmacht nachwirken dürfte. Die DDR kannte keine Verwaltungsgerichtsbarkeit, sondern nur das Ventil der »Eingabe«, wenn es um die Überprüfung und Korrektur behördlicher Entscheidungen ging. Jedenfalls scheint sich auch im Verhältnis von öffentlicher Verwaltung und Bürgerschaft ein Bruch mit jener Untertanenkultur vollzogen zu haben, die bis in die 1960er Jahre als Hürde für die Entwicklung einer demokratischen Alltagskultur galt (Gabriel 2009: 151). Einzelne Leistungsbereiche der öffentlichen Verwaltung, allen voran im Bereich Soziales und Arbeit, benötigen heute eigene Sicherheitsdienste, um ihre Bediensteten vor allzu heftiger Kritik zu schützen.

Gerade in den letzten beiden Jahrzehnten ist die öffentliche Verwaltung, besonders auf kommunaler Ebene, zu einer Reformbaustelle geworden. »New public management«, »neues Steuerungsmodell« lauten die Reformleitbilder, die ihre Herkunft aus der Managementliteratur nicht verleugnen. Wo bislang Verwaltungsjuristen das Sagen hatten, soll betriebswirtschaftliches Kalkül Einzug halten. Wie weit dies in welchen Politikfeldern wie und mit welchen Folgen gelungen ist, wird durchaus kontrovers diskutiert. Während kritische Beobachter zum Beispiel bereits das »Ende der kommunalen Selbstverwaltung« im »Konzern Stadt« kommen sehen (Wohlfahrt/Zühlke 2005), bieten andere Autoren ein eher buntes Bild, das erhebliche regionale und bereichsspezifische Unterschiede in der Umsetzung des Managementleitbilds festhält (Blanke u.a. 2011).

Schon früh zeigte sich, dass es trotz des erheblichen Beratungseinsatzes von McKinsey & Co systemische Widerstände gibt, öffentliche Verwaltungen nach dem Vorbild betrieblichen Managements zu transformieren. Der »Konzern Stadt« oder das »Unternehmen Universität« bewegt sich weitgehend auf simulierten Märkten, das heißt, es geht überwiegend nicht um den Verkauf von Dienstleistungen und Waren, sondern um die Versorgung mit öffentlichen Gütern (Bildung, Infrastruktur etc.). Dem entspricht ein explizites Verbot privatwirtschaftlicher Betätigung für kommunale Unternehmen sowie die grundlegende Orientierung an maximal kostendeckenden Gebühren. Für viele personenbezogene Dienste helfen auch Kennzahlen wenig, die in ihren Wirkungen häufig kontraproduktiv sind. Dass staatliche Instanzen oft ein Monopol auf ihre »Dienstleistungen« haben, entspricht dem Marktmodell ebenso wenig wie die besondere Beschäftigtenstruktur der öffentlichen Hand. Besonders eindrucksvoll ist dabei die Hartnäckigkeit, mit der am Alimentationsprinzip des Beamten auf Lebenszeit festgehalten wird. Auch fiktive Märkte können sehr reale Folgen haben. Stets lauert die Gefahr »sinnloser Wettbewerbe«, die zur Produktion von immer mehr Unsinn verleiten (Binswanger 2010). Ein weiteres Strukturelement ist die noch immer überwiegend rechtliche Steuerung der öffentlichen Verwaltung. Leistungsgesetze und Rechtsansprüche legen den Mitteleinsatz weitgehend fest. Nutzen- und Wirksamkeitserwägungen bleiben notwendig nachrangig. Wer dieses Korsett der Rechtsstaatlichkeit bedauert, sollte den Blick vor möglichen Folgekosten von deregulierten Praxisformen, wie zum Beispiel Willkür und Ungerechtigkeit, nicht verschließen. Wir erwarten, dass zum

Beispiel Leistungen der Jugendhilfe nicht von der Kaufkraft der Eltern oder von Erfolgserwartungen der Beschäftigten abhängig gemacht werden. Schließlich gibt es einen weiteren systemischen Grund für die Grenzen der Übertragbarkeit managerieller Modelle auf den öffentlichen Dienst. Er liegt im demokratischen Anspruch der Parlamente und Regierungen auf politische Entscheidungen, welcher in den Verwaltungen selbst nicht selten als Zumutung einer »irrationalen Spitze« wahrgenommen wird.

Weder die managerielle noch die bürokratische Logik setzt auf Beteiligung, auf die »Weisheit der Vielen«. Ihre Amalgamierung im öffentlichen Sektor hat diesen Mangel an Bürgerorientierung nicht behoben, sondern oft noch verstärkt. Die verbliebenen rechtlichen Spielräume werden durch Expertenwissen und Produktorientierung geschlossen. Gemessen an den Beteiligungsansprüchen einer durchaus mündigen und selbstbewussten Bürgerschaft kann weder der »Konzern Stadt« noch das »Unternehmen Hochschule« überzeugen – selbst wenn sie den selbstgesetzten Standards genügen könnten. Es handelt sich um grundlegend falsche Leitbilder, die den politischen Charakter des öffentlichen Sektors verfehlen. Öffentliche Güter und Dienstleistungen haben sich nicht zuletzt daran zu bewähren, dass sie ihren Nutzerinnen und Nutzern ein Maximum an demokratischer Mitgestaltung bei der Ausgestaltung und Erbringung ihrer Leistungen einräumen. Wo dies nicht geschieht, ist mit Revolten und Widerständen der Klientel, die keine mehr sein will, zu rechnen.

## »Geschäftspolitik«

Der breite Einzug des Managementjargons im öffentlichen Sektor hat die Kluft zu den Bürgern und deren Misstrauen gegenüber der »politischen Klasse« erheblich gesteigert. Die Orientierung an der Logik, der Sprache und – vermutlich auch, zumindest auf der Führungsebene – an den Einkünften der Geschäftswelt kann für das politische Personal nicht folgenlos bleiben. Wie steht es um die Gemeinwohlorientierung vieler Entscheidungen, fragen sich immer mehr Bürgerinnen und Bürger, die nicht erkennen können, dass in ihrem Namen und entlang ihrer Interessen gehandelt wird. Stattdessen wächst der Verdacht, in der Regierungspraxis kämen vor allem die Interessen privilegierter und machtvoller Gruppen zum Zuge – besonders dann, wenn sie als »systemrelevant« eingestuft werden.

Es steht also aus der Sicht der Bürgerinnen und Bürger weder um die Leistungsfähigkeit von Regierungen gut noch um einen weiteren demokratischen Zentralwert, die Verantwortlichkeit des Regierungshandelns gegenüber der Bevölkerung und der Wählerschaft.

In Italien hat sich mit dem Zerfall des Parteiengefüges der Nachkriegszeit bereits zu Beginn der 1990er Jahre der Aufstieg von »Geschäftspolitikern« vollzogen. Berlusconi ist für sie zum Vorbild und Inbegriff ihres Erfolgs geworden. Man geht in die Politik, um ordentlich Geld zu machen beziehungsweise seine Geschäfte abzusichern. In Deutschland sind wir sicher noch nicht so weit. Aber die Zeichen mehren sich für eine engere Verknüpfung von Geschäftsinteressen und Politik. Den bürgerlichen Parteien war dies, wie es die Korruptions- und Skandalfälle der Nachkriegsgeschichte von der Staatsbürgerlichen Vereinigung über die Flick-Affäre bis zum durch »Ehrenwort« geschützten »Bimbes« von Kanzler Kohl zeigen, nicht grundsätzlich fremd. So mag es erstaunen, dass sich gerade Vertreter der rot-grünen Bundesregierung in der (nachträglichen) Verknüpfung von politischen Ämtern und Geschäftsinteressen besonders hervorgetan haben. (Schröder und Gazprom, Fischer als Berater von BMW, RWE etc., Clement und Riester als Lobbyisten für das private Versicherungsgewerbe etc.). Die Reformpraxis ohne und gegen Teile der Bürgerschaft bekommt einen besonderen Beigeschmack, wenn ihre Protagonisten nach dem Ausscheiden aus ihren politischen Ämtern in entsprechend begünstigte Branchen wechseln, ohne durch eine Anstandsfrist auch nur den bösen Anschein vermeiden zu wollen. Eindrucksvoll ist auch das anhaltende Desinteresse an politischen Regulierungen, die den Eindruck der Interessenkollision, von Kickbacks und nachträglicher Vorteilnahme vermeiden könnten. Mehrjährige Karenzzeiten, wie sie in einigen anderen Ländern üblich sind, könnten Drehtüreffekte vermeiden helfen. Ein Verbot, in Bereichen privatwirtschaftlich tätig zu werden, für die man zuvor politisch zuständig war, wäre ebenso hilfreich. Die Vorstände der Deutschen Bahn AG oder einiger Energieunternehmen sähen dann sicherlich anders aus. In der Bundesrepublik gibt es eine lange Tradition im parlamentarischen Bereich, es in eigener Sache nicht so genau zu nehmen. Symptomatisch sind die Regelungen zur Abgeordnetenbestechung. Dieses Delikt wurde bei den Strafrechtsreformen der Nachkriegszeit »vergessen« und erst 1994 wieder eingeführt. Allerdings wird bis heute lediglich der nachweisliche Stimmenkauf bei parlamentarischen Entscheidungen pönalisiert, während die dauerhafte Alimentierung eines Abgeordneten durch Verbände und Unternehmen straffrei gestellt ist. An dieser unzulänglichen Ausgestaltung des Delikts scheitert bislang auch die deutsche Ratifizierung der UN-Konvention gegen Korruption, die inzwischen 140 Staaten vorgenommen haben. Ähnlich verhält es sich mit den Offenlegungspflichten für Abgeordnete, deren »gläserne Taschen« bestenfalls aus Milchglas bestehen. Jedenfalls fehlt es an entschlossenen Versuchen des Parlaments, dem eigenen Glaubwürdigkeitsverlust des »freien Mandats« durch eine striktere sanktions- und strafbewährte Selbstbindung entgegenzutreten. Der Praxis der »Geschäftspolitik« bleiben auf diese Weise die Tore geöffnet. Vermutlich wurde die Glaubwürdigkeit der SPD durch die Geschäftstüchtigkeit der Politikergeneration der Hartz-Reformer mehr beschädigt, als öffentlich thematisiert wird, verletzte doch nicht nur die Reform, sondern auch das Verhalten wichtiger Reformer eine Zentralnorm der eigenen Wählerschaft, die der sozialen Gerechtigkeit.

Aber auch der »kleine« Lobbyismus der reduzierten Mehrwertsteuer für das Hotelgewerbe, das zuvor den Parteien der Regierungskoalition kräftig gespendet hatte, oder die Formulierungshilfen für einschlägige Gesetze durch »Leihbeamte« aus der Industrie und interessierten Branchen trägt, um nur zwei Beispiele zu nennen, zum Legitimations- und Glaubwürdigkeitsverlust einer repräsentativen Demokratie bei.

## Steigende Beteiligungsansprüche

Ein starker Trend in Richtung Postdemokratie lässt sich nicht leugnen. Auffällig äußert er sich im wachsenden Hang zu inszenierter Staatlichkeit, nicht nur bei den allfälligen Zapfenstreichen. So fehlte ausgerechnet »das Volk« bei den Feiern zum 20. Jahrestag des Mauerfalls, die als rein staatliche Veranstaltung begangen wurden, ohne die damaligen Hauptakteure, die Bürgerbewegungen, überhaupt einzuladen.

In der Bundesrepublik haben diese »demokratischen Defizite« bis zum »Aufstand der Wutbürger« nur in Randbereichen des politischen Geschehens Aufmerksamkeit erfahren. Ein instruktives Beispiel sind die Präventionsprogramme gegen Rechtsextremismus und Fremdenfeindlichkeit, die im Bund seit 2001 auf eine Stärkung der demokratischen Zivilgesellschaft setzen. Auch in der Bundesrepublik gibt es ein Potential für rechtspopulistische und rechtsextreme Strömungen, die von den Legitimationsverlusten und Leistungsmängeln demokratischen Regierens profitieren und sich nach autoritärer Führerschaft und Volksgemeinschaft sehnen. In einigen Nachbarländern hat diese Szene aber wesentlich stärkeren politischen Einfluss gewinnen können. Zur Eindämmung und politischen Quarantäne hat in Deutschland sicherlich eine mit öffentlichen Programmen unterstützte breite Mobilisierung zivilgesellschaftlicher Akteure beigetragen. Gemeinsamer programmatischer Nenner dieser präventiven Programme ist die Stärkung demokratischer Strukturen: auf der individuellen Ebene durch die Erfahrung von Selbstwirksamkeit, wie sie Aushandlungsprozessen in Beteiligungsverfahren eigen ist, auf gemeinschaftlicher Ebene durch Kooperation und Vernetzung mit vielfältigen Akteuren, mit dem Ziel gemeinsamer Handlungsfähigkeit – etwa in lokalen Bürgerbündnissen. Es gehört deshalb zu den durchaus erwünschten Nebeneffekten einer partizipativen Stärkung von Demokratie, dass damit zugleich ein wichtiges Gegengift gegen die Ausbreitung antidemokratischer Stimmungslagen entwickelt wird.

Der Funke dieser Programme ist bislang dennoch nicht übergesprungen. Demokratie wird zum Präventionsangebot für eine Zielgruppe (meist Jugendliche), auf demokratische Strukturreformen glaubt man verzichten zu können, obwohl es genügend Anhaltspunkte gibt, dass es sich bei den wahrgenommenen Demokratiedefiziten um flächendeckende Probleme aller Altersgruppen handelt.

Für die Mehrzahl der westlichen Demokratien trifft eine Beschreibung der britischen Situation zu: »Die durchschnittliche Wahrscheinlichkeit, dass wir wählen, in politische Parteien eintreten und den gewählten Repräsentanten vertrauen, ist heute geringer als vor 30 Jahren. Aber gleichzeitig beteiligen sich mehr Menschen als je zuvor an einem breiten Spektrum sozialer Bewegungen und Kampagnen, und die Hälfte der Bevölkerung gibt an, politisch interessiert zu sein. Insgesamt möchten wir uns also stärker politisch engagieren, finden aber einfach keine Wege, dies zu tun« (Bartlett 2008: 7). Positiv formuliert: Es gibt ein wachsendes demokratisches Beteiligungspotential und vielfältige Suchbewegungen, um dies praktisch werden zu lassen.

»Nichts für uns, ohne uns!« Das Motto des UN-Kindergipfels

ist auch bei Erwachsenen populär und Ausdruck eines bürgerschaftlichen Selbstbewusstseins. Ein höheres Bildungsniveau, Selbstverwirklichungswerte, soziales Vertrauen und die Mitgliedschaft in freiwilligen Vereinigungen ließen die demokratischen Ansprüche steigen und damit zur wichtigsten Ressource für eine aktive und kritische Bürgerschaft werden, so das Ergebnis internationaler Vergleichsstudien.[22]

In vieler Hinsicht gleicht die heutige Stimmungslage den frühen 1960ern. Es häufen sich die Zeichen für einen erneuten demokratischen Aufbruch. Damals ging er stark von den Hochschulen aus, man denke an die SDS-Denkschrift »Hochschule in der Demokratie« (Nitsch u.a. 1965). Heute ebenfalls?

Jedenfalls sind die Bedingungen ungleich günstiger und schwieriger zugleich.

Günstiger erscheinen sie, weil es durchaus Wachstumsringe in der demokratischen Kultur der Bundesrepublik gegeben hat; dies gilt vor allem für eine demokratischen Normen verpflichtete Alltagskultur und eine lebendige, überwiegend demokratisch gestimmte Bürgergesellschaft. Auch die lähmende Blockkonfrontation ist verschwunden und mit ihr das antikritisch Lähmende »Geh doch nach drüben!«. Befreiend ist zudem, dass mit den massiven ökonomischen Krisen das eindimensionale neoliberale TINA-Zeitalter[23] seine Halbwerts-

---

22 Zur internationalen Entwicklung zum kritischen Bürger vgl. Norris (2011), die deutsche Situation analysiert in internationaler Perspektive Geißel (2011).

23 TINA bezieht sich auf Margaret Thatchers berühmten Ausspruch »There Is No Alternative«.

zeit überschritten hat und damit der Siegeszug manageriellen Denkens durchaus aufhaltsam erscheint. Zu den verbesserten Ausgangsbedingungen gehört auch eine Fülle an demokratischen Alternativen, die global diskutiert und an einigen Orten sogar erprobt werden: vom kommunalen Bürgerhaushalt bis zur Tobin-Steuer.

Gegen einen erneuten demokratischen Aufbruch steht, dass Vieles schon einmal durchgespielt und ausprobiert scheint und der Status quo bleiern wirkt. Wir leben in einer Nachreform-Ära, denn die Reformen des letzten Jahrzehnts haben den Begriff »Reform« selbst erheblich beschädigt. Die Wagenburgmentalität der bestimmenden Parteien und politischen Gruppierungen hat zwar Risse bekommen, aber sie ist bislang kaum erschüttert worden. Eine Konsequenz scheint darin zu liegen, dass die politischen Parteien als demokratische Reformkräfte weitgehend ausgefallen zu sein scheinen. Schließlich sollten wir davon ausgehen, dass die demokratische Substanz der kritischen Bürger auch leiden kann, denn es gibt postdemokratische und rechtspopulistische Alternativen mit großer Verführungskraft – von einer bornierten Klientelpolitik bis zu Thilo Sarrazins Warnung vor dem Untergang der »Bio-Deutschen«, wenn sie sich nicht gegen den Zustrom von Migranten und Hartz-IV-Betroffene zur Wehr setzen.

Angesichts der Problemberge braucht es von »unten« – von Bürgerinnen und Bürgern – vorangetriebene Reformen. Droht damit aber nicht eine Reformagenda, die ebenfalls in die Richtung verzerrt ist, wie es die Anrufung der »Leistungsträger« durch die FDP zumindest offen bekennt? Dieses Gegenargument kann nur praktisch entkräftet werden: durch Empowerment und Selbstorganisation der Benachteiligten, Randständigen, Ausgeschlossenen. Doch obgleich wir aus guten Beispielen und einzelnen Handlungsfeldern wissen, dass und wie dies möglich ist, wird auf Bürgermacht dennoch nicht oder noch viel zu selten gesetzt.

Neuere Befunde der Langzeitstudie »Deutsche Zustände« verweisen auf akuten Handlungsbedarf. 70 Prozent der Befragten sind danach der Meinung, unsere Gesellschaft sei veränderungsbedürftig (Heitmeyer 2010: 122). Konsequenzen aus den »Deutschen Zuständen«, so der Sozialwissenschaftler Heitmeyer, würden nicht gezogen, »weil man sich ganz offenbar keine Alternativen vorstellen kann. Eine nicht artikulierte und hoffnungslose Unzufriedenheit ist die Folge (…) Die mangelnde Artikulation dieser eher diffusen Unzufriedenheit kann (…) dazu führen, dass autoritäre, dogmatische Einstellungen und Mentalitäten den demokratischen Frieden still und leise von innen zersetzen« (Heitmeyer 2010: 123).

Die sozial bewegten und in zahllosen Bürgerinitiativen vorgebrachten »Partizipationsbegehren« haben im repräsentativen politischen System unterschiedliche Reaktionen ausgelöst. Es dominieren bis heute Abwehrreaktionen gegen den »Druck der Straße«. Aber es haben sich auch neue Parteien gebildet: in Deutschland zunächst befördert durch ökologische Proteste und die Anti-AKW-Bewegung »Die Grünen«, später durch die Proteste gegen Hartz IV die Linkspartei. In einigen Politikbereichen kam es durchaus zu vereinzelten Reformen, wie zum Beispiel der Förderung regenerativer Energien, die auf die materiellen Forderungen von Protestbewegungen eingegangen sind. Generell lässt sich jedoch ein wachsendes demokratisches Defizit feststellen, ja von einer Strukturkrise repräsentativer Demokratien sprechen. Warum bestehen die Bürgerinnen und Bürger nicht auf ihrer Bürgermacht? Warum engagiert sich nur eine kleine, wenn auch wachsende Minderheit von Bürgern politisch? Drei Gründe lassen sich anführen: Viele können nicht, weil ihnen dafür die notwendigen Ressourcen (Zeit, Wissen, Geld etc.) fehlen. Andere wollen nicht, weil sie Politik nicht interessiert oder sie nicht daran glauben, mit politischer Beteiligung etwas zu bewirken. Vielen fehlt zudem der Zugang zu Organisationen oder Netzwerken, in denen politisch motivierte Menschen aktiv sind (Steinbrecher 2009). In allen drei Dimensionen deuten sich Veränderungen an.

# II. Es geht auch anders

*»Politische Kultur beginnt damit,*
*dass man nicht aufhört zu protestieren«*
GYÖRGY DALOS

## Bürgerschaftliche Aufbrüche

Nie war Willy Brandts 1969 geprägte Forderung »Mehr Demokratie wagen« aktueller als heute. Gemessen an den damaligen Möglichkeiten und konkreten Veränderungen dieser bewegten Zeit erscheint ihre Aktualisierung unrealistisch und radikal zugleich. Im Zentrum standen Anfang der 1970er Jahre zum Beispiel die Ausweitung der Unternehmensmitbestimmung und die Drittelparität an den Hochschulen. Wer dies heute erneut fordert, gerät in den Verdacht, als politischer Geisterfahrer die Ausfahrt in die Gegenwart verpasst zu haben. Immerhin ging es ja um demokratische Mitbestimmungsgarantien in zentralen Lebensbereichen, wenn auch in eher konventionellen Formen und mit begrenztem Gestaltungsanspruch. Noch utopischer wirken die radikaleren Aufbrüche jener Tage, wie zum Beispiel die selbstverwalteten Jugendzentren, Lehrlingskollektive oder Betriebe, die ein ökologisch, feministisch oder sozialrevolutionär gestimmtes »Anders leben, anders arbeiten« verwirklichen wollten. Mit dem Radikalenerlass und den Berufsverboten beendete die staatliche Seite von sich aus das Wagnis einer erweiterten Demokratie, bevor es wirklich begonnen hatte. Dennoch setzten sich die demokratischen Impulse in Bürgerinitiativen, Selbsthilfegruppen und sozialen Bewegungen fort. Diese zivilgesellschaftlichen Aufbrüche sind heute lebendiger denn je.

Neu ist weder der Protest, noch sind es seine Themen. Dennoch scheint er heute eine deutlich breitere soziale Trägerschaft zu haben. Er entzündet sich an scheinbar alltäglichen Vorhaben, wie dem Bau eines Tiefbahnhofs, der einen Kopfbahnhof ablösen soll, oder – wie in Hamburg – an einer der zahllosen Schulreformen, mit denen Landesregierungen immer wieder demonstrieren, dass es sie noch gibt. Aus der Perspektive von Politik und Verwaltung scheinen wachsende Teile der Bürgerschaft unberechenbar geworden zu sein.

Es hätte dieser aktuellen Protestereignisse nicht bedurft, aber sie bestätigen eine Entwicklung, die im Zentrum dieser Streitschrift steht: Wir bewegen uns in »vorrevolutionären Zeiten«. Lenin, ein theoretischer und praktischer Experte in dieser Frage, hat eine revolutionäre Situation als gegeben angesehen, »wenn die oben nicht mehr können und die unten nicht mehr wollen«. Dies scheint zunehmend der Fall zu sein, wenn eine amtierende Regierung einen »Herbst der Entscheidungen« ankündigen muss, wo dies doch ihr Tagesgeschäft sein sollte. Sicherlich, von einer Oktoberrevolution sind wir nicht nur historisch weit entfernt, und eine revolutionär gestimmte proletarische Partei oder auch nur intellektuelle Avantgarde ist auch nicht erkennbar. Die Farce studentisch geprägter revolutionärer Arbeiterparteien der 1970er Jahre dürfte sich ebenfalls nicht wiederholen. Der Preis der Lächerlichkeit wäre zu hoch. Auch die Spurensuche des Verfassungsschutzes nach revolutionären Potentialen bei der Linkspartei dürfte ergebnislos verlaufen. Dass er dennoch immer wieder fündig werden muss, erzwingt das bürokratische Bestandsinteresse. Es geht nicht um die Wiederkehr kommunistischer Gesellschaftsutopien oder um die Suche nach der ganz anderen Gesellschaft. Eingeklagt wird vielmehr, bescheiden und unbescheiden zugleich, das demokratische »Erstgeburtsrecht«, das eigene Geschick mitzubestimmen.

Die Bundesrepublik Deutschland erlebte 2010 eine Revitalisierung der Anti-AKW-Bewegung und verstärkte Bürgerproteste, für die der Widerstand gegen »Stuttgart 21« bereits zum Symbol geworden ist. Überraschend scheint für viele weniger der Protest als solcher, denn damit konnten Regierungen immer wieder rechnen. Erstaunlich ist die Breite der Unterstützung, die nicht mehr an den Grenzen von Parteiloyalitäten, politischen Lagern und sozialen Milieus Halt macht. Bereits am 24. April 2010 beteiligten sich etwa 120 000 Personen an einer Menschenkette zwischen den AKWs Brunsbüttel und Krümmel. Am 18. September 2010 umzingelten etwa 100 000 Menschen das Berliner Regierungsviertel, um gegen den »Ausstieg aus dem Ausstieg« der Regierung Merkel zu demonstrieren. Mit den Castor-Transporten nach Gorleben kam es im November 2010 zum erwarteten Höhepunkt des Protestgeschehens, der im März 2011, ausgelöst durch die Nuklearkatastrophe von Fukushima, mit rund 250 000 demonstrierenden Atomkraftgegnern bei weitem übertroffen wurde. Die Breite der Protestbewegungen scheint es heute schwieriger denn je zu machen, ihre Akteure an den Rand zu schieben, wie dies mit Appellen an die ökonomische Vernunft versucht wird. Die Ergebnisse und Wirkungen dieser Mobilisierungen sind nicht vorhersehbar. Da sie überwiegend demokratisch motiviert sind und keine autoritären Lösungen propagieren, lohnt es sich, die demokratischen Chancen auszuloten, die mit diesen Formen bürgerschaftlichen Engagements verbunden sind.

Für den 28. Februar 2011 hatten Stuttgarter Protestinitiativen zu einem »Demokratie-Kongress« eingeladen[1], an dem sich mehr als 500 Menschen – überwiegend mittleren Alters – in 35 Arbeitsgruppen beteiligten. Das Themenspektrum reichte von der Bankenkontrolle, der Rückgewinnung öffentlicher Güter, den Gefahren der Entdemokratisierung durch Lobbyismus und dem Versagen der Medien als vierte Gewalt über Asylpolitik, Bürgerkommunen, Infrastrukturprojekte ohne demokratische Kontrolle, über den Hoffnungsträger Internet und die Proteste gegen Grüne Gentechnik bis hin zur Kritik des Schlichtungsverfahrens in Sachen »Stuttgart 21« und die Bedeutung der bevorstehenden Landtagswahlen für den Pro-

1 Im Einladungsflyer heißt es u. a.: »Bürgerinnen und Bürger entscheiden selbst! Stuttgart 21, Bankenrettung, Ausstieg aus dem Atom-Ausstieg, zahlreiche kommunale Privatisierungsprojekte: Entscheidungen werden ohne Bürgerbeteiligung getroffen und durchgesetzt. (…) Eingeladen sind alle, die Interesse an einer lebendigen Demokratie haben« (www.demokratie-kongress21.de, abgerufen am 26.02.2011).

test gegen das Bahnhofsprojekt. Bemerkenswert war nicht nur die allgemeine demokratische Aufbruchstimmung und das Selbstbewusstsein, das viele Beteiligte durch ihr Engagement unter anderem gegen das Bahnhofsprojekt erworben hatten. Die thematische Vielfalt verweist auf das aufgestaute Unbehagen und den weitreichenden Veränderungswillen. Die Pluralität der Zugänge verdeutlicht eine experimentelle Veränderungsbereitschaft, die weit über den konkreten Protestanlass hinausgeht. Dass diese Debatten nicht von einer allwissenden »ideologischen« Agenda bestimmt, sondern von einer gemeinsamen Suchbewegung auf gleicher Augenhöhe geprägt waren, gehört auch zu den demokratischen Merkmalen der aktuellen Protestkultur. Da die Kluft zwischen den Regierenden und den Regierten wächst, kann nur eine Vitalisierung der Demokratie helfen. Es bedarf erweiterter und neuer Formen der politischen Partizipation. Selten fand diese Forderung so breite Unterstützung. Ihre Schubkraft kommt von unten.

## »Wir haben verstanden«?

Sind die Botschaften im politischen Raum angekommen? Dass es nicht einfach so weitergehen könne, betonte im Mai 2010 der damalige Bundespräsident Horst Köhler in seinem Grußwort für eine Tagung zum Bürgerengagement: »Die Devise muss lauten: Die Demokratie – das sind wir!«[2] Köhler

2 Die Passagen der Rede sind zitiert nach dem Bulletin der Bundesregierung Nr. 52-1 vom 13. Mai 2010.

greift Max Frischs berühmte Definition auf, »Demokratie heißt, sich in die eigenen Angelegenheiten einzumischen«, und erinnert an die bürgerbewegte Aufbruchstimmung, die den Weg zur deutsch-deutschen Vereinigung geebnet habe: »Auf einmal schien alles möglich. Das eigene Leben und das Zusammenleben mit anderen selbstverantwortlich zu gestalten und dabei Selbstwirksamkeit zu erfahren.« Köhler spricht von wertvollen, ermutigenden Erfahrungen, verschweigt aber nicht die Enttäuschungen der Nachwendezeit und das nachweislich sinkende Vertrauen in die Demokratie und die Lösungskompetenz der Regierung. »Unsere Demokratie wird diesen Herausforderungen dann gut begegnen können, wenn sie ihre Stärken ausspielt, wenn die Selbstwirksamkeit des Einzelnen wieder gestärkt wird, wenn Teilhabe und Mitgestaltung erwartet und ermöglicht werden. Wenn also Politik nicht vorgaukelt, alle überhaupt lösbaren Probleme alleine lösen zu können, sondern Verantwortung mit den Institutionen der Bürgergesellschaft teilt, ohne sich damit aus der Verantwortung zu stehlen. Und wenn sich jeder Einzelne im Rahmen seiner Möglichkeiten engagiert und damit Verantwortung übernimmt, statt sie immer nur vom Staat oder von ›der Politik‹ einzufordern.«

Horst Köhlers Zitat ist deshalb so bemerkenswert, weil es ihm hier um weit mehr als nur um das Stopfen staatlicher Finanzlücken in der Grundversorgung geht. Zum ersten Mal fordert ein hochrangiger Politiker öffentlich eine Neujustierung der Rollen von Staat und Bürgergesellschaft – mit der eindringlichen Mahnung, langfristig neue Wege des gesellschaftlichen Miteinanders oder des Wirtschaftens auszuprobieren. Wenn sich Horst Köhler schließlich für eine Politik der kleinen Schritte ausspricht, die in große Veränderungen münden soll, klingt dies bereits wie das Vermächtnis eines hohen, aber doch einflussarmen politischen Repräsentanten. Dass es von der politischen Klasse angenommen wird, scheint ein Jahr nach seinem Rücktritt mehr als fraglich, auch wenn sich sein Nachfolger des Themas angenommen und ein bundesweites Bürgerforum mit mehr als 10 000 repräsentativ ausgewählten Beteiligten abgehalten hat. Dass auch sie sich nachdrücklich für mehr Beteiligung ausgesprochen haben, verwundert nicht. Dennoch ist die Kluft zwischen den konkreten Forderungen besagter Tagung und den allgemeinen Verlautbarungen aus der politischen Klasse nach wie vor groß. Selbst wenn sich auch »oben« die Einsicht verbreitet, nicht mehr so weitermachen zu können, ist von mutigen und konkreten Schritten bislang nichts zu sehen. Es scheint zudem sehr unwahrscheinlich, dass die allgemeinen beteiligungsfreundlichen Einsichten den nächsten Wahltag überleben – vor allem dann, wenn der gesellschaftliche Druck nachlässt.

Der Veränderungsdruck hat sich über eine Generation hinweg aufgebaut. Soziale Bewegungen, Proteste und Bürgerinitiativen sind in den letzten Jahrzehnten zu einem selbstverständlichen Element in der politischen Kultur westlicher Demokratien geworden. Überwiegend sind die Beteiligungsenergien der Bürgerschaft in ihre Mobilisierungen, Initiativen und Projekte geflossen, die durch den Zuwachs an Bildung und disponibler Zeit freigesetzt wurden. Parteien, Gewerkschaften und Verbände haben als klassische Organisationen der Interessenvermittlung zumeist deutlich an Einfluss und Mitgliedern verloren. Mit Blick auf die Verschiebungen in den bevorzugten Formen der politischen Beteiligung (von »konventionellen« zu »unkonventionellen« Praktiken) ist es berechtigt, heute von »Bewegungsgesellschaften« zu sprechen. Jedenfalls sind gegenwärtig weit mehr Bürgerinnen und Bürger politisch engagiert, als dies in den 1950er und 1960er Jahren der Fall war.

Auch wenn nicht alle Bewegungen, Initiativen und Proteste Demokratie und Menschenrechte zu ihren Leitideen zählen und antidemokratische Mobilisierungen in den letzten beiden Jahrzehnten in vielen Ländern an Bedeutung gewonnen haben (zum Beispiel in Form von rechtsextremen und fremdenfeindlichen Mobilisierungen), lässt sich dennoch die These vertreten, dass die Mehrzahl der sozialen Bewegungen seit Mitte der 1960er Jahre, die »neuen sozialen Bewegungen« zumal, wesentlich von demokratischen Impulsen geprägt ist. Die Sozialforscherin Pippa Norris hat sie deshalb als »demokratischen Phönix« charakterisiert (Norris 2002).

Die nachlassende Bindungskraft repräsentativer Institutionen ist bislang nicht mit einem Verlust demokratischer Orientierungen in weiten Teilen der Bevölkerung verbunden, sondern mit der Erfindung und Nutzung intensiverer Formen demokratischer Beteiligung, seien sie nun direkter, assoziativer oder deliberativer Art. Überwiegend werden diese nicht als große Alternative zur Repräsentativdemokratie ins Spiel gebracht, sondern als deren Ergänzung, Vertiefung und Vitalisierung eingefordert.

Eine den gewachsenen Beteiligungsansprüchen der Bevölkerung angemessene Vertiefung und Vitalisierung demokratischer Strukturen ist in Deutschland bislang weitgehend ausgeblieben. Gegenwärtig werden weltweit etwa 100 verschiedene Formen demokratischer Beteiligung erprobt, die meist im Kontext sozialer Bewegungen erfunden und entwickelt wurden.[3] Diese Vielfalt demokratischer Beteiligungsformen findet zwar zunehmend öffentliche Wertschätzung und wird verstärkt auf der kommunalen Ebene genutzt, aber es zeichnen sich bislang keine demokratischen Strukturreformen ab, die den gewachsenen Gestaltungsansprüchen der Bürgerschaft gerecht würden. Unabdingbar wäre zum Beispiel die Stärkung der lokalen Ebene in ihren Ressourcen und Gestaltungsspielräumen. Es geht um mehr Bürgermacht.

## Soziale Bewegungen und Protest

In einem Rückblick auf die »alte Bundesrepublik« hat der Soziologe Niklas Luhmann einmal das »Dagegensein«, die Neigung zum Protest, als eines ihrer wesentlichen Kennzeichen hervorgehoben. Er verband damit eine doppelte Warnung, wie sie von konservativer Seite immer wieder zu hören ist: Übertriebener Protest sei ungesund und schädlich für das Gemeinwesen. Den Protestierenden drohten angesichts kaum

3 Einen konkreten Eindruck von der vorhandenen Vielfalt vermitteln über 150 auf der Netzseite des Wettbewerbs »Vitalisierung der Demokratie« der Bertelsmann Stiftung (2011) dokumentierte internationale Projekte und Praxisformen: www.vitalizing-democracy.org.

überschaubarer ökologischer Risiken vor allem »Aufregungsschäden«. Zudem gebe die verbreitete Protestneigung Anlass zur Sorge um die nötige Zustimmung zum gesellschaftlichen und politischen System der Bundesrepublik (vgl. Luhmann 1996).

An dieser Charakterisierung der Bundesrepublik vor der Vereinigung ist dreierlei provozierend: erstens die Diagnose einer übertriebenen Protestneigung, zweitens der Hinweis auf weithin fehlende Anlässe und drittens die Sorge um den Bestand des Gemeinwesens.

Ganz anders fällt die Bewertung des Publizisten Harry Pross aus, der in seiner »Protestgesellschaft« (1992) die »Wirksamkeit des Widerspruchs« betont. Für ihn sind die vielen Spielarten des Protests eine Quelle für Innovationen. Den Protestierenden geht es nicht um den Abbruch der Kommunikation, sondern um eine öffentlich wahrnehmbare Opposition zu einer vorhandenen Position. Sie beziehen sich damit auf ein gemeinsames Thema und versuchen das Publikum für die eigene Position zu gewinnen. Pross knüpft mit seiner historisch weit ausholenden Lobrede auf den Widerspruch an die Motive der Protestgeneration an, die mit der Jahreszahl »1968« verbunden wird. Im Rückblick auf diese Zeit wird gerne übersehen, auf welch massive Ablehnung damals dieses Aufbegehren in der Bevölkerung gestoßen ist. Zwei prominente Bücher aus den frühen 1960er Jahren fangen die damals durchaus protestfeindliche Stimmungslage gut ein. Ulrich Sonnemann veröffentlichte 1963 eine vielgelesene Aufsatzsammlung unter dem provozierenden Titel »Das Land der unbegrenzten Zumutbarkeiten«. Ein Jahr später folgte eine philosophische Betrachtung von Klaus Heinrich unter dem Titel »Versuch über die Schwierigkeit nein zu sagen«. In beiden Buchtiteln kommt der Wunsch nach Widerspruch zum Ausdruck, der dann ja auch bald in Erfüllung gehen sollte.

Protest gilt als mehr oder weniger prägende Bewegungspraxis; aber nicht jeder Protest ist Ausdruck sozialer Bewegungen. Von Bewegungen sprechen wir erst, wenn eine gewisse Kontinuität des Protestgeschehens besteht, das mit dem Anspruch auf Gestaltung des gesellschaftlichen Wandels verknüpft ist, also mehr darstellt als bloßes Neinsagen. Ein wesentliches Merkmal sozialer Bewegungen ist die Kraft zur Veränderung, zumindest der Versuch, Einfluss auf grundlegende gesellschaftliche Entwicklungen zu nehmen: fördernd, bremsend, revolutionär, reformerisch. Das unterscheidet sie von Protestepisoden, von Moden und Strömungen. Die Richtung der Einflussnahme ist keineswegs progressiv festgelegt. Auch rechtsextreme und rechtspopulistische Gruppierungen können sich zu Bewegungen verdichten. Noch bis in die 1970er Jahre hinein war selbst der Begriff Bewegung in der Bundesrepublik weitgehend negativ besetzt, denn er stand unter NS-Verdacht, zumindest aber unter dem des romantischen Irrationalismus.[4] Erst mit den neuen sozialen Bewegungen hat sich dies verändert. Ihre progressive Grundströmung

4 Erinnert sei nur an Erwin K. Scheuchs »Wiedertäufer der Wohlstandsgesellschaft« (1968), an Kurt Sontheimers Attacke auf die »1968er« (1976) oder Uwe Schimanks Verdikt des »neoromantischen« Protests (1981). Gemeinsam ist diesen Deutungen, dass sie soziale Bewegungen in eine vordemokratische und unaufgeklärte Zeit verlagern und deshalb aktuelle Proteste nur als historischen Rückfall erklären können.

ist weitgehend unbestritten, und Demokratie gilt als ihr übergreifendes Thema, das auch die Bewegungspraxis leiten soll; ihre pluralistische Agenda und Strömungsvielfalt unterscheidet sie von historischen Vorgängern. Immerhin konnten sich die neuen sozialen Bewegungen in der Bundesrepublik als dominierende Bewegungsform in den 1970er und 1980er Jahren durchsetzen.

Sie profitieren auch von einer veränderten Debattenlage in den USA. Unter dem Eindruck der Bürgerrechtsbewegung der 1950er und frühen 1960er Jahre vollzog sich dort eine Abkehr vom konservativen Massendiskurs, der noch von Ansteckung (»contagion«) sprach und den irrationalen Charakter des kollektiven Handelns unterstellte. Soziale Bewegungen gelten seither als eine Form rationalen zielgerichteten kollektiven Handelns, das geplant und organisiert werden kann. Soziale Bewegungen unterliegen eigenen Gesetzmäßigkeiten und haben spezifische Chancen. Soziale Bewegungen sind kein Zufallsprodukt, das nicht beeinflussbar wäre. Vielmehr ist Bewegungspolitik eine Handlungsoption mit entsprechendem Erfahrungswissen, mit einem bestimmten Handlungsrepertoire und sich oft zur Routine entwickelnden Organisationspraktiken, was sich vor allem in den USA in entsprechenden Schulungszentren, Handlungsanleitungen und dergleichen niedergeschlagen hat.[5] Folgen dieser veränderten Sichtweise sind ein verstärktes Interesse an Bewegungsorganisationen

---

5 Dazu gehören z.B. Saul Alinskys »Rules for Radicals« von 1971, Bill Moyers »Movement Action Plan« von 1987 und für Deutschland Felix Kolbs »Movement Action Success Strategy« von 2004.

und »Bewegungsunternehmern« sowie an Fragen der Ressourcenbeschaffung. Beide Entwicklungen gehören zu den Voraussetzungen, ohne die es in Deutschland »Die Bewegungsstiftung« mit ihren Strategieseminaren und Dauerspenden für »BewegungsarbeiterInnen« nicht geben würde.[6]

Soziale Bewegungen gelten insgesamt als wichtige Akteure moderner Gesellschaften, geradezu als Kennzeichen der »Moderne«, weil sie die Selbstkonstitution und Selbstgestaltung ins Zentrum rücken, das heißt die Fähigkeit einer Gesellschaft, sich selbst zu produzieren und sozialen Wandel aktiv zu gestalten. Zu sozialen Bewegungen gehört daher die Überzeugung, dass gesellschaftliche Verhältnisse bewusst gestaltbar sind,[7] also weder gottgegeben noch naturwüchsig oder so überkomplex, dass jeder Versuch sinnlos wäre, zielgerichtet Einfluss nehmen zu wollen.[8] Soziale Bewegungen reklamieren und steigern auch die Selbstgestaltungsfähigkeit von Gesellschaften. Offen bleibt dabei allerdings die Reichweite solcher Gestaltungsversuche, die beanspruchte Veränderungstiefe und nicht zuletzt die tatsächliche Wirkung. Nicht wenige Beobachterinnen und Beobachter neuerer sozialer Bewegungen sehen eine wachsende Tendenz zur Selbstbegrenzung, zum bewusst bescheidenen Anspruch. In ihrer Summe aber über-

---

6 Neben der Bewegungsstiftung (www.bewegungsstiftung.de) gibt es inzwischen eine Reihe weiterer Stiftungen, die es sich zur Aufgabe gemacht haben, einzelne soziale Bewegungen und deren Projekte zu fördern.

7 »Eine andere Welt ist möglich«, lautet z. B. die erfolgreichste Parole globalisierungskritischer Bewegungen.

8 Zum Komplexitätsargument und anderen Elementen konservativer Rhetorik siehe Hirschman (1991).

steigen die Veränderungsansprüche der zeitgenössischen sozialen Bewegungen bei weitem den Alternativanspruch, der mit dem Sozialismus des Ostblocks einmal verbunden war.[9]

Soziale Bewegungen sind nicht einfach die modernen Nachfahren der »Zitter- und Zappelzustände«, die Ethnologen für »einfache« Gesellschaften beschrieben haben, also Bewegung im Stillstand; vielmehr haben sie in modernen Gesellschaften stets eine Botschaft, ein Projekt, eine Vision von Gesellschaft, zumindest von gesellschaftlichen Teilbereichen, die es zu verändern gilt. Ohne ein solches gemeinsames »Projekt« entfiele der Anspruch auf bewusste Gesellschaftsgestaltung. Dieses Projekt liegt nicht immer von Anbeginn im Sinne einer gemeinsamen Agenda der Protestierenden auf der Hand, sondern entwickelt sich oft erst in und mit den Mobilisierungen selbst. Aber nur wenn Protest das Stadium der bloßen Negativkoalition verlässt und eine eigene Agenda und eigene Visionen entwickelt, können wir sinnvoll von sozialer Bewegung sprechen. Ein Beispiel dafür ist die Anti-Atomkraft-Bewegung, die sich von der Ablehnung einzelner Bauvorhaben zu einer umfassenderen Bewegung entwickelte, welche die demokratische Kontrolle technologischer Entwicklungen forderte, vorgebliche Sachzwänge infrage stellte, die Verflechtung politischer und wirtschaftlicher Interessen kritisierte und schließlich alternative Wege der Energieerzeugung propagierte. Ein anderes Beispiel sind die heutigen Bewegungen gegen eine neoliberale Globalisierung, die zunehmend auch

9 Einen lexikalischen Eindruck von dieser Fülle an aufgehäuften und uneingelösten Alternativen bieten Brand u. a. (2007).

Vorstellungen einer anderen Weltordnung entwickeln und mit konstruktiven Vorschlägen in einzelnen Politikfeldern aufwarten.

In und mit sozialen Bewegungen versuchen üblicherweise solche Akteure Einfluss zu gewinnen, die sich und ihre Interessen im politischen Normalbetrieb nicht, zumindest nicht angemessen berücksichtigt sehen. Sie versuchen, wie es die Frauenbewegung oder die US-amerikanischen Proteste armer Leute (»poor people's movements«) aufzeigen, das bestehende Machtgefüge mit seinen eingebauten Ausgrenzungen und Privilegien zu verändern.

Soziale Bewegungen sind in unterschiedlichem Maße strategisch orientiert beziehungsweise strategiefähig. Entsprechend wird in den Gesellschaftswissenschaften zwischen überwiegend macht- oder kulturorientierten Bewegungen, identitätsorientierten sowie gegen- oder subkulturell wirkenden Bewegungen unterschieden. Dabei nimmt die dominante Orientierung einer Bewegung zwangsläufig erheblichen Einfluss auf ihr Handlungsrepertoire. Da soziale Bewegungen Partei ergreifen, reiben sie sich an bestehenden Institutionen und Herrschaftsverhältnissen. Sie treffen auf andere Akteure, die ihre Anliegen unterstützen oder ignorieren, wenn nicht gar in Form von Gegenbewegungen bekämpfen. Zum Begriff der sozialen Bewegung gehört also immer auch die Möglichkeit des Scheiterns beziehungsweise höchst ambivalente Resultate zu erzielen, wie zum Beispiel die Kooptation einzelner Forderungen oder Lerneffekte in einem System, das man eigentlich abschaffen wollte. Das Engagement in sozialen Bewegungen ist oft mit politischen Lernprozessen, mit individueller Horizonterweiterung und Selbstveränderung verknüpft, kann aber auch, wie im Falle ausländerfeindlicher Bewegungen, den Blick verengen und Vorurteile verstärken.

Protest, Bürgerinitiativen und soziale Bewegungen sind in der Geschichte der Bundesrepublik zu den vermutlich wichtigsten politischen Lernorten und Experimentierbaustellen geworden. Seit den 1970er Jahren engagieren sich in diesem Sektor regelmäßig weitaus mehr Menschen als etwa in politischen Parteien und Verbänden, die ja häufig mit Alleinvertretungsanspruch auftreten. Mehr als die stark institutionalisierten politischen Organisationsformen bieten soziale Bewegungen die Möglichkeit zu politischem Empowerment, das heißt zu eher selbstbestimmten Formen politischen Lernens und Handelns an der Schnittstelle von persönlicher Stärkung und sozialem Wandel (vgl. Kapitel III).

Politisches Lernen und Handeln kommen hier nicht ohne starke Emotionen und Motive, ohne Moral und Empörung, ohne Mitleid und Solidarität, ohne Zuspitzung und Dramatisierung aus. Die expressiven Dimensionen der Bewegungspolitik, die daraus mitunter erwachsen, dienen nicht selten dazu, Bewegungen pauschal unter Irrationalitätsverdacht zu stellen und gegenüber einer vorgeblich »nüchternen« und »rationalen« institutionellen Politik abzuwerten. Dagegen haben sich Bewegungsakteure immer wieder bemüht, den »Realismus« ihrer Ängste und Befürchtungen zu betonen.[10] Im letzten Jahrzehnt

10 Der Philosoph Günther Anders forderte bereits in den 1950er Jahren angesichts der atomaren Aufrüstung immer wieder »Mut zur Angst«,

ist es zu einer Aufwertung der emotionalen und moralischen Dimension sozialen Protests gekommen. Der im Zusammenhang mit den Protesten gegen »Stuttgart 21« hochgespülte Begriff des »Wutbürgers« versuchte es noch einmal mit einer emotionalen Abwertung der Protestierenden, indem sie in die Zone des Irrationalen abgedrängt wurden. Wer in »blinder Wut« verharrt, ist durch rationale Argumente nicht erreichbar und kann höchstens durch Staatsgewalt – wie faktisch geschehen durch Wasserwerfer – zur Räson gebracht werden. Dass in starken Emotionen, zu denen Wut zweifellos gehört, immer auch eine längere Geschichte von Kränkungen, Enttäuschungen und Zurückweisungen steckt, im konkreten Fall die weitgehende Verweigerung partizipativer Verfahren, wird dagegen zumeist übersehen. Im Bahnhofskonflikt ließ das wertschätzende Gegenbild des »Mutbürgers« nicht lange auf sich warten. Es gehört sicherlich Mut dazu, unter gewaltfreiem Einsatz des eigenen Körpers öffentlich gegen ein breit unterstütztes staatliches Vorhaben zu protestieren. Auch wer die Argumente und Befürchtungen der Bahngegner nicht teilt, wird ihnen zubilligen, dass ihre Aktionen von Phantasie und Augenmaß – also gerade nicht von maßloser Wut – geprägt sind.

Noch etwas hat sich im Stuttgart-Konflikt eindrucksvoll bestätigt: Es zählt zu den besonderen Stärken von Protestbewegungen, dass sie durch eine Vielzahl kultureller Praktiken

---

Alexander Kluge reflektierte 1982 mit Blick auf die Proteste gegen die »Nachrüstung« in einem Essay »Über das Selbstbewusstsein und das Selbstvertrauen in unseren Ängsten«.

emotionale Tiefenschichten unserer Existenz ansprechen und sie oft auch erreichen – unter anderem durch Musik, Kabarett, Symbole, Kleidungsstile, subversive Protestformen, Skandalisierungen. So wurde für den Stuttgarter Demokratiekongress 21 ein Button geprägt, der das berühmte Delacroix-Gemälde »Die Freiheit geht voran« variiert. Die Freiheit hält einen ausgerissenen Parkbaum in der Hand, und im Hintergrund sind der Stuttgarter Bahnhof und eine Protestgruppe zu erkennen. Auch die Landeswerbung »Wir können alles. Außer Hochdeutsch« wurde in »Wir können alles. Außer Demokratie« verfremdet – ein Motto, das auch auf Rosenmontagszügen aufgegriffen wurde. Zu den diversen Protestereignissen wurden häufig noch am gleichen Tag über soziale Netze nicht nur Fotos, sondern auch aktuelle Liedtexte ins Netz gestellt. Als eine Handlungsform, die sich protestierend gegen die institutionelle »Normalität« wendet, versuchen soziale Bewegungen das Repertoire politischen Handelns und der Einflussnahme in Gesellschaften zu erweitern.

## Bewegungen im Wandel

Für die Wandlungsfähigkeit sozialer Bewegungen selbst bietet die deutsche Nachkriegsgeschichte reichhaltiges Anschauungsmaterial. So lassen sich folgende Etappen im Verständnis von sozialen Bewegungen unterscheiden: Das Erbe der großen historischen Sozialbewegungen (vor allem der Arbeiterbewegung) war prägend für das Bewegungsverständnis in der unmittelbaren Nachkriegszeit bis zum Ende der 1950er Jahre. Existierende Parteien, Verbände und gesellschaftliche Spaltungslinien wurden wesentlich als Produkt historischer sozialer Bewegungen wahrgenommen – als Ergebnisse ihrer Oligarchisierungs-, Bürokratisierungs- und Institutionalisierungsprozesse. In den bevorzugten Handlungsformen, den disziplinierten Massenaufmärschen und dem Straßenprotest, aber auch im Politikverständnis – von abgegrenzten politischen Lagern beziehungsweise Milieus – spiegelte sich dieses historische Erbe. Die Mobilisierungen und Proteste dieser Zeit wurden ihrem Konto gutgeschrieben, oder es wurde ihnen, wenn sie nicht aus dieser Tradition stammten, der Begriff soziale Bewegung verweigert.

Verschiedene Strömungen der Außerparlamentarischen Opposition (APO), zum Beispiel die »Neue Linke«, versuchten sich in den 1960er Jahren von diesem historischen Erbe abzusetzen, aber es blieb in vieler Hinsicht prägend. Ein befremdliches Beispiel war der direkte Rückgriff einiger Gruppierungen auf proletarische Organisationsvorbilder aus der Weimarer Republik. Mit einem Mal begleiteten Schalmeienkapellen klassenkämpferisch disziplinierte Aufmärsche, und die proletarische Kleinfamilie wurde als angemessene Lebensform propagiert. Obwohl die Zeitgenossen von den systemoppositionellen, durch weltweite Vorbilder inspirierten Protestbewegungen jenseits der klassischen sozialen Bewegungen beeindruckt waren, gelang es nicht, eine eigenständige Bewegungsidee zu entwickeln, die breitere Unterstützung gefunden hätte. Im Gespräch waren Revolte, Rebellion, Subversion, antiautoritärer Protest und viele andere Etikette. Herbert Marcuse führte schließlich den Begriff »Syndrom« ein, um das mehr oder weniger zufällige zeitliche Zusammentreffen unterschiedlichster Proteste und Aktionsformen zu beschreiben, deren enorme Bandbreite von der Selbstveränderung bis hin zur Propaganda der Tat, von der kulturell inspirierten subversiven Aktion bis zu Straßenschlachten und den Anschlägen der RAF reichte. Beeindruckend war nicht zuletzt, mit welcher Geschwindigkeit sich die Protestformen und Symbolwelten veränderten. Der Rückgriff auf Traditionen der Arbeiterbewegung verstellte den Blick auf neue Protestelemente, die zu den bevorzugten Handlungsformen jener Tage zählten: Provokation und öffentliches Räsonnement. Die öffentliche Infragestellung von Autoritäten und Ritualen löste immer neue Schockwellen aus. Vollversammlungen und »Teach-ins« verknüpften demonstrative Auftritte mit gemeinsamen Diskussions- und Entscheidungsprozessen. Ein gemeinsames Bewegungsverständnis entstand erst in den 1970er Jahren mit dem Auftreten der neuen sozialen Bewegungen und dem Versuch, das »Neue« dieser Bewegungen positiv zu bestimmen. Es zeigte sich, dass sich ökologische, feministische, pazifistische und andere Motive überlagerten, ohne in einer gemeinsamen Bewegung im Singular aufzugehen. Das Gemeinsame lag vielmehr in der Anerkennung von Pluralität, in der Distanz zu Großorganisationen, in einer Vielzahl von Projekten ohne Einheit stiftende Vision und in der Bevorzugung direkter Formen des politischen Engagements.

Erst in den 1990er Jahren wurde die thematische Vielfalt der neuen sozialen Bewegungen mit einem übergreifenden Leitthema versehen, dem der Demokratisierung »liberaler« Demokratien. Über die Jahre hinweg lassen sich die mit den neuen sozialen Bewegungen verbundenen, wiederkehrenden Mobilisierungen auch als »Normalisierung von Protest«, als Weg in eine »Bewegungsgesellschaft« deuten.

Mit dem allmählichen Rückgang der neuen sozialen Bewegungen sowie der Bürgerbewegung der DDR in der Zeit nach der deutsch-deutschen Vereinigung verliert der Bewegungsbegriff allmählich seine progressive politische Eindeutigkeit. Auch rechte Gruppen und Milieus organisieren sich zunehmend bewegungsförmig – nicht selten mit Anleihen bei der Bewegungspraxis der neuen sozialen Bewegungen und der APO.

Angesichts der Fülle spezifischer Protestkampagnen und themenzentrierter sozialer Bewegungen sollen lediglich einige große Entwicklungslinien und Bewegungen skizziert werden, die zur demokratischen Aufwertung der Bürgerschaft und zur Entfaltung von Bürgermacht beigetragen haben.

Nach der Gründung der Bundesrepublik entfaltete sich ein durchaus breites politisches Themenspektrum politischer Mobilisierung, das in den Anfangsjahren der Bonner Republik durch drei Schwerpunkte geprägt war: erstens die Mobilisierung im Zusammenhang mit Kriegsfolgen und -lasten, darunter von Kriegsopfern, Kriegsheimkehrern und Vertriebenenverbänden, zweitens die Auseinandersetzung zwischen linken und konservativen beziehungsweise reaktionären Kräften um Kommunismus, Antisemitismus und das Fortwirken nationalsozialistischen Gedankengutes, drittens Fragen der Westeinbindung, der Wiederbewaffnung, der atomaren Rüstung und des Antimilitarismus.

Die außerparlamentarische politische Mobilisierung erfolgte überwiegend durch Großorganisationen (Parteien, Gewerkschaften, Verbände); die vorherrschenden Formen des Protests waren die Massenkundgebung und die Unterschriftensammlung. Verliefen die 1950er Jahre noch durchaus protestintensiv – man denke an die Unterschriftensammlungen gegen die Wiederbewaffnung –, wurde in der ersten Hälfte der 1960er Jahre, gemessen an der Zahl der Proteste wie deren Teilnehmer, nur wenig protestiert. Allerdings spielten auch antisemitische Aktivitäten (insbesondere Grabschändungen und Schmierereien) eine Rolle. Der politische Betrieb war ganz auf Konsolidierung und Beständigkeit eingestellt: »Keine Experimente« wurde zu einer der erfolgreichsten Wahlkampfparolen. Protest galt weithin als Störung der öffentlichen Ordnung und – zumal beim Thema Frieden und Abrüstung – als kommunistisch beeinflusst oder gar gelenkt, als »Moskaus Fünfte Kolonne«.

Mit dem Beginn der Großen Koalition 1966 veränderten sich die politischen Rahmenbedingungen sehr deutlich. Davon profitierten einerseits die NPD mit ihren Wahlerfolgen in einigen Landesparlamenten, andererseits – und weitaus folgenreicher – die Außerparlamentarische Opposition (APO) mit der Neuen Linken und der Studentenbewegung in ihrem Kern. Mit der APO gerieten nicht allein einzelne »Missstände«, sondern die bürgerlich-kapitalistische Ordnung als Ganze in die Kritik: Es ging um Neokolonialismus und Befreiungskämpfe in der Dritten Welt, um Herrschaftsverhältnisse und kapitalistische Ausbeutung im eigenen Land, um »Formaldemokratie« und Meinungsmanipulation, Notstandsgesetze, die fehlende Auseinandersetzung mit dem Nationalsozialismus, die Ordinarienuniversität und technokratische Zurichtung in den Schulen, um Lüge und Doppelmoral im Alltagsleben und vieles mehr. Träger der Bewegung waren die linke Intelligenz und die Studentenschaft. Der Arbeiterschaft und den Randgruppen, die es zu agitieren galt, blieb die Bewegung aufgrund ihrer Kopflastigkeit, aber auch ihres antiautoritären Gestus weitgehend fremd.

Die Proteste dieser Phase waren zahlreich und provokativ, erreichten aber nur bescheidene Größenordungen. Es entwickelte sich ein Bewusstsein für die Rolle der Medien im Kampf um Bilder und politische Deutungen, aber zugleich war der Umgang mit den Medien vorwiegend auf das Spektakel ausgerichtet. Bereits 1969 setzte der Zerfall dieser Protestbewegung ein, deren Impulse und Energien in ganz unterschiedlichen Bahnen fortwirkten: in klandestinen und dann zunehmend kaltblütigen Terrorgruppen, im Sektierertum rivalisierender K-Gruppen, in Bestrebungen eines undogmatischen Sozialismus außerhalb (im Sozialistischen Büro) und innerhalb der Parteien (vor allem der Jungsozialisten), mit dem Effekt einer Dynamisierung der Sozialdemokratie, vor allem aber in den Bürgerinitiativen und neuen sozialen Bewegungen, die ab den frühen 1970er Jahren an Kontur gewannen. Abgesehen von kurzzeitigen Mobilisierungen, etwa den Septemberstreiks von 1969, blieb die Arbeiterschaft ruhig und verband sich, anders als in Italien und Frankreich, nicht mit den Studierenden.

Ab etwa Mitte der 1970er Jahre rückten für knapp zwei Jahrzehnte die neuen sozialen Bewegungen ins Zentrum des Bewegungsgeschehens. In dieser Phase folgten einander verschiedene, teils kurze, teils längere, sich zum Teil auch überlagernde Mobilisierungswellen mit vordergründig sehr unterschiedlichen Themen – § 218, Frauenemanzipation, Anti-Atomkraft und Ökologie, Alternativkultur, Hausbesetzungen, Kampagne gegen Nato-Doppelbeschluss –, die jedoch nicht nur eine relativ homogene Trägerschaft, sondern auch eine gemeinsame Wertgrundlage aufwiesen und später als »postmaterialistisch« bezeichnet wurden. Nach der Untersuchung von Hanspeter Kriesi u.a. (1995: 20) gingen im Zeitraum von 1975 bis 1989 knapp drei Viertel aller Proteste in der Bundesrepublik auf das Konto der neuen sozialen Bewegungen (in Frankreich nur 36 Prozent). Innerhalb dieses Themenspektrums konnten in den 1970er Jahren die Konflikte um Atomenergie und Ökologie am meisten Menschen mobilisieren.

Die Gewerkschaften standen diesen neuen Bewegungen zunächst eher ambivalent, in einzelnen Bereichen, vor allem in der Energiepolitik, sogar überwiegend ablehnend gegenüber. Sehr gemischt fielen auch die Reaktionen der etablierten Politik aus. Die zu Beginn eher aufgeschlossene Haltung der Meinungsführer in der SPD verwandelte sich mit dem Wechsel von Willy Brandt zu Helmut Schmidt, mit dem zugleich eine Abkehr von grundlegenden Reformbestrebungen verbunden war, in skeptische Distanz. »Wer Visionen hat, soll zum Arzt gehen«, äußerte Helmut Schmidt im Wahlkampf 1980. Dies wiederum bestärkte die Bewegungen in ihrer institutionen- und parteikritischen Haltung. Höhepunkt der wechselseitigen Entfremdung war die Phase in den späten 1970er Jahren, als Stichworte wie »Alternativbewegung«, »Zweite Kultur« und »Auszug aus dem Modell Deutschland« die Runde machten. Innerhalb der Bewegungen setzte sich ein radikaler Reformismus durch, während die »antisystemischen« Gruppierungen, vor allem diverse K-Gruppen, an Boden verloren und der Linksterrorismus sich vollends isolierte.

Ab den frühen 1980er Jahren gewann die neue Friedensbewegung an Bedeutung und setzte, gemessen an der Zahl der Protestierenden, die bis dahin mit Abstand mächtigste Protestwelle in Gang. Das Bewegungsspektrum differenzierte sich nun in ideologischer, thematischer und organisatorischer Hinsicht weiter aus. Auf der einen Seite kam es zunächst zu Verhärtungen, wie sie die sehr konfrontativen Auseinandersetzungen um Hausbesetzungen, die Rekrutenvereidigungen oder die Aktionen der »autonomen« Gruppen deutlich machten. Auf der anderen Seite begann sich aber auch das Verhältnis zwischen »alter« und »alternativer Politik« vor allem auf kommunaler Ebene zu entkrampfen. Symptomatisch dafür war die zunehmende Kooperation in einzelnen Themenbereichen, teilweise auch verbunden mit der staatlichen Förderung bewegungsnaher Gruppen zum Beispiel im Bereich der Stadtteilarbeit, der Selbsthilfegruppen im Gesundheits- und Sozialbereich, der Aids-Prävention, der Frauenhäuser und so weiter. Eine wichtige Vermittlerrolle spielten die ab 1978 entstandenen grünen, bunten und alternativen Listen, später die Partei der Grünen, die sich zunächst als parlamentarischer Arm der neuen sozialen Bewegungen, dann aber zunehmend als eigenständiger politischer Akteur mit dem Anspruch einer umfassenden Themen- und Gestaltungskompetenz verstand. Im Verlauf der 1980er Jahre war eine dichte Infrastruktur der neuen sozialen Bewegungen entstanden, welche damit, jenseits der Konjunktur einzelner Konfliktthemen, ihre Präsenz verstetigten, sich teilweise professionalisierten und zunehmend als politischer Faktor Anerkennung fanden.

Die neuen sozialen Bewegungen dieser Ära gewannen mit zwei Grundmustern ihrer Kritik an Bedeutung: zum einen, indem sie mit Vorstellungen einer intensiven politischen Partizipation und Selbstbestimmung als zunehmend kompakte Gegenspieler einer neuen Klasse von Professionellen und Technokraten antraten; zum anderen, indem sie dominante kulturelle Muster infrage stellten und damit grundlegende Themen des menschlichen Lebens, vom Geborenwerden bis zum Sterben, politisierten. Es ging um Sexualität und das Geschlechterverhältnis ebenso wie um unser Verhältnis zur Natur. Hierbei spielte die Suche nach persönlichen und kollektiven Identitäten eine Schlüsselrolle.

Von einer infrastrukturell verankerten Opposition konnte in der DDR kaum die Rede sein. Die Ereignisse des 17. Juni 1953 markierten einen kurzen, eruptiven Ausbruch der Unzufriedenheit. Die oppositionellen Gruppen, die sich ab den späten 1970er Jahren gebildet hatten und fast durchgängig eine reformsozialistische Perspektive vertraten, blieben angesichts der staatlichen Überwachung und Repression auf kleine und informelle Zirkel beschränkt. In den (sub)kulturellen Milieus der größeren Städte und unter dem Dach der Kirchen konnten oppositionelle Orientierungen vor allem in den 1980er Jahren dauerhafter entwickelt werden. Abgesehen von ihren Forderungen nach der Garantie elementarer Bürgerrechte vertraten die Gruppen ein ähnliches Themenspektrum, vom Frieden über Ökologie bis hin zur Atomkraft, wie die neuen sozialen Bewegungen des Westens. Erst im Laufe des Jahres 1989 setzte eine unerwartete Dynamik der sich zuspitzenden Systemkritik ein, die dann in den Massenprotesten der Wendephase kulminierte, im Verlauf der Wendeproteste einen qualitativen Umschlag erfuhr – »Wir sind das Volk« zu »Wir sind ein Volk« –, um schließlich schnell und fast geräuschlos zu implodieren.

Somit hatten die 1980er Jahre eine paradoxe Situation hinterlassen. Während die analytisch gut begründete Hoffnung auf machtvolle Bewegungen im Westen nicht in Erfüllung ging, trugen soziale Bewegungen in den kommunistischen Staaten Mittel- und Osteuropas zu revolutionären Umbrüchen bei, die, dies eine weitere Paradoxie, überaus friedlich in einer hoch militarisierten Umwelt mit teilweise ausladenden Sicherheitsapparaten, wie der Staatssicherheit, verliefen. Keiner dieser Umbrüche der »Samtenen Revolution« hat einen neuen dauerhafteren Bewegungstyp hervorgebracht. Vielmehr handelte es sich überwiegend, wenn auch wider Willen, um Transformationsbewegungen.

Der Bewegungssektor im wiedervereinigten Deutschland war vor allem durch drei Entwicklungen charakterisiert. Erstens gewannen – im Verhältnis zu den Themen der neuen sozialen Bewegungen – »materialistische« Themen, wie Arbeitslosigkeit, Rentensystem oder Gesundheitssystem, an Bedeutung.

Besonders ausgeprägt war dies in den neuen Bundesländern, wo neue soziale Bewegungen bis heute deutlich mobilisierungsschwächer als in den alten Bundesländern blieben. Bemerkenswert war insbesondere der Widerstand gegen Hartz IV und, grundsätzlicher, gegen Sozialabbau, der zwischen 2003 und 2006 zu mehreren Massendemonstrationen führte und sich in der beachtlichen Welle der »Montagsproteste« vom Sommer und Herbst 2004 manifestierte. Insofern kann man berechtigt von einer Wiederkehr der »sozialen Frage« sprechen.

Zweitens verstärkte sich eine zunehmend militante rechtsradikale und ausländerfeindliche Szene. Rechtsextreme und rechtspopulistische Mobilisierungen waren zwar nie aus der Nachkriegsgeschichte verschwunden; aber erst in den 1990er Jahren erreichten sie ein bis dahin kaum mehr für möglich gehaltenes Gewicht. Bewegungsförmigen Charakter hat die im Westen überwiegend organisationszentrierte rechtsextreme Szene in Deutschland erst nach der Vereinigung angenommen. Während autonome Gegenmilieus schwächer werden, expandiert die (sub)kulturell verankerte Musik- und Skinszene in den neuen Bundesländern. In vielen ländlichen Bereichen und in einzelnen Quartieren der Großstädte ist sie die dominante Szene, deren sozialisatorische Wirkungen wohl auf Jahrzehnte spürbar sein werden. Die aktivistischen rechten Gruppen sind nach der Zahl der Proteste, nicht aber der Zahl der daran beteiligten Menschen, sehr gewichtig. Bedingt durch ihre Aggressivität und ihr zunehmend selbstbewusstes Auftreten riefen diese Gruppen aber auch eine starke Gegenbewegung auf den Plan, deren Bandbreite von militanten Antifa-Gruppen bis weit in das bürgerliche Lager reicht.

Drittens haben sich aus den neuen sozialen Bewegungen heraus globalisierungskritische Gruppen und Bewegungen entwickelt. Sie sind nicht nur charakterisiert durch ihre transnationale Vernetzung und Mobilisierung, sondern auch durch ihre enge Verknüpfung von vormals eher getrennt behandelten Themenbereichen. Im Mittelpunkt steht hier die Kritik ökonomischer Verhältnisse, insbesondere am sich globalisierenden Neoliberalismus. Weil sie viele Bewegungsthemen aufgreift und nun in eine globale Perspektive rückt, wird sie gelegentlich als »Bewegung von Bewegungen« bezeichnet.

Die neuen sozialen Bewegungen der 1990er Jahre sind gekennzeichnet durch ein partielles Ausfransen, durch Mobilisierungsschwächen beziehungsweise Latenzphasen einzelner Bewegungen (zum Beispiel der Frauenbewegung), durch sporadisch auftretende diffuse Proteste (zum Beispiel der Chaos-Tage) und Fun-Spektakel (wie der Skater-Proteste), aber auch die Revitalisierung solcher Protestthemen, die bereits in den 1970er Jahren virulent gewesen waren (so die Anti-Castor-Proteste von 2010). Wie Protestereignisdaten zeigen, sind die neuen sozialen Bewegungen heute keineswegs am Ende, aber ihr Elan ist doch schwächer geworden. Auch sind sie, soweit sie nicht in globalisierungskritischen Kontexten stehen, stärker fragmentiert.

## Leistungen sozialer Bewegungen in der Bundesrepublik

Was Bürgermacht bewirken und verändern kann, wird am Beispiel der sozialen Bewegungen und Proteste in seinen Möglichkeiten und Grenzen besonders deutlich. Zu den am wenigsten umstrittenen Leistungen sozialer Bewegungen gehört ihre Fähigkeit zum Agenda-Setting. Dies gilt für die Thematisierung von vernachlässigten Themen (»non issues«) ebenso wie für die Hinterfragung konventioneller Sichtweisen – ein Prozess, der in der Bewegungsforschung als »framing« (Rahmung) untersucht wird.

Diese Fähigkeiten sind zweifellos durch die Funktionsbedingungen digitaler Medien erheblich gesteigert worden. In verschiedenen Medientheorien (zum Beispiel der Nachrichtenwert-Theorie) wird deutlich, dass Proteste – indem sie Neuigkeiten bieten beziehungsweise alternative Sichtweisen »mediengerecht« mit spektakulären Aktionen verknüpfen – wichtige Rohstoffe für die alltägliche Medienöffentlichkeit zu bieten haben. Diese mediale Prämie für das Andere, Neue und Spektakuläre wird in sozialen Bewegungen häufig strategisch reflektiert und genutzt. Strategisch denkende Bewegungsakteure fragen sich: Was müssen wir tun, um in die Medien zu kommen?

Ein prominentes Beispiel bietet hier sicher die professionelle Kampagnen- und Protestpraxis von »Greenpeace«. Weniger häufig werden die gegenläufigen Einflüsse reflektiert: Wie verändern sich Bewegungen, wenn sie sich (zu stark) auf die Spielregeln medialer Öffentlichkeitsproduktion einlassen?[11] Um ihre Abhängigkeit von etablierten Medien zu relativieren, entwickeln soziale Bewegungen in der Regel eigene »alternative« Öffentlichkeiten und müssen sich der Grenzen ihrer Thematisierungsleistungen stets bewusst sein: Auch der Nachrichtenwert sozialer Proteste hat eine kurze Halbwertszeit. Sie konkurrieren immer mit zahlreichen anderen Akteuren um die stets begrenzte mediale Aufmerksamkeit. Allerdings mehren sich in den jüngsten Protesten – von Stuttgart 21 bis zum »Arabischen Frühling« – die Anzeichen, dass sich soziale Bewegungen durch die intensive Nutzung der neuen digitalen Netze von den Wahrnehmungsfiltern der lokalen Medienöffentlichkeit zumindest teilweise entkoppeln können. Institutionelle Akteure, wie Regierungen oder Spitzenverbände, verfügen dennoch über privilegierte Zugänge zu den Medien, nicht zuletzt durch eine eigene kontinuierliche professionelle Öffentlichkeitsarbeit. Auch wenn Protest wesentlich ein Ausdrucksmittel der vergleichsweise Machtlosen geblieben ist, greifen in jüngster Zeit selbst Regierungen und machtvolle Akteure auf Formen der Protest- und Kampagnenpolitik zurück. Erinnert sei nur an den im Jahr 2000 regierungsamtlich ausgerufenen »Aufstand der Anständigen« gegen rechtsextrem und fremdenfeindlich motivierte Gewalt, als sich das politische Führungspersonal zu Protestdemonstrationen auf die Straße begab, oder die Ende 2006 inszenierte Protestaktion der Kassenärztlichen Bundesvereinigung

11 Wie Medien »Führer« machen, die das Bewegungsgefüge selbst verändern, hat am Beispiel der US-Studentenbewegung eindrucksvoll Todd Gitlin auf die Formel gebracht: »The Whole World is Watching« (1980).

vor dem Reichstag, in der sie auf gemietete Protestierende zurückgriff.

Jede soziale Bewegung hat »ihr« Thema, welches meist aus einer Fülle von sich zuweilen verändernden Haupt- und Subthemen besteht. Daher ist bereits die umkämpfte öffentliche Anerkennung einer sozialen Bewegung eng mit der Beachtung und Respektierung ihres Themas verknüpft. Lange Zeit wurde zum Beispiel die Ökologiebewegung als »neoromantischer Protest« abgetan und ökologische Risiken und Beeinträchtigungen auf der öffentlichen Agenda heruntergespielt. Heute gehört die langfristige ökologische Neuausrichtung lokaler, nationaler und globaler Wirtschaftsstrukturen zu den Standardthemen internationaler Organisationen.[12]

In der Geschichte der Bundesrepublik lassen sich sehr unterschiedliche Thematisierungsleistungen sozialer Bewegungen ausmachen, die einen Eindruck vom Eigensinn und der Prägewirkung von protestierend vorgebrachter Bürgermacht vermitteln. Für die 1950er und frühen 1960er Jahre fallen zwei bewegte Themen auf, die deutlich von der NS-Vergangenheit und der Auseinandersetzung um die Weichenstellungen für die Nachkriegsordnung geprägt sind. Von den Oppositionsbewegungen gegen die Remilitarisierung der Bundesrepublik (»Ohne mich«-Bewegung, Volksbefragungskampagne, »Kampf dem Atomtod« und so weiter) wurden – letztlich erfolglos – die Wiederbewaffnung der Bundesrepublik, die Eingliede-

12 So zum Beispiel der vom Umweltprogramm der Vereinten Nationen als Ausweg aus der weltweiten Finanz- und Wirtschaftskrise 2008 vorgeschlagene »Global Green New Deal« (vgl. Netzer 2011).

rung der Bundeswehr in das Nato-Bündnis sowie die weiteren Kosten der Westbindung (Verzicht auf eine Wiedervereinigung und politische Neutralität) thematisiert. Gegen die Verharmlosung der Atombewaffnung als »Weiterentwicklung der Artillerie« durch die Adenauer-Regierung wandte sich eine weltweite Bewegung, die sich auf die anhaltend desaströsen Folgen der Atombombenabwürfe von Hiroshima und Nagasaki berufen konnte.

Die weiter wirkende NS-Vergangenheit, die Opposition gegen die verbreitete Politik des »Beschweigens«, war ein weiteres wichtiges und anhaltendes Protestthema. Es äußerte sich schon früh in Protesten gegen die Veit-Harlan-Filme, gegen die Schändung jüdischer Friedhöfe und Hakenkreuz-Schmierereien, im SDS-Ausstellungsprojekt »Ungesühnte NS-Justiz« und vielen anderen Aktionen. All diese Proteste haben dazu beigetragen, dass die vorherrschende Politik des Beschweigens nicht ohne Widerspruch blieb. Die Sorge um die westdeutsche Demokratie war der größte gemeinsame Nenner der Proteste in den 1960er Jahren: gegen die Notstandsgesetze, das Leitbild der »formierten Gesellschaft«, die »Involution«, das heißt gegen die Rückentwicklung des Parlamentarismus, die Große Koalition, den Aufstieg der NPD und so fort. Wenn rückblickend und mit einiger Übertreibung von einer »geglückten Demokratie« (Wolfrum 2006) die Rede ist, dann hat dazu die demokratische Wächterrolle sozialer Bewegungen erheblich beigetragen.

Auf den ersten Blick genuin »neue« Themen brachten erst die neuen sozialen Bewegungen hervor, allen voran die Ökologie- und die neue Frauenbewegung in den 1970er und

1980er Jahren. Trotz heftiger Widerstände war ihre Themensetzung überaus erfolgreich, wie es am »Ergrünen« zahlreicher gesellschaftlicher Konflikte – man denke an die kommunale Infrastruktur- und Wohnpolitik – in dieser Zeit nachgezeichnet werden kann. Ohne die vorherrschenden politischen Orientierungen zu verdrängen, ist es den neuen sozialen Bewegungen gelungen, die Politik des »one best way« durch Alternativen infrage zu stellen.

Das 1985 erstmals erschienene Kompendium »Handbuch für alternative Kommunalpolitik« (Pohl 1985) versammelt viele dieser Alternativen, die vor allem kleinteilig im kommunalen Bereich aufgenommen wurden. Von erheblich größerem Gewicht sollte sich die Suche nach energiepolitischen Alternativen erweisen, die durch die Anti-AKW-Proteste seit Beginn der 1970er Jahre angestoßen wurde. Ohne die dadurch ausgelöste Entwicklung regenerativer Energien zu einem eigenen Industriezweig, der sich selbst glaubwürdig als Alternative zur Atomenergienutzung präsentieren kann, wäre die breite gesellschaftliche Resonanz der Ausstiegsforderungen nach Fukushima nicht denkbar.

Der jüngste thematische Schub verdankt sich der »Entdeckung« transnationaler Politik durch globalisierungskritische Mobilisierungen um die Jahrtausendwende, die an die Solidaritätsbewegungen früherer Zeit mit deutlich veränderten Akzenten anknüpften. Ihre Thematisierungsleistung ist bisher allerdings beschränkt geblieben. In der weiterhin im Stil der klassischen Diplomatie betriebenen deutschen Außenpolitik zum Beispiel ist sie – von der entwicklungspolitischen Nische einmal abgesehen – bisher weder in der Form noch in ihren

Inhalten angekommen. Auch die internationale Finanzkrise von 2008 hat nicht die erhoffte Öffnung für alternative Regulierungsvorschläge aus den globalisierungskritischen Bewegungen, wie etwa die Tobin-Steuer auf Finanzmarkttransaktionen, bewirken können.

Die Zurechnung materieller politischer Veränderungen ist freilich stets heikel, besonders im Hinblick auf die Wirkungen sozialer Bewegungen. Immerhin fällt im Rückblick auf, dass es ihnen nicht zuletzt durch ihre beharrliche Kritik und alternative Praxis gelungen ist, in zahlreichen Politikfeldern gegen den Widerstand der etablierten Akteursgruppen und Professionen alternative Optionen einzubauen. Den diversen Gesundheitsbewegungen und -initiativen ist zum Beispiel eine partielle Öffnung der Gesundheitsversorgung für die Initiativen und Bedürfnisse von Betroffenen gelungen: Die gesetzliche Verankerung der Selbsthilfeförderung liefert ein solches Beispiel, die wesentlich von den schwulen Selbsthilfegruppen geprägte Aids-Politik ein weiteres. Auch in zahlreichen anderen Politikfeldern, etwa der Sozialpolitik, ist es zu einer partiellen Auflockerung des traditionellen deutschen Korporatismus – von den Spitzenverbänden bis hin zu Fachbruderschaften – gekommen. Dies gilt auch für die Öffnung der Energiepolitik für regenerative Energien, unter anderem durch das Stromeinspeisungsgesetz. Die in sich sehr vielfältige lokale »Agenda 21« macht zudem die internationale Einbettung von Bewegungsthemen deutlich. Es gehört zu den unbezweifelbaren Erfolgen gerade der neuen sozialen Bewegungen, dass sie erheblich zur Schaffung neuer Politikfelder

– etwa der Frauen- und Umweltpolitik – beitragen konnten, selbst wenn diese noch immer als »weiche« Politikfelder an den Rand gedrängt werden.

In einigen Bereichen ist es sozialen Bewegungen in der Bundesrepublik gelungen, entlang ihrer Themen institutionelle Öffnungen zu erzielen, zum Beispiel mit den Einspruchsrechten in atomrechtlichen und flugrechtlichen Verfahren, mit der Verbandsklage oder den Informationsrechten gegenüber Verwaltungen, die allerdings immer wieder umkämpft sind. Dies zeigte sich bereits bei den Beschleunigungsgesetzen für Bauvorhaben im Kontext der deutschen Einheit, als Anhörungsrechte von Umweltverbänden beschnitten wurden.

Neben bürgerrechtlichen Zugewinnen gibt es eine Fülle neuer Institutionen, die im Gefolge und in Reaktion auf bewegte Proteste eingerichtet wurden. Beispiele hierfür liefert die neue Frauenbewegung, die zahlreiche Institutionen neu geschaffen hat. Viele sind, wie die Notrufe für Frauen oder die Frauenhäuser, heute mehr oder weniger selbstverständlicher Bestandteil der lokalen Infrastruktur; ebenso die kommunalen Gleichstellungseinrichtungen, die teils durch die Gemeindeordnungen der Länder verpflichtend gemacht wurden. Gender mainstreaming als Auflage in zahlreichen Politikfeldern wäre ohne die bewegten Proteste kaum denkbar.

Ebenso sind die Umweltministerien des Bundes und der Länder sowie die lokalen Umweltämter zu einem bedeutenden Teil dem ökologischen Protest zu verdanken. Und mit Sicherheit ist die vorsichtige Öffnung der Kommunalverfassungen der Länder für direktdemokratische Verfahren in den 1990er

Jahren, wie Bürgerbegehren und Bürgerentscheid, eine Reaktion auf die »Friedliche Revolution« in der DDR.

Ausgeblieben ist jedoch eine Öffnung des Parteiensystems für die gestiegenen Partizipationsansprüche, wenngleich dies in Programmdebatten zuweilen angekündigt wurde. Dies geschah zunächst in den Selbstverständigungsdebatten der neuen Partei »Die Grünen« mit Metaphern wie »Partei neuen Typs« oder die vom Spielbein und Standbein, wobei zu Anfang die neuen sozialen Bewegungen als Standbein und die Partei als Spielbein angesehen wurde. Zwei Jahrzehnte später zogen die »Alt-Parteien« nach, etwa indem sich die CDU als »Bürgerpartei« und die SPD als »Netzwerkpartei« präsentierte. Auch wenn es seltener zu harten Konfrontationen zwischen Partei- und Bewegungspolitik zu kommen scheint, als dies zu Zeiten der APO der Fall war, hat der Zuwachs an Bewegungspolitik eher zu Legitimationsverlusten des Parteiensystems geführt, die sich in der bereits beschriebenen wachsenden Parteienverdrossenheit und der Kritik an der Performanz des politischen Systems äußert. Die vor allem auf Bewegungen zurückgehende Neuerfindung des politischen Aktivbürgers hat sich weitgehend jenseits der politischen Parteien abgespielt. Gemessen an den Demokratieansprüchen, die von den sozialen Bewegungen der Nachkriegszeit artikuliert wurden, ist es allenfalls zu einem bescheidenen Ausbau demokratischer Institutionen gekommen.

Die zunächst weitgehend erfolglose Infragestellung der autoritären Alltagskultur des »restaurativen« CDU-Staats durch die »Halbstarken« und die »Schwabinger Krawalle« wurde in der zweiten Hälfte der 1960er Jahre von kulturellen Aufbrüchen abgelöst, die bis heute ein Streitthema darstellen. Die »Fundamentalliberalisierung« und die Überwindung des »staatsbürgerlichen Privatismus« (Jürgen Habermas) der Bundesrepublik kann als ein wesentlicher Effekt der APO angesehen werden. In Übertreibung unbestreitbarer Tendenzen hat Max Kaase (1984) von einer »partizipatorischen Revolution« gesprochen und Ronald Inglehart (1989) einen in nahezu allen westlichen Ländern markanten Trend zum »Postmaterialismus« nachgewiesen. Inzwischen wird Protest als eine urdemokratische Form der politischen Meinungsäußerung weitgehend akzeptiert. Die auf Harmonie und Autorität orientierte politische Kultur der Bundesrepublik erscheint heute liberaler denn je. An die Stelle von Untertanen treten zunehmend selbstbewusste Bürger und nicht zuletzt Bürgerinnen. Für diese Öffnung spricht auch der gestiegene Anteil zivilgesellschaftlicher Akteure, informeller Gruppen und Netzwerke an den Protesten, die in den 1990er Jahren – vom Themenfeld Arbeit einmal abgesehen – eindeutig zu den stärksten Protestträgern avanciert sind.

Setzte bereits Ende der 1950er Jahre die Ausbildung eines von Parteien und Verbänden relativ unabhängigen Bewegungssektors ein, so erhielt dieser, vor allem durch die sogenannten Alternativbewegungen, seinen kräftigsten Schub in den 1970er und 1980er Jahren. Es kam zur Verfestigung lokaler Bewegungsmilieus, die sich von A (Alternativbetriebe) bis Z (Zeitungsprojekte) in alternativen »Stattbüchern« präsentierten. Nach der Wende wurden einige dieser Ansätze auch im Osten aufgegriffen, allerdings ohne dort die gleiche Stärke und Dichte wie in den alten Bundesländern zu erreichen.

Gebunden an die breite gesellschaftliche Akzeptanz gewann die Leitidee einer »Politik von unten« an Legitimität. Mit der Fortdauer des Bewegungssektors kam es auch zu einer Spurensuche in der Vergangenheit, die nicht selten in der Erfindung einer eigenen Geschichte endete. Der 1. Mai, der Weltfrauentag, der Hiroshima-Tag, die Ostermärsche und andere wiederkehrende Anlässe sorgten für eine gewisse Ritualisierung des Protests. Vor allem erlaubte eine breite und verzweigte Infrastruktur eine Veralltäglichung der Protestmotive und Praxisformen, ohne deren Kraft zum Widerspruch aufzubrauchen. Wie »normal« das Unkonventionelle heute wirkt, spiegelt sich im polizeilichen Umgang mit Demonstrationen ebenso wie in der verfassungsrechtlichen Bewertung von Straßenprotesten. Friedlich zu demonstrieren, gilt heute nicht mehr als unbotmäßige Ruhestörung oder Vorstufe zum Aufruhr, sondern als eine legitime und selbstverständliche Form der nachdrücklichen Meinungsäußerung, als »ein Stück ursprünglich-ungebändigter unmittelbarer Demokratie«, wie das Bundesverfassungsgericht zuletzt in seinem berühmten »Brokdorf-Urteil« vom 14. Mai 1985 betont hat. Es ist besonders ein Mittel für jene Gruppen, die auf andere Weise im politischen Prozess keinen oder nur geringen Einfluss geltend machen können. Mit seinem Sitzblockaden-Urteil hat das Bundesverfassungsgericht im Januar 1995 schließlich auch eine Form des zivilen Ungehorsams entkriminalisiert, die in der Friedensbewegung der 1980er Jahre eine erhebliche Rolle gespielt hatte.

Allerdings führt die bloße Existenz des Bewegungssektors nicht zu einer fortwährenden Stärkung der Infrastrukturen und Bewegungsmilieus. Vielmehr ist gerade im Hinblick auf die lokalen Bewegungsmilieus in den 1990er Jahren, bedingt durch Kommerzialisierung und Kooptation – Letztere befördert durch den erfolgreichen Parteibildungsprozess der »Grünen« –, ein Ausfransen des linksalternativen Spektrums zu beobachten, während es im Kontext rechtsextremer Mobilisierungen seit den 1990er Jahren zur Bildung gänzlich anderer Bewegungsmilieus und Infrastrukturen kommt.

Alles in allem hat sich im Verlauf der letzten Jahrzehnte ein breit gefächerter, ideologisch und thematisch sehr differenzierter Bewegungssektor zunächst in der alten Bundesrepublik beziehungsweise der neuen Berliner Republik entwickelt, dessen gesellschaftliche und kulturelle Bedeutung noch weithin unterschätzt wird. Insbesondere bleibt die institutionelle Politik noch sehr auf das Gefüge der etablierten Institutionen und die Parteipolitik fixiert und thematisiert soziale Bewegungen und Protest primär als Problemindikator oder bloßen Störfaktor.

Die Wirkungen der Bewegungen fallen, abhängig von den Wirkungsdimensionen und Bewegungsthematiken, sehr unterschiedlich aus. Abgesehen von den Auswirkungen der Wendeproteste wurde das institutionelle Gefüge der Bundesrepublik nicht grundlegend und einschneidend verändert, wenngleich insgesamt eine wenn auch zurückhaltende Öffnung für partizipatorische Verfahren und eine stärkere Einbindung zivilgesellschaftlicher Gruppen in das politisch-administrative System festzustellen ist. In einzelnen Bereichen haben die Protestbewegungen nicht nur eine eindrucksvolle Thematisierungs- und Problematisierungsleistung erbracht, sondern Entscheidendes zur Etablierung und programmatischen Ausrichtung der neuen Politikfelder, vor allem der Umwelt- und Frauenpolitik, beigetragen; in anderen, wie in der Wirtschafts- und der Entwicklungspolitik, blieben ihre Wirkungen dagegen äußerst bescheiden oder völlig irrelevant.

Die langfristige Bedeutung der Bewegungen liegt wohl eher in ihren teils indirekten und subkutanen Wirkungen auf die politische Kultur und das Alltagsleben. Was allemal bleibt, ist die dauerhafte Institutionalisierung eines Bewegungssektors, der fallweise durchaus interventionsstark ist, ein kritisches Gegengewicht zur etablierten Politik darstellt und diese zuweilen sogar zu Richtungsänderungen zwingen kann.

## Demokratische Impulse sozialer Bewegungen

»Mehr Demokratie« lautet die große gemeinsame Forderung der sozialen Bewegungen nach dem Zweiten Weltkrieg. Demokratie und Bürgerrechte zählen zu den markantesten Protestthemen. Dies gilt in mehreren Dimensionen:

Von Anbeginn ist die Nachkriegsgeschichte durchzogen von Mobilisierungen gegen die Beschneidung von Bürgerrechten und Demokratie durch staatliche Instanzen. Herausragend sind hier unter anderem die Mobilisierungen gegen die Notstandsgesetze, die als »Notstand der Demokratie« angesehen wurden, aber auch die Proteste gegen die Einschränkung der

Pressefreiheit im Zusammenhang mit der »Spiegel-Affäre«. Widerstand gegen einen Rückbau der westdeutschen Demokratie ist sicherlich das stärkste Einzelmotiv der Proteste, die mit der Jahreszahl 1968 verbunden werden. Johannes Agnoli und Peter Brückner (1967) hatten in ihrer Zeitdiagnose »Transformation der Demokratie«, die zur zentralen intellektuellen Wegzehrung der studentischen Protestbewegungen zählte, von einem Involutionsprozess gesprochen, das heißt von einer Rückbildung der demokratischen Substanz des parlamentarischen Betriebs bereits vor den Zeiten der Großen Koalition. Weniger radikal, aber in die gleiche Richtung diagnostizierte auch Jürgen Habermas in seiner Analyse des »Strukturwandels der Öffentlichkeit« (1962) eine »Refeudalisierung« der bürgerlichen Öffentlichkeit – immerhin eine Zentralinstanz liberaler Demokratien. Erfahrungen der Protestbewegungen in den USA, aber auch deutsche Reaktionen auf die Proteste der 1960er Jahre inspirierten eine Debatte über einen drohenden »neuen Faschismus«.[13] Berufsverbote, die Politik der Inneren Sicherheit und die Kritik des Atomstaats waren weitere Themen, die in den 1970er Jahren Sorgen über den Zustand der deutschen Demokratie auslösten. Die sicherheitspolitische Einschnürung von Bürgerrechten und Demokratie ist besonders nach dem 11. September 2001 zu einem Dauerthema geworden. Man mag einige dieser Sorgen – vor allem rückblickend – für überzogen halten. Immerhin haben sehr viele Protestierende und Akteure in sozialen Bewegungen ein

13 In den USA wurde im gleichen Zeitabschnitt eine Entwicklung zum »friendly fascism« konstatiert (vgl. Gross 1980).

demokratisches Wächteramt wahrgenommen und dabei aktiven Demokratieschutz betrieben.

In gewisser Weise ist jede soziale Bewegung und jeder Protest in liberalen Demokratien eine demokratische Herausforderung, weil auf diesem Wege nicht berücksichtigte Interessen und Themen auf die politische Agenda gesetzt werden. Je länger Proteste anhalten und je eher sie zu einer sozialen Bewegung anwachsen, desto nachdrücklicher und dringlicher stellt sich die Frage nach der Qualität demokratischer Prozesse.[14] Am deutlichsten ist dies in den neuen sozialen Bewegungen geworden, so in der Gleichberechtigung von Frauen oder den ökologischen Auswirkungen industrieller Wachstumsprozesse, die zuvor als randständig erachtete Themen und Interessen geltend gemacht haben.

Die Ausgrenzung spezifischer Bereiche ist keineswegs arbiträr, sondern folgt einer institutionellen Logik und spezifischen Akteurskonstellationen. In Deutschland gilt dies vor allem für eine Tradition korporatistischer Blockbildungen, wo Spitzenverbände – mit und ohne staatliche Einbindung – die relevanten Interessen eines Politikfeldes definieren. Dass dabei auch die anwaltliche Interessenvertretung weitgehend auf der Strecke bleiben kann, haben nicht zuletzt die Sozialproteste gegen die Agenda 2010 gezeigt. Soziale Bewegungen korrigieren (versuchen dies zumindest) die im politischen

14 Dies gilt selbst für rechtsextreme und antidemokratische Bewegungen, die u.a. Enttäuschungen mit einer real erlebten Demokratie und damit Demokratiedefizite zum Ausdruck bringen können.

Normalbetrieb eingelagerten Privilegierungen und Ausschließungen. Sie steigern damit die Qualität und Inklusionskraft demokratischer Prozesse. Diese positive Wirkung steht jedoch dann infrage, wenn institutionelles Lernen trotz des Drucks sozialer Bewegungen verweigert wird.

Auf der Ebene des politischen Interesses und der konventionellen wie unkonventionellen politischen Beteiligung sind soziale Bewegungen Ausdruck einer aktiven Bürgerschaft, die von den vorhandenen demokratischen Handlungsmöglichkeiten Gebrauch macht. Diese Funktion, zu einer »civic culture«, einer demokratischen Bürgerkultur, beizutragen, wird vor allem als Verdienst der sozialen Bewegungen der ersten beiden Jahrzehnte, insbesondere der Mobilisierungen der APO, gesehen. Gerade ausländische Beobachter haben diese demokratisch gestimmten Protestbewegungen immer wieder als Ausdruck einer gelungenen Rückkehr Westdeutschlands in den Kreis der stabilen, weil durch eine aktive Bürgerschaft getragenen westlichen Demokratien interpretiert. Die Akteure der sozialen Bewegungen haben ihre demokratischen Anfragen jedoch nicht darin erschöpft, aus einer »Formaldemokratie« eine »lebendige Demokratie« werden zu lassen, die von engagierten Bürgerinnen und Bürgern gelebt wird. Mit den neuen sozialen Bewegungen und der von ihnen getragenen »partizipatorischen Revolution« konnte das Bild einer »starken Demokratie« (Barber 1984) populär werden, das über den erwartbaren Rahmen liberaldemokratischen politischen Engagements hinausging. Einen zusätzlichen Schub bedeuteten die Bürgerbewegungen der DDR und der Wende-Zeit.

Deren bürgerrechtlich-demokratische Ausrichtung wurde als unerwarteter Glücksfall der deutsch-deutschen Vereinigung wahrgenommen. Auch wenn seither spezifische Schwächen der ostdeutschen politischen Kultur deutlicher hervorgetreten sind, ist diese genuin demokratische Mitgift kaum zu überschätzen.

Was sich in den 1960er Jahren bereits – zum Beispiel in der Forderung nach demokratisch verfassten Hochschulen oder innerer Pressefreiheit – ankündigte, verdichtete sich in den neuen sozialen Bewegungen seit den 1970er Jahren zu einem Programm der Demokratisierung aller Lebensbereiche. Demokratische Teilhabe- und Gestaltungsregeln sollten über die enge Sphäre des Politischen hinaus zum gesellschaftlichen Strukturprinzip werden. Dies gilt zunächst für alle Einrichtungen entlang des Lebenslaufs und der sie tragenden Institutionen: Familien, Eltern-Kind-Beziehungen, Kindergärten, Schulen, Hochschulen, Betriebe und Verwaltungen, Kirchen, Vereine, Krankenhäuser, Altenheime und so weiter. Ein verändertes Selbst- und Berufsverständnis sollte diesen Forderungen zuarbeiten. Demokratische Impulse sind bis heute in all diesen Bereichen mehr oder weniger deutlich zu spüren, Mitspracheregeln von Betroffenen und Nutzern mehr oder weniger etabliert. Mit den Hospiz-Initiativen wurde in den 1990er Jahren sogar das Sterben von diesem Gestaltungsanspruch erreicht. Auch wenn dieser demokratische Impuls wesentlich länger anhielt als der offiziell proklamierte reformpolitische Aufbruch »Mehr Demokratie wagen« der ersten sozialliberalen Koalition unter Willy Brandt, wäre eine bereichsspezifische Analyse der Zugewinne, aber auch der Rückschritte in Sachen Demokratie angezeigt. Nicht nur in den zunächst intensiv herausgeforderten Kernbereichen, den Schulen und Hochschulen, dürfte die Bilanz durchwachsen ausfallen.

Eng verwandt mit den gesellschaftlichen Demokratisierungsimpulsen sind die bewegten Anstrengungen, die Sphären bewusster politischer Gestaltung in Bereiche auszuweiten, die zuvor als »unpolitisch« und »natürlich« galten. Dies gilt zuerst für das soziale Naturverhältnis selbst, das mit der Ökologiebewegung in vielfacher Hinsicht »politisiert« wurde. Die heutige Themenfülle der politischen Ökologie braucht hier nicht demonstriert zu werden. Der Wandel, der sich aus dieser politischen Neufassung des Naturverhältnisses ergeben hat, wird vielleicht am deutlichsten daran sichtbar, dass Themen wie Wetter, Wald und Bäume, die für die Elterngenerationen noch der Inbegriff des Unpolitischen sein konnten, inzwischen als Klimawandel oder Waldsterben die politischen Schlagzeilen beherrschen. Diese Politisierung des Naturverhältnisses ist freilich, wie die Beispiele deutlich machen, weniger einer allgemeinen Debattierlust und gewachsenen politischen Ansprüchen zu danken, sondern sehr viel stärker Ergebnis wahrgenommener Gefahren und Risiken. Anfängliche Versuche, diese Risikodebatten in naturwissenschaftliche Expertenhände zurückzulegen und damit zu entpolitisieren, waren nur begrenzt erfolgreich. Längst sind jene Stimmen zu Außenseitermeinungen geworden, die den ökologischen Gefahrendiskurs für unnötige »Aufregungsschäden« verantwortlich machen, weil ihm keine gesellschaftliche Realität zukomme. Die Risikodebatten stellen zudem nur die Kehrseite kommerziell vorangetriebener intensiverer Naturnutzung und verstärkter Eingriffe in Mikrostrukturen des Lebens dar, die etwa in Kampagnen gegen gentechnisch veränderte Lebensmittel weltweit kritisiert werden. Generell gehört zu den markanten Leistungen der diversen neuen sozialen Bewegungen die Politisierung unseres Technikverständnisses. Neue Techniken werden nicht mehr unbesehen als Fortschritt gefeiert, sondern auch nach ihren möglichen negativen Folgen befragt.

So bedarf es ebenfalls keiner besonderen Betonung mehr, dass die neue Frauenbewegung die politischen Dimensionen des Geschlechterverhältnisses in vielfältiger Weise freigelegt und einer kritischen Inspektion unterzogen hat.

Die benannten demokratischen Impulse waren und sind von der Suche nach angemessenen politischen Formen begleitet.[15] Die bestehende Fixierung auf repräsentative Formen und die hervorgehobene Rolle politischer Parteien (»repräsentativer Absolutismus«, Wolf-Dieter Narr) hat in dem Maße ihre Überzeugungskraft eingebüßt, wie Bürgerinnen und Bürger sich selbst verstärkt auf nichtkonventionelle Weise einmischen. Vor allem auf kommunaler Ebene ist dieser Impuls in den 1970er Jahren und verstärkt nach der deutsch-deutschen Vereinigung aufgenommen worden. Waren es zunächst vor allem freiwillige Beteiligungsangebote, wie Bürgerforen, Pla-

15 Im Kontext von »68« wurde diese Debatte vor allem unter dem Stichwort »Rätedemokratie« geführt, die sich ihre Anregungen u. a. von der jugoslawischen Arbeiterselbstverwaltung holte.

nungszellen, Bürgerbeauftragte oder Senioren- und Ausländervertretungen, so wurden in den 1990er Jahren die direktdemokratischen Formen der süddeutschen Ratsverfassung in unterschiedlicher Qualität in alle Gemeinde- und Kreisordnungen der Länder aufgenommen. Dies betraf die Direktwahl und Abwahl der Bürgermeister, die Sachvoten durch Bürgerbegehren und Bürgerentscheid sowie die offenen Parteilisten durch Kumulieren und Panaschieren. Zahlreiche Kommunen experimentieren mit vielfältigen Formen des Empowerments. So werden in Kinder- und Jugendräten, in Ausländer- oder Integrationsräten oder Seniorenvertretungen die Beteiligungschancen von Gruppen erweitert, die nicht formal, aber beispielsweise sozial und bildungsbedingt ausgeschlossen sind. Eine weitgehende Antwort auf die Herausforderung einer aktiven Bürgerschaft ist gegenwärtig im Leitbild »Bürgerkommune« verankert, das unter anderem eine partizipatorische Haushaltsplanung (»Bürgerhaushalt«) und regelmäßige lokale Demokratiebilanzen einschließt – ein Leitbild, dem sich allerdings bislang nur eine kleine Minderheit von Gemeinden und Städten verpflichtet weiß.

Die jüngste demokratische Herausforderung initiierten die globalisierungskritischen Bewegungen. Sie haben auf die Existenz eines politischen Entscheidungsraums verwiesen, der sich, obgleich bis in die Poren des Alltagslebens eindringend, jeder direkten wie repräsentativen demokratischen Kontrolle entzieht. Diese Diagnose gilt für die zahlreichen transnationalen Regime und Institutionen, deren Themenspektrum vom Walfang bis zur Verschuldung von armen

Staaten reicht. Die Europäische Union stellt einen Sonderfall transnationaler Politik dar, deren demokratische Erneuerung mit der Ablehnung einer neuen EU-Verfassung durch Referenden in Frankreich und den Niederlanden in den Mittelpunkt der öffentlichen Aufmerksamkeit gerückt ist. Die in den globalisierungskritischen Bewegungen debattierten Alternativen sind keineswegs einheitlich. Gemeinsam ist die Forderung nach größerer Transparenz und demokratischer Kontrolle internationaler Entscheidungsgremien. Ansonsten reichen die Alternativvorschläge von einer Stärkung der Vereinten Nationen in Richtung demokratische Weltregierung bis zu einem Rückbau transnationaler Institutionen im Sinne einer stärkeren Relokalisierung politischer Zuständigkeiten und Kompetenzen. Immerhin bieten die Weltsozialforen erste Impulse für eine »globale Demokratie«. Wie eine »postliberale« Demokratie aussehen könnte, die den genannten Anforderungen bewegter Kritik genügte, lässt sich gegenwärtig nicht in ein prägnantes und übersichtliches Bild fassen. Neben der Suche nach territorialen und funktionalen Neubestimmungen gibt es eine große Aufmerksamkeit für eine angemessene Kombination von assoziativen, deliberativen, direktdemokratischen und repräsentativen Politikformen, die ein Mehr an Demokratie und verbesserte demokratische Entscheidungsqualität versprechen.

## Bürgerinitiativen als »begrenzte Partizipationsbegehren«

Bereits in der zweiten Hälfte der 1960er Jahre machte ein »bürgerliches« Pendant der neuen sozialen Bewegungen auf sich aufmerksam: Initiativbürger, die sich – in Abgrenzung zu den radikaleren Veränderungsambitionen der studentisch geprägten Protestbewegungen – »konstruktiv« in die Stadtplanung und Verkehrsprojekte, das heißt in die Veränderung ihrer unmittelbaren Lebensverhältnisse, einmischen wollten und oft auf taube Ohren stießen. Zehn Jahre später war dieses meist honorig auftretende,[16] kooperativ gestimmte und thematisch begrenzte Partizipationsbegehren so verbreitet, dass von einer »Bürgerinitiativbewegung« die Rede war. Mit den neuen sozialen Bewegungen, die bis in die 1990er Jahre das Protestgeschehen prägten, trat ein Typus von sozialer Bewegung auf die Bildfläche, der unser Politikverständnis nachhaltig verändert hat:

Für lokale Anliegen werden übergreifende Themen, wie Ökologie, Frieden, Geschlechtergerechtigkeit oder globale

16 Die für ihr dauerhaftes Engagement später mehrfach ausgezeichnete »Aktionsgemeinschaft Westend« (AGW), die sich für den Erhalt der Reste eines vormals gutbürgerlichen Wohnviertels in Frankfurt am Main einsetzte, zog 1970 mit schwarzen Fahnen und Transparenten mit der Aufschrift »Der Bombenkrieg wird im Westend von den Baggern weitergeführt« durch die Straßen des Frankfurter Westends und machte dabei unerfreuliche Erfahrungen mit der Polizei, die in den schwarzen Fahnen ein anarchistisches Symbol vermutete. Im Rahmen des »Frankfurter Häuserkampfs« (1970–1974) kam es dann durchaus zu Kooperationen von Hausbesetzern und Initiativbürgern.

Gerechtigkeit, gefunden. Dieser gemeinsame Ideenhorizont kommt ohne den Zwang zur ideologischen Vereinheitlichung aus und ermöglicht es, die Vielfalt von Politikansätzen und Rahmungen beizubehalten. Ein Erfolgsgeheimnis ist die Strategie der projektorientierten Mobilisierung, die konkrete Ziele in den Vordergrund stellt und dafür Bündnisse jenseits der politischen Lager anstrebt. Zur Projektorientierung gehört auch die Möglichkeit der zeitlichen Befristung. Es wird legitim, für eine Weile entlang persönlicher Interessen und Erfahrungen aktiv zu werden, dann zu pausieren und sich wiederum bei passender Gelegenheit erneut mobilisieren zu lassen. Gleichzeitig findet der Abschied vom Leitbild »mächtiger« bürokratischer Großorganisationen statt; organisatorische Vielfalt ist angesagt, die durch lockere Vernetzungen zusammengehalten wird. Ein übergreifender Nenner, der auch für die Bürgerinitiativen gilt, ist die Nutzung und Ausweitung demokratischer Beteiligung. Demonstrationsrecht und ziviler Ungehorsam werden zu Dauerthemen.

Mit den bürgerbewegten Aufbrüchen in der DDR und der »friedlichen Revolution« hat dieses libertäre, aktive und partizipative Verständnis von Politik eine Stärkung und eigenständige ostdeutsche Ausprägung erfahren. Dieses gesamtdeutsche Erbe ist auch in kleiner Münze als lokales bürgerschaftliches Selbstbewusstsein wirksam und verdichtet sich manchmal unerwartet zu Protestinitiativen, wie dies in den Auseinandersetzungen um das Projekt »Stuttgart 21« der Fall ist.

Es muss nicht verwundern, dass dieses beteiligungsorientierte Demokratieverständnis, das insgesamt an Boden gewonnen hat, in den bestehenden Parteien und Verbänden, aber auch in der öffentlichen Verwaltung zumeist nicht auf Begeisterung gestoßen ist. Aus ihrer Perspektive erscheinen die neuen Aktivbürgerinnen und Aktivbürger unbescheiden, unzuverlässig, unberechenbar und nur beschränkt organisationstauglich. So bleibt nur der Weg in neue Parteien, Verbände, Vereine und Projekte, die der Zivilgesellschaft in der Bundesrepublik zu einem neuen Wachstumsring verholfen haben. Einige Organisationen haben sich auch für das neue Politikverständnis geöffnet.

Ob im Engagement für Zugewanderte und Flüchtlinge, in Tafel-Initiativen oder Hospizgruppen, in lokalen Bürgerbündnissen für Toleranz oder in Zusammenschlüssen, die sich für globale Gerechtigkeit einsetzen – gemeinsam ist dieser Initiativpraxis der Anspruch, durch eigenes Engagement Gesellschaft gestalten zu können. Dies in Organisationen, die dem Anspruch genügen (sollen), etwas von der gewünschten Gestaltung des Politischen vorwegzunehmen. Dabei hat sich so viel Professionalität, politischer Sachverstand und Gegenexpertise angehäuft, dass es höchste Zeit ist, zum Wohle aller jene Blockaden gegenüber mehr Bürgerbeteiligung zu überwinden.

## Demokratische Impulse auf kommunaler Ebene

> *»Die Gemeinden sind der eigentliche Ort der Wahrheit, weil sie der Ort der Wirklichkeit sind.«*
> HERMANN SCHMITT-VOCKENHAUSEN

Ansatzpunkte für eine demokratische Vitalisierung der Bundesrepublik lassen sich auf allen politischen Ebenen und in allen Politikbereichen finden. Ein anspruchsvolles Reformprogramm, wie es in der Einführung in sehr groben Strichen umrissen wurde, wird an vielen Punkten gleichzeitig ansetzen. Es ist unstrittig, dass der lokalen Ebene hierbei eine besondere Bedeutung zukommt. Die Gründe sind vielfältig. Demokratie ist historisch eine lokale Erfindung (Finley 1988). Klassische Formen direktdemokratischer Beteiligung wie Versammlungsdemokratie und öffentliche Bürgerforen leben von der direkten Kommunikation unter Anwesenden, auch wenn sich dieser Zusammenhang durch die neuen Kommunikationsnetze etwas gelockert hat. Die Überschaubarkeit lokaler Zusammenhänge bietet besondere demokratische Lernchancen. Lokale Gemeinschaften haben nicht nur historisch immer wieder mit vielfältigen Formen demokratischer Selbstverwaltung experimentiert,[17] vielmehr ist die lokale

17 Die Selbstorganisation kleiner Gemeinschaften kann als historische Universalie gelten, die erst mit den modernen Nationalstaaten der letzten Jahrhunderte an den Rand gedrängt wurde. Demokratiepolitisch inspirierend ist besonders die Geschichte des Kommunalismus in Europa (Blickle 2000) und die Tradition der Town Meetings in den USA, von der immer wieder demokratische Inspirationen ausgegangen sind (vgl.

Ebene auch in den letzten Jahrzehnten durch Bürgerinitiativen, Proteste und soziale Bewegungen umgekrempelt worden (Roth 1998). In der Folge haben Kommunen ihre politischen Beteiligungsangebote ausgeweitet, mit neuen demokratischen Formen experimentiert und eine Reformbereitschaft an den Tag gelegt, die sich deutlich von anderen Ebenen der Politik abhebt. Gleichzeitig werden die Grenzen jener Versuche einer kommunalen Vitalisierung der Demokratie deutlich, die auf eine Ebene oder einen Bereich der Politik beschränkt bleiben beziehungsweise keine Unterstützung von anderen politischen Ebenen erfahren.

Mit Blick auf die Staatsorganisation bietet die Bundesrepublik im Prinzip eher günstige institutionelle Voraussetzungen für eine »starke« Demokratie. Föderale Strukturen und eine Tradition vergleichsweise starker kommunaler Selbstverwaltung eröffnen mehr und angemessenere Beteiligungsmöglichkeiten für die Bürgerinnen und Bürger, als dies in zentralistischen Verwaltungen üblicherweise der Fall ist. Diese vergleichsweise offenen Strukturen sind nach der deutsch-deutschen Vereinigung durch den »Siegeszug« der süddeutschen Ratsverfassung mit ihren verstärkten direktdemokratischen Verfahren noch verbessert worden. Betrachten wir die demokratischen Einfluss- und Kontrollmöglichkeiten der Bürgerinnen und Bürger, dann ist die Kommune die mit Abstand demokratischste Sphäre der Bundesrepublik. Hier können Wählerinnen und Wähler zumeist durch Kumulieren und Panaschieren ihre »ei-

Mansbridge 1983) und die in jüngster Zeit mit digitaler Unterstützung erneut aufgegriffen wird (vgl. Smith 2009).

gene« Liste zusammensetzen. Auch Nichtparteien (zum Beispiel Wählervereinigungen) können zur Wahl antreten. Hinzu kommen noch Sach- und Personenvoten (Bürgerbegehren und Bürgerentscheide sowie die Direkt- und Abwahl von Bürgermeisterinnen und Bürgermeistern), die auf keiner anderen staatlichen Ebene in diesem Umfang vorhanden oder ähnlich partizipationsfreudig ausgestaltet sind. Jugendliche dürfen lokal häufig früher wählen, und EU-Bürger sind kommunal (und bei Europawahlen) wahlberechtigt. Die Gemeindeordnung von Sachsen-Anhalt enthielt sogar einen – inzwischen jedoch aufgehobenen – Paragraphen 24a, der lokalen Bürgerinitiativen die Möglichkeit einräumte, ihre Anliegen dem Gemeinde- beziehungsweise Stadtrat zu unterbreiten. Viele Kommunen experimentieren immer wieder mit zusätzlichen Beteiligungsangeboten, die von gelegentlichen themenbezogenen Foren und Bürgergutachten über regelmäßige Beteiligungsgremien für spezifische Bevölkerungsgruppen – wie Kinder- und Jugendbeiräte, Integrationsräte, Behindertenvertretungen und Seniorenbeiräte – bis hin zu ambitionierten Experimenten mit Bürgerhaushalten reichen. Auch die gezielte Engagementförderung und – deutlich seltener – lokale Demokratieberichte (wie z. B. in Viernheim und Heidelberg) gehören zum Repertoire reformorientierter Bürgerkommunen (vgl. Bogumil u. a. 2003; Roth 2006).[18] Hinzu kommen zahlreiche Impulse aus

18 Die Bertelsmann Stiftung hat mit ihrem »Civitas«-Netzwerk früh und in erheblichem Umfang zur Entwicklung der Agenda »Bürgerkommune« beigetragen. Auch wenn sich immer neue Ansätze und Handlungsmöglichkeiten aufgetan haben, ist die »Bürgerkommune« kein Selbstläufer. Die Gründe hierfür wären eine eigene Studie wert.

Bundes- und Landesprogrammen, die gezielt auf eine Beteiligung der lokalen Bürgerschaft setzen, wie etwa im Programm »Soziale Stadt« oder in den Bundesprogrammen gegen Rechtsextremismus, die zentral, neuerdings mit Hilfe von »Lokalen Aktionsplänen«, auf Zivilgesellschaft setzen. Demokratische Initiativen sind auch durch transnationale Programme und Initiativen angestoßen worden, wie zum Beispiel die lokale »Agenda 21« im Gefolge des Rio-Gipfels von 1992 oder verstärkte lokale Beteiligungsinitiativen für Kinder und Jugendliche im Anschluss an die Ratifizierung der Kinderrechtskonvention der Vereinten Nationen (1989 beziehungsweise 1992). Eine ähnliche Wirkung kann lokal von der Unterzeichnung der Barcelona-Deklaration für die verstärkte Inklusion von Menschen mit Behinderungen in Städten ausgehen.

Ein Blick auf die internationale Demokratiereformdebatte zeigt, dass es auf lokaler Ebene auch in Zukunft noch sehr lebendig zugehen wird, denn ein Großteil der Modelle und Formate wurde auf der lokalen Ebene entwickelt und ist deshalb bereits auf deren Bedingungen zugeschnitten.[19] Diese Dynamik dürfte durch disparate demografische Entwicklungen und vor allem die Folgen der jüngsten Finanz- und Wirtschaftskrise noch an Schwung gewinnen, denn Wege aus der Krise werden längerfristig – jenseits schneller zentralstaatlicher Stabilisierungsbemühungen – vermutlich vor allem lokal gefunden werden müssen.

---

19 Diese Einschätzung wird durch die Erfahrungen des Bertelsmann-Wettbewerbs »Vitalisierung der Demokratie« bestätigt. Unter den 123 vorgeschlagenen Modellen gab es nur sehr wenige, die nicht lokal ansetzten; vgl. www.vitalizing-democracy.org und Bertelsmann 2011.

Trotz dieses beachtlichen Demokratisierungspotentials kommt man für die lokale Ebene bestenfalls zu einer gemischten Bilanz. Auf zentrale Fragen eines Demokratie-Audits für die lokale Ebene dürften eher skeptische und negative Antworten gegeben werden:

- Werden Entscheidungen auf der Ebene gefällt, die für die betroffenen Menschen am angemessensten ist?
- Wie unabhängig ist die lokale Ebene? Ist sie mit den entsprechenden Befugnissen und Ressourcen ausgestattet, um ihre Verantwortung wahrzunehmen?
- Wie stark ist die Kooperation mit lokal relevanten Partnern aus Zivilgesellschaft und Wirtschaft, um angemessene politische Strategien zu entwickeln und sie gemeinsam umzusetzen? (vgl. Landman 2008: 30)

Als Beleg mögen hier die Empfehlungen eines Bürgergutachtens im Rahmen der Kommunal- und Verwaltungsreform in Rheinland-Pfalz aus dem Jahr 2010 genügen. Sie scheinen nur dann trivial, wenn man unterstellt, diese Empfehlungen müssten längst Wirklichkeit sein. Die erste Forderung der Planungszellen an die Landespolitik lautete, die kommunale Handlungsfähigkeit zu stärken und nicht zu schwächen. Die Kommunen sollten möglichst viele Aufgaben übernehmen und sie bürgernah ausgestalten. Dazu gehöre auch die kommunale Zuständigkeit für Schulen, der Erhalt ortsnaher Bildungseinrichtungen und Kindergärten, lebenslanges Lernen und generationsübergreifende Unterstützung. An Kommunalverwaltung und -politik richteten die Bürgerinnen und Bürger die Forderung nach mehr Bürgerbeteiligung und neuen Partnerschaften (Böhm u.a. 2008: 14). Damit wird auch eine demokratische Aufwertung der Bürger in ihrer Rolle als Kunden bei öffentlichen Diensten eingefordert.[20] Oft sind gerade Menschen mit Migrationshintergrund besonders aktive Protagonisten der interkulturellen Öffnung lokaler Dienste und Einrichtungen, von den Kindergärten bis zu den Seniorenheimen. Ihre Produktivkraft entfalten sie dabei häufig als bürgerschaftlich Engagierte: als Lotsen, Mentoren, Mediatoren oder Stadtteilmütter.

In diesem Bürgergutachten spiegeln sich einige Grunderfahrungen mit der kommunalen Selbstverwaltung in Deutschland. Ihre grundgesetzlich garantierte »Allzuständigkeit« (Art. 28, 2 GG) ist faktisch längst zu einer Restzuständigkeit geworden, zumindest wenn es um eigensinnige Gestaltungsmöglichkeiten und frei verfügbare Ressourcen geht. Mehr als 90 Prozent der kommunalen Tätigkeiten dürften inzwischen durch das Land, den Bund und die EU weitgehend rechtlich und oft auch sachlich vorgegeben sein. Die verbleibenden Gestaltungsmöglichkeiten bei den »freiwilligen Aufgaben« werden durch die – notorisch desolate – kommunale Kassenlage zusätzlich beschnitten. Die seit den 1990er Jahren in immer neuen Schüben erfolgten Gebiets- und Verwaltungsreformen haben in ihrer binnenorientierten Managementperspektive die Bürgerinnen und Bürger zunächst fast völlig vergessen

20 In Skandinavien und den angelsächsischen Ländern gibt es seit einiger Zeit eine intensive Debatte über Möglichkeiten und Grenzen, Kosten und Nutzen einer partizipatorischen Erweiterung der Kundenrolle im öffentlichen Sektor.

und die zivilgesellschaftlichen Kooperationspotentiale vernachlässigt. Die Föderalismus- und Finanzreformen des letzten Jahrzehnts hatten gänzlich andere Prioritäten. Das Herunterzonen von öffentlichen Aufgaben auf die kommunale Ebene, ihre angemessene finanzielle Ausstattung, verbunden mit einer gehörigen Portion Bürgerbeteiligung bis hin zur Ausgestaltung der kommunalen Dienste, gehörten jedenfalls nicht dazu.

Wenn diese Beschreibung des Kontextes zutreffend ist, geraten die vielfältigen Vitalisierungsversuche lokaler Demokratie in eine paradoxe Situation, die in der Entwicklungspolitik gelegentlich als »Demokratisierung der Machtlosigkeit« beschrieben worden ist. Ohne strukturelle Reformen, wie sie in Bürgerkongressen und Bürgergutachten aus Rheinland-Pfalz im Kontext der Kommunal- und Verwaltungsreform[21] angemahnt werden, geraten die lokalen Beteiligungsangebote in eine »Niedlichkeitsfalle« (»nice to have«, aber ohne Einfluss), Beteiligung wird zur »Treppe ins Nichts«. Weniger dramatisch lässt sich dieses Phänomen auf lokaler Ebene immer wieder besichtigen. Kommunalparlamente weisen Bürgerbegehren zurück, weil die kommunale Ebene nicht zuständig sei oder ist. Kinder und Jugendliche werden eingeladen, Vorschläge zur Gestaltung von Jugendräumen zu machen, für deren Realisierung dann kein Geld vorhanden ist. Eltern werden eingeladen, sich an der familienfreundlichen Planung ihres Quartiers zu beteiligen, während die Schulverwaltung die zentrale

21 Eine knappe Übersicht sowie weitere Hinweise auf die umfangreiche Begleitforschung bieten Sarcinelli u. a. (2011).

Schule des Stadtviertels schließt. In einer kleinen Gemeinde gewinnt eine Initiative die Unterstützung der Schülerinnen und Schüler in der Auseinandersetzung mit Rechtsextremismus – aber genau deren Schule fällt demografischen Anpassungszwängen zum Opfer. Gemeinsam ist diesen Beispielen, dass es nicht nur auf neue demokratische Formen, Methoden und Beteiligungsangebote ankommt, sondern auch die jeweiligen rechtlichen und institutionellen Kontexte demokratiefreundlich gestaltet werden müssen. Von der Schulträgerschaft bis zur Arbeitsverwaltung fehlt es den Kommunen im Rahmen einer bürokratisch überregelten Politikverflechtung häufig an jenen Gestaltungsräumen, die eine erfolgreiche und nachhaltige Bürgerbeteiligung erlauben. Dies gilt auch für die im Engagement möglichen politischen Lernprozesse. Theoretisch gibt es keine bessere Demokratiepädagogik als jene, die durch praktisches Engagement vermittelt wird. Auch wenn intensive Evaluationen eher selten sind, finden sich auch im bürgerschaftlichen Engagement genügend Beispiele für einen »heimlichen Lehrplan«, der mehr zu Ohnmacht und Zynismus beiträgt als zum »homo democraticus«. Kontextsensibilität ist deshalb eine wichtige Voraussetzung für die Auswahl und den Einsatz von erweiterten demokratischen Beteiligungsverfahren, wenn sie nicht mehr Schaden als Nutzen anrichten sollen.

Rund 80 Prozent des bürgerschaftlichen Engagements sind in der Bundesrepublik auf die lokale Ebene bezogen. Gemeinden sind somit die dominante politische Ebene, wenn es um freiwilliges Engagement geht. Dies gilt nicht nur für die klassischen Formen der Mitgliedschaft in Vereinen und die Übernahme kommunaler Ehrenämter, sondern auch für neuere Formen unkonventionellen Engagements, für Bürgerinitiativen und politischen Protest. Ihr Mobilisierungsraum liegt übergewichtig unterhalb der nationalen Ebene, wobei der Anteil von Protesten mit lokalem Mobilisierungsraum in den letzten Jahrzehnten sogar zugenommen hat (Rucht/Roth 2008: 652). Dennoch fällt die Bilanz für die Entwicklung des bürgerschaftlichen Engagements auf kommunaler Ebene widersprüchlich aus. Zahlenmäßige Zuwächse sollten nicht mit einem generellen Bedeutungsgewinn verwechselt werden. In der Bundesrepublik gab es einen frühen Start von einigen Dutzend Kommunen (bei mehr als 10 000 Gemeinden insgesamt), die sich bereits vor mehr als zehn Jahren in Richtung Bürgerkommune entwickelt haben. Bürgerbeteiligung und freiwilliges Engagement stehen im Zentrum dieses lokalen Leitbilds. So wurden Impulse aus Brasilien aufgenommen und mit Formen des Bürgerhaushalts experimentiert. Seniorenbüros, Freiwilligenagenturen und Selbsthilfekontaktstellen haben früh damit angefangen, bürgerschaftliches Engagement zu fördern. Gleichwohl haben sich weder die Bürgerkommunen noch die Bürgerhaushalte zu einem Selbstläufer oder gar Erfolgsmodell entwickelt – auch wenn viele der gestarteten Kommunen an ihren Zielsetzungen festgehalten haben. Noch immer befindet sich die Mehrzahl der lokalen Agenturen zur Förderung bürgerschaftlichen Engagements institutionell in einer prekären Situation, institutionelle Garantien im Sinne fester mehrjähriger Förderungszusagen sind eher selten. Das lokale Vereinswesen kann dagegen auf gelungene Sensibilisierungen für neue Themen und Herausforderungen verweisen – etwa in der Integration von Zugewanderten oder im Umgang mit unzivilen Tendenzen in den eigenen Reihen. Trotzdem werden regelmäßig seitens der Vereine Klagen laut, es werde immer schwieriger, Interesse für die ehrenamtlichen Aufgaben zu wecken. Zudem laufen kommerzielle Angebote gerade bei der jüngeren Generation Vereinen oftmals den Rang ab. Auch die kommunale Engagement- und Beteiligungspolitik, die Kinder und Jugendliche an die Übernahme freiwilliger Aufgaben im Gemeinwesen heranführen könnte, ist keine wirkliche Erfolgsgeschichte. Trotz vieler guter Einzelbeispiele herrscht eine enorme Kluft zwischen Anspruch und Wirklichkeit. Es gilt insgesamt das professionelle Urteil: zu wenig, zu selten und ohne Wirkung (Bundesjugendkuratorium 2009: 13). Einige dieser Entwicklungen sollen nachfolgend etwas näher betrachtet werden.

Es gehört zu den bisher wenig betonten Gemeinsamkeiten im deutschsprachigen Raum und darüber hinaus in Mitteleuropa, dass es vor der Durchsetzung von Nationalstaaten eine historisch längere Phase eines länderübergreifenden Kommunalismus gegeben hat, die für zahlreiche Gemeinsamkeiten und vielfältige Traditionen verantwortlich ist, die bis heute nachwirken. Diese von Peter Blickle (2000) umfassend herausgearbeitete Verfassungsgeschichte betont die lokale Selbstorganisation der Bürgerschaft in allen wichtigen gemeinschaftlichen Angelegenheiten. Sie wirkt im deutschen Kontext als Tradition einer starken kommunalen Selbstverwaltung nach, die bereits von Anbeginn in der Stein'schen

Städtereform von 1808 die ehrenamtliche Honoratiorenselbstverwaltung betonte. Im weiteren Verlauf des 19. Jahrhunderts kam die interessenorientierte Selbstorganisation in Vereinen hinzu. Mit der Anerkennung der institutionellen Subsidiarität nach dem Zweiten Weltkrieg wuchs schließlich den Wohlfahrtsverbänden eine dominante Rolle in der Organisation des sozialen Ehrenamts zu.

Zu dieser »Erfolgsgeschichte« gehören freilich auch Brüche und Einschränkungen. Die Abschaffung der kommunalen Selbstverwaltung im NS-System und ihre Rückbildung zum »lokalen Staatsorgan« in der DDR stellen die wohl massivsten Einschränkungen des Selbstverwaltungsprinzips dar. Von größerer Wirksamkeit dürfte auf Dauer jedoch die starke Verwaltungsprägung und das geringe demokratische Anspruchsniveau in der deutschen Tradition kommunaler Selbstverwaltung sein. Sie gilt als »unechte« dritte Ebene der Staatsorganisation, die über keine eigene Vertretung auf Bundesebene verfügt. Das Kommunalparlament wird bis heute in der konservativen Verwaltungstradition gerne als untere, bürgernahe Verwaltungsebene begriffen, das heißt, der Kommunalvertretung werden keine eigenen repräsentativen parlamentarischen Qualitäten zugebilligt.

Jenseits dieses historischen Erbes lassen sich seit der deutschen Vereinigung einige Entwicklungen beobachten, die zu einem Bedeutungsgewinn des freiwilligen Engagements auf kommunaler Ebene beigetragen haben. So ist es kein Zufall, dass die erste größere gesetzgeberische Leistung der Wende-Regierung eine Kommunalverfassung für die DDR war, die den

Geist der stark kommunal verankerten Bürgerbewegungen und der Praxis der lokalen runden Tische atmete. Es gehört ja zu den Ironien des DDR-Zusammenbruchs, dass ausgerechnet die Fälschungen bei den letzten Kommunalwahlen zum Kristallisationskern des bürgerbewegten Protests wurden, obwohl dem kommunalen Staatsorgan kaum eigenständige Funktionen zukamen.

Die Gemeindeordnungen, die sich die neu gegründeten Bundesländer in Ostdeutschland gaben, waren – trotz aller Orientierung an westlichen Vorbildern – vom Schwung des kommunalen Bürgeraufbruchs immerhin so weit geprägt, dass es flächendeckend zum Einbau direktdemokratischer Elemente, von Bürgerbegehren, Bürgerentscheid, Kumulieren und Panaschieren von Wahllisten bis hin zur Direktwahl der Bürgermeister kam, die es bis dato nur in Baden-Württemberg gab. Dieser Siegeszug der süddeutschen Ratsverfassung stärkte die Bürgerschaft im lokalen Kräftespiel und schuf damit eine wichtige Voraussetzung für die Entwicklung des Leitbilds einer »bürgerorientierten« Kommune beziehungsweise »Bürgerkommune«. Nicht zuletzt ihre Direktwahl macht es für Bürgermeisterinnen und Bürgermeister interessant, auf Initiativen und Proteste aus der Bürgerschaft einzugehen, direkte Wege zur Kommunikation mit den Einwohnern zu suchen und sie – wo immer möglich – auch als Koproduzenten zu gewinnen. Sie können sich dabei nicht nur auf das klassische Vereinswesen stützen, sondern finden einen weiteren Resonanzboden bei einer Fülle von Engagierten in Bürgerinitiativen, Selbsthilfegruppen, Basisinitiativen der neuen sozialen Bewegungen oder »Agenda 21«-Gruppen, die in den letzten

Jahrzehnten für mehr politische Vielfalt in der Lokalpolitik gesorgt haben.[22] Zu den Erträgen der kommunalpolitischen Bürgerorientierung gehört vielerorts eine differenzierte Agenda, die freiwilliges Engagement in den Formen der Anhörung, Deliberation, Mitentscheidung, Koproduktion und Mitgestaltung aufgreift, ermöglicht und aufwertet.

Ein konkreter Ausdruck sind rund 700 kommunale Einrichtungen, darunter Freiwilligenagenturen, Selbsthilfekontaktstellen oder Seniorenbüros, die sich der Förderung des lokalen bürgerschaftlichen Engagements widmen. Entsprechende Impulse gehen auch von diversen Formen der Kinder- und Jugendbeteiligung (den Kinder- und Jugendbüros, Jugendstadträten oder Kinder- und Jugendparlamenten), der lokalen Integrationspolitik (durch die Förderung von Migrantenselbstorganisationen, die Einrichtung von Integrationsräten, die Unterstützung von Lotsen-, Mentoren- und Patenmodellen) oder von diversen Bundesprogrammen aus, die auf das bürgerschaftliche Engagement vor Ort setzen und es fördern – allen voran das Programm »Soziale Stadt«, das auf die Aktivierung von Bewohnern in benachteiligten Stadtteilen setzt, aber auch die Bundesprogramme gegen Fremdenfeindlichkeit und Rechtsextremismus, deren »lokale Aktionspläne« gezielt auf die Mobilisierung der lokalen Bürgerschaft setzen. Heute hat die Mehrzahl der Bundesprogramme – von der Jugendpolitik über die Gesundheitsförderung bis zu den Mehrgenerationen-

22 Seit Anfang der 1980er Jahre erscheint die Zeitschrift »Alternative Kommunalpolitik«, die längst über ihre »grün-alternativen« Ursprünge hinaus in die kommunalpolitische Alltagspraxis ausstrahlt. Viele der einstmals »alternativen« Ansätze gehören heute zum kommunalen Mainstream.

häusern – eine Engagement fördernde Komponente, die in den lokalen Raum wirkt.

Zu den Erträgen der Bürgerkommunen-Netzwerke gehören neue Leitbilder für die Kommunalverwaltungen, die nun umfassend beteiligen, Bürgerengagement ermöglichen und mit den Bürgern auf gleicher Augenhöhe kommunizieren sollen. Die Engagementförderung soll zum wichtigen Leistungsnachweis kommunalen Verwaltungshandelns werden. In welchem Umfang dies mit welchen Mitteln gelungen ist, kann jedoch bislang nicht auf empirischer Grundlage beantwortet werden (vgl. Jakob 2009). Die Reforminitiativen der bürgerorientierten Städtenetzwerke haben sich jedoch nicht zu Selbstläufern entwickelt, die enorme Wachstumsringe aufweisen könnten. Gegenwärtig dürfte es in der Bundesrepublik nur einige hundert Kommunen geben, die für sich mit einiger Berechtigung die Bezeichnung »Bürgerkommune« beanspruchen können, etwas mehr als einhundert Kommunen experimentieren mit Bürgerhaushalten. Offensichtlich gibt es Wachstumsbremsen, die einer kommunalen Engagementförderung im Wege stehen.

Die notorisch prekäre, aber zunehmend desaströse Lage der Kommunalfinanzen ist nicht zu übersehen (vgl. Bogumil/Holtkamp 2010). Die kommunalen Spitzenverbände senden zwar in regelmäßigen Abständen Krisensignale aus, aber Kassandrarufe, die gar von einem Ende der kommunalen Demokratie sprechen, wie in jüngster Zeit, sind doch eher selten.[23]

---

23 »Rettet die lokale Demokratie«, titelte der Deutsche Städte- und Gemein-

Die Ursachen sind sicherlich vielfältig. Aber an vorderer Stelle dürfte der nachrangige Status der kommunalen Ebene in der Staatsorganisation stehen. Nur so ist es verständlich, dass die Kommunen einerseits das Gros der sozialen Lasten der Finanzkrise zu tragen haben, ohne an den Einnahmen des neuerlichen Wachstumsschubs angemessen beteiligt zu sein. Viele Kommunen haben in dieser Situation ihre Ansprüche reduziert. Den hoch verschuldeten und unter Haushaltsvorbehalt stehenden Städten bleibt scheinbar ohnehin nur die Konzentration auf ihre Pflichtaufgaben. Dazu gehört die kommunale Engagementförderung nicht, selbst wenn sie mit der Hoffnung betrieben werden könnte, zur Entlastung des kommunalen Haushalts beizutragen. Es droht ein Rückfall in »vorpolitische«, verwaltungsdominierte Zeiten, wenn die Frage laut wird: Wie politisch darf Kommunalpolitik sein?

Zur Aushöhlung ihrer politischen Gestaltungssubstanz haben jedoch die Kommunen selbst erheblich beigetragen. Gerade die unterste Verwaltungsebene ist zum Objekt zahlreicher Reformanstrengungen geworden. Die Einführung neuer Steuerungsmodelle wurde zwar mit der Zusicherung verbunden, auf dieser Grundlage seien politische Entscheidungen erst wirklich möglich, aber mit der verbreiteten Übernahme betriebswirtschaftlicher Denkmuster litt die Bürgernähe des Verwaltungshandelns zusätzlich. Jedenfalls bemühten sich wichtige Protagonisten, das Leitbild Dienstleistungskommune durch das der Bürgerkommune zu korrigieren beziehungs-

debund am 15. Juni 2010. Die Unterfinanzierung bedrohe die lokale Handlungsfähigkeit im Kern.

weise zu ersetzen. Der breite Einzug von Managementmodellen hat die Schrumpfung und politische Entleerung der kommunalen Daseinsvorsorge durch Privatisierungen, Public Private Partnerships (PPP) und Cross Border Leasing (CBL) erheblich vorangebracht und von »alten« rechtlichen und kameralistischen Rücksichten »befreit«. Die damit verbundene weitere Schrumpfung des öffentlichen Gestaltungsraums wird verstärkt beklagt, seit die jüngste Finanzkrise offensichtlich werden ließ, dass einige der Nutzenkalküle auf Sand gebaut waren und die Kosten nur in eine allzu nahe Zukunft verschoben wurden.

Unter diesen veränderten Rahmenbedingungen verliert der politische Beteiligungsanspruch der engagementpolitischen Debatte an Schwung. Sozial- und arbeitsmarktpolitische Anstrengungen, das Engagement der Freiwilligen zu funktionalisieren, haben letztlich an Boden gewonnen. Betont wird vor allem die Rolle des freiwilligen Engagements als Lückenbüßer und sozialer Kitt. Parallel verstärken sich Tendenzen zur sozialen Segmentierung. Freiwillig und selbstgestaltet ist das Engagement vor allem für die besseren Schichten, die sich in Bürgerstiftungen oder Kulturprojekten einfinden, während ein prekarisiertes und gesteuertes Engagement in Tafeln und bei Stadtteilmüttern anzutreffen ist. Aus den neuen Bundesländern wird berichtet, dass sich »bürgerliche Schichten« verstärkt aus dem freiwilligen Engagement zurückziehen, weil sie es als Betätigungsfeld für »Unterschichten« und Hartz-IV-Empfänger betrachten. Mit der sozialen Indienstnahme droht zudem eine Überforderung freiwilligen Engagements: Tafeln, die Selbstorganisation von Migranten oder Initiativen gegen

Rechtsextremismus verweisen auf gesellschaftliche Problemlagen (Armut, Integration, Zivilität), die durch bürgerschaftliches Engagement allein nicht angemessen zu beantworten sind.

Wenn die beschriebenen Ambivalenzen zutreffend beobachtet sind, lassen sich einige Handlungsperspektiven festhalten. Zunächst ist es unabdingbar, den kommunalen Bürgerstatus in wesentlichen Dimensionen (Deliberation, Mitentscheidung, Mitgestaltung) zu stärken und ihn für alle Bevölkerungsgruppen zugänglich zu machen, die bislang ausgeschlossen sind. Dies gilt für die zahlreichen Zuwanderer aus Drittstaaten, denen bislang in Deutschland sogar das kommunale Wahlrecht vorenthalten wird, auch wenn der Zugang zur deutschen Staatsbürgerschaft erleichtert wurde. Ebenso bedarf der Bürgerstatus von Kindern und Jugendlichen der Aufwertung durch verbindliche Formen der Beteiligung.

Zum Zweiten geht es darum, die politischen Gestaltungsansprüche freiwilligen Engagements zu stärken. Wege führen etwa über die »kleine Demokratie« in Einrichtungen, etwa durch Kita-Verfassungen, die Kinder, Eltern und Erzieherinnen und Erzieher gemeinsam aushandeln, über die Stärkung der Nutzerperspektive oder die Beteiligung an kommunalen Haushalten. Drittens kann der sozialen Entmischung des bürgerschaftlichen Engagements nur durch eine bessere Vernetzung unterschiedlicher Milieus begegnet werden, wie es zum Beispiel Patenschaftsprojekte ermöglichen. Viertens benötigt die politische Vitalisierung des bürgerschaftlichen Engagements eine kräftige Portion Kommunalismus im Sinne der

Stärkung der kommunalen Handlungsebene. Praktisch werden solche Versuche beispielsweise in lokalen und regionalen Bildungslandschaften unternommen. Schließlich erfordert die Stärkung kommunalen Engagements immer wieder Initiativen, Proteste, Mobilisierungen und Netzwerke, die das »Recht auf die Stadt« einfordern. »Right to the City« ist inzwischen eine weltweite Strömung, in der sozialbewegte Bürgerinnen und Bürger nicht nur einzelne Projekte und Vorhaben kritisieren, sondern ihre Ansprüche an Stadtentwicklung und Teilhabe am städtischen Leben formulieren (Sugranyes/Mathivet 2010). Auf Bundesebene geht es vor allem um den Erhalt eigensinniger Zusammenschlüsse zivilgesellschaftlicher Akteure, unabhängig von der Bundesförderung, damit sie mit dem nötigen Selbstbewusstsein gegen Instrumentalisierungen des bürgerschaftlichen Engagements auftreten können.

## Leitbild Bürgerkommune

Die Bürgerkommune ist zur Leitidee eines vielfältigen Reformprozesses geworden, auf den sich in den letzten Jahren zahlreiche Gemeinden in der Bundesrepublik begeben haben. Im Zentrum steht die Anerkennung, Förderung und Aufwertung der engagierten Bürgerschaft gegenüber der Verwaltung und der gewählten Gemeindevertretung. Die Ursachen für diese Neubestimmung des kommunalen Kräftedreiecks liegen auf mehreren Ebenen:

Zum einen gilt die gestiegene Bereitschaft zum Engagement als »ungehobener Schatz«, der reformpolitisch umso interessanter wird, je weniger die kommunalen Finanzen ausreichen, um öffentliche Daseinsvorsorge und Infrastruktur ohne bürgerschaftliche Mitwirkung zu garantieren. Zum anderen wird die Bürgerkommune als konsequente Weiterentwicklung der Dienstleistungskommune betrachtet, weil sie ein Kundenmodell überwinden hilft, das für den öffentlichen Sektor zu kurz greift. Seit der Einführung direktdemokratischer Elemente nach der deutschen Vereinigung experimentierten viele Kommunen verstärkt mit Beteiligungsangeboten, wie zum Beispiel aktivierenden Befragungen, Planungszellen, Zukunftswerkstätten, runden Tischen, Kinder- und Jugendparlamenten und Stadtteilforen, die über die rechtlichen Vorgaben hinausgehen. Dabei flossen wesentliche Elemente internationaler Reformideen in die deutsche Bürgerkommune ein. In ihnen spiegelt sich der vor allem im letzten Jahrzehnt zu beobachtende allgemeine Paradigmenwechsel in Richtung partizipativer (Kommunal-)Politik. Es handelt sich also bei den Debatten über Bürgerkommunen nicht um einen deutschen »Sonderweg«, sondern um den Versuch, Anschluss an eine internationale Entwicklung zu halten.

In der Summe wollen alle Konzepte der Bürgerkommune die Gemeindebürgerinnen und -bürger in drei verschiedenen Rollen stärken: erstens als Mitgestalter und Koproduzenten, zum Beispiel durch die Förderung bürgerschaftlichen Engagements über Freiwilligenagenturen, Bürgerstiftungen oder Aufgabenübertragung; zweitens als Kunden durch Kundenbefragung, Beschwerdemanagement in der öffentlichen Verwaltung und in kommunalen Betrieben, beispielsweise über die Bürgerämter; drittens als Auftraggeber und Entscheider durch bindende Bürgerversammlungen, Bürgerforen, Perspektivenwerkstätten, Bürgerhaushalte, E-Democracy, Demokratiebilanzen oder Referenden.

Dennoch: Allen Leitlinien zum Trotz scheint das Konzept der Bürgerkommune inzwischen schon wieder aus der Mode und der Reformaufbruch gebremst. Auch einige der fördernden Stiftungen haben sich zurückgezogen, und um die von ihnen gestifteten Netzwerke, wie zum Beispiel das »Civitas«-Netzwerk der Bertelsmann Stiftung, ist es ruhig geworden. Nach den anfänglichen Impulsen aus der Kommunalen Gemeinschaftsstelle für Verwaltungsmanagement (KGSt) halten sich die kommunalen Spitzenverbände sehr zurück. Dies gilt bislang auch für die kommunalpolitischen Vereinigungen der politischen Parteien – einzig die PDS/Linkspartei hat ein ambitioniertes Kommunalprogramm vorgelegt, in dem der Bürgerkommune ein zentraler Stellenwert zukommt. Dennoch halten viele aus der insgesamt eher kleinen Gruppe der Reformkommunen an ihren Ansätzen fest und entwickeln sie weiter. Hervorzuheben sind hier die Bürgerhaushalte. Auch in kommunalen Handlungsfeldern, die zunächst nicht im Zentrum der Bürgerkommune-Initiativen standen, zeigen sich Aufbrüche in diese Richtung, die nicht selten durch Landes-, Bundes- und EU-Programme unterstützt werden. Dies gilt beispielsweise für die kommunale Integrationspolitik, die »Soziale Stadt« und ebenso für zivilgesellschaftlich orientierte Programme gegen Rechtsextremismus.

Ursachen für diese widersprüchliche Situation dürften zumindest auf drei Ebenen liegen: a) in den ungelösten Spannungen in der Konzeption selbst, b) in den lokalen Akteurskonstellationen und schließlich c) in den gesellschaftlichen Rahmenbedingungen.

a) Wie jedes Reformmodell ist auch das der Bürgerkommune nicht frei von inneren Spannungen, Ambivalenzen und Widersprüchen; deren Überwindung ist prinzipiell möglich, verlangt aber zusätzliche Anstrengungen. Hier nur eine Auswahl: Das Bild des Aktivbürgers privilegiert, wenn nicht politisch gegengesteuert wird, kommunalpolitisch jene Gruppen, die sich ohnehin Gehör verschaffen und aktiv mitwirken können. In der Kommunalpolitik kommt es deshalb darauf an, partizipationsferne sozial schwächere Gruppen in schwierigen Lebenslagen so zu stärken, dass sie durch mehr politische Partizipation nicht zusätzlich ausgegrenzt werden, sondern ihre Stimme auch in der Bürgerkommune geltend machen.

Im Leitbild Bürgerkommune werden verschiedene Demokratieformen kombiniert, das heißt repräsentative, partizipative, assoziative, deliberative und direktdemokratische Formen kommen zum Einsatz. Die Gemeindeordnungen setzen zwar einen allgemeinen Rahmen, es bedarf jedoch einer reflektierten lokalen Demokratiepolitik, die entscheidet, wann und für welche Zielgruppe welches Verfahren zum Zuge kommen soll. Die Erfahrungen mit repräsentativen Kinder- und Jugendparlamenten zeigen beispielsweise, dass hier der Teufel im Detail steckt. Ressourcen, Ausstattung, Entscheidungskompetenzen, Unterstützungsmanagement oder Wahlverfahren tragen erheblich dazu bei, ob solche Angebote von den Beteiligten als nützlich und wirksam erfahren werden oder nicht. In der Regel ist es nicht die Idee oder die politische Form, die scheitert, sondern ihre praktisch unzulängliche Umsetzung. Ähnliche Enttäuschungen bleiben nicht aus, wenn zum Beispiel einseitig auf Bürgerbegehren und Bürgerentscheide gesetzt wird. Zudem stehen die verschiedenen Demokratieformen meist in einem Spannungsverhältnis, das heißt, sie lassen sich nicht gleichzeitig und zum gleichen Thema optimieren.

b) Wer Bürgerkommune als reine Win-win-Konstellation empfiehlt, täuscht sich und andere über durchaus konfligierende Akteursinteressen, mit denen im Normalfall zu rechnen ist. Hinweise auf einige typische Spannungen sollen genügen: Sehr oft sind die direkt gewählten Bürgermeisterinnen und Bürgermeister die Bannerträger des Reformmodells Bürgerkommune. Nicht selten geht es dabei auch darum, den Einfluss der lokalen Parteigliederungen zurückzudrängen, gelegentlich auch den der eigenen Partei, um den Handlungsspielraum an der Spitze zu vergrößern. Zudem erhöht der verstärkte Rekurs auf Bürgerinteressen den Reformdruck auf die Kommunalverwaltung. Mit entsprechenden Querschüssen ist deshalb zu rechnen.

Die Angst vor der »Enteignung des Mandats« durch mehr Bürgerbeteiligung sollte in einer Situation keineswegs unterschätzt werden, wo reduzierte kommunale Handlungsspielräume und ein geringes Prestige es in manchen Bundesländern schwierig machen, überhaupt ausreichend Kandidatinnen und Kandidaten für Kommunalvertretungen zu finden. Ohne attraktive Leitbilder für die Funktionen von Gemeinde- und Stadträten wird es schwierig sein, dort hinreichende Unterstützung für das Projekt Bürgerkommune zu mobilisieren.

Für viele Akteure in der Kommunalverwaltung und den kommunalen Einrichtungen kommt die Vision Bürgerkommune eher einem Albtraum gleich. Sie haben es in der Regel nicht gelernt, Bürgerinnen und Bürgern auf gleicher Augenhöhe zu begegnen, mit ihnen Dienstleistungen und Angebote auszuhandeln. Eine kommunale Arbeitszeitpolitik zum Beispiel, die sich stärker an den Bedürfnissen verschiedener Einwohnergruppen orientiert, wird von vielen kommunal Beschäftigten zunächst als Zumutung erfahren. Wo die engagierte Bürgerschaft zu Koproduktion und ehrenamtlichem Engagement führt, wächst bei den Beschäftigten die Sorge um den Arbeitsplatz, auch wenn entsprechende Verdrängungseffekte kaum beobachtbar sind. Es verwundert daher nicht, dass die Aufnahme der Bürgerkommune-Idee in den Gewerkschaften vergleichsweise zurückhaltend ausfällt.

Die Entlastungshoffnungen der Kommunen, durch bürgerschaftliches Engagement Finanz- und Versorgungslücken zu schließen, werden häufig enttäuscht, weil Bürgerinnen und Bürger oft wenig Interesse an den angebotenen Aufgaben, wie zum Beispiel der Grünpflege, zeigen. Umgekehrt verbinden sie mit ihrem freiwilligen Engagement überwiegend auch die Erwartung, »im Kleinen gestalten zu können«, und fordern damit Handlungsspielräume, die ihnen nur ungern zugestanden werden.

c) Die Bürgerkommune setzt, soll sie mehr als eine Notverwaltung durch Bürgerselbsthilfe sein, politische und gesellschaftliche Rahmenbedingungen voraus, die nur begrenzt durch eigene kommunale Anstrengungen hergestellt werden können.

Dies gilt zuallererst für die finanziellen und rechtlichen Spielräume kommunalen Handelns, die von den Reformkommunen in der Vergangenheit oft nur durch eine Experimentierklausel in der Gemeindeordnung und externe Unterstützung, zum Beispiel durch Stiftungen und gezielte öffentliche Förderprogramme, erstritten werden konnten. In der letzten Föderalismusreform spielte jedenfalls die dezentrale Stärkung der Kommunen und ihre bessere Finanzausstattung keine Rolle. Versuche, die lokale Bürgerschaft stärker zu beteiligen, landen häufig in einer Niedlichkeitsfalle, weil der rechtliche und finanzielle Rahmen zu wenig Bewegungsspielraum erlaubt.

Gerade der experimentelle und projektfinanzierte Charakter vieler Reformansätze bringt zudem die Gefahr mit sich, dass sie – unfreiwillig – zur Pseudopartizipation und Symbolpolitik beitragen. Dies ist immer dann der Fall, wenn es bei punktuellen, modellfinanzierten und thematisch beschränkten Initiativen mit einer kleinen ausgewählten Zielgruppe bleibt, die Regelstrukturen davon aber unberührt bleiben. So hat zum Beispiel eine große Zahl von Kommunen, oft auch durch Landes- und Bundesprogramme ermutigt, mit Formen der Kinder- und Jugendbeteiligung oder der Beteiligung von Migrantinnen und Migranten experimentiert. Eine systematische, in ihren Strukturen und Leistungen gesicherte Partizipationspolitik ist daraus nur an wenigen Orten geworden. Verallgemeinerungsfähige Modelle und Formate gibt es deshalb mehr als genug, aber es bleibt häufig bei einflussarmen Beteiligungsnischen, während ansonsten ordnungspolitisches oder betriebswirtschaftliches Kalkül dominieren.

Die sozialen und demokratischen Inklusionsansprüche des Leitbilds Bürgerkommune können nicht allein kommunal eingelöst werden. Es bedarf dazu einer entsprechenden Ausgestaltung von sozialen und politischen Bürgerrechten. Die aktuellen Debatten über »Unterschicht« und »Prekariat« erinnern an eine größer werdende soziale Kluft, die nicht in erster Linie beteiligungspolitisch geschlossen werden kann, sondern zumindest entsprechende Sozialtransfers, öffentliche Güter und kommunale Infrastrukturen erfordert. Dies gilt vor allem für die Garantie gleicher Bildungschancen, die in unserer Gesellschaft ein Kernelement sozialer Bürgerrechte ausmachen. Weichenstellungen in der Sozial- und Bildungspolitik, aber auch der Zustand der kommunalen Dienstleistungen, deren Bedeutung mit sinkendem Einkommen steigt, entscheiden erheblich darüber, ob die Bürgerkommune als exklusives oder inklusives Projekt endet.

Die Phase, in der die Bürgerkommune im Trend lag, scheint weitgehend vorüber. Zu übermächtig sind heute in den Kommunen andere Probleme, allen voran die Finanznöte. Zu dieser Verschiebung hat sicherlich auch eine gewisse Ernüchterung über die Einspareffekte und Leistungsgrenzen bürgerschaftlichen Engagements beigetragen. Andere unvorhergesehene Effekte praktizierter Bürgerbeteiligung mögen hinzukommen – darunter auch die nicht erfüllbaren Erwartungen an die Politik. Privatisierungen, die längst an die kommunale Substanz gehen, lassen den politisch gestaltbaren Bereich der öffentlichen Daseinsvorsorge schrumpfen.

Es liegt in dieser Situation nahe, Ansprüche zu reduzieren, Anregungen aus Theorie und Praxis der Bürgerkommune als Steinbruch zu benutzen und nur einige wenige »erfolgreiche« Ansätze aufzugreifen. Dieser Trend vom anspruchsvollen Reformmodell zu einem kommunalen Instrumentenkasten mit unterschiedlichen Modulen ist unübersehbar. Skeptische Beobachter sehen die Bürgerkommune gar als »Trojanisches Pferd«, mit dem die unternehmerische Stadt die kommunale Selbstverwaltung überwältigt.

Sosehr die neue Bescheidenheit auch den schrumpfenden kommunalen Handlungsmöglichkeiten zu entsprechen scheint, kann auf diesem Wege weder der gestiegenen Engagementbereitschaft der Bürgerinnen und Bürger entsprochen noch die politikverdrossene Kluft zwischen ihnen und den repräsentativen kommunalpolitischen Institutionen nennenswert verkleinert werden. Wie belastbar und produktiv Bürgerbeteiligung ist, welche Ressourcen, wie viel »soziales Kapital« auf diesem Wege mobilisiert und damit soziale Integration, wirtschaftliche Entwicklung und demokratische Substanz gefördert werden kann, ist bislang praktisch keineswegs ausgelotet worden. Die Kommunen sollten diesen Weg jedenfalls beherzter gehen, als sich dies für die anderen Ebenen der Politik abzeichnet – und die Gemeindebürger sollten ihn einfordern. Bei den »großen« Reformen auf Bundesebene (Agenda 2010, Gemeindefinanzreform oder Föderalismusreform) wird bürgerschaftliches Engagement ohnehin nicht für belastbar gehalten. Der Abschied von obrigkeitlich bürokratischen Traditionen scheint jedenfalls in vielen Kommunen nicht zuletzt durch den Druck einer aktiven Bürgerschaft weiter vorangekommen zu sein.

## Grenzen der kommunalen Selbstverwaltung

In den letzten Jahren hat die politische Wertschätzung und Förderung des bürgerschaftlichen Engagements und der Bürgerbeteiligung auf kommunaler Ebene deutliche Fortschritte gemacht. Zweifellos ist die Sphäre des bürgerschaftlichen Engagements nach wie vor lebendig und innovativ. Dennoch handelt es sich um Erfolge, die auf einzelne Politikfelder begrenzt geblieben sind. Viele der guten Ansätze werden nur zeitlich begrenzt projekt- und programmgefördert, das heißt, sie leiden an der bekannten »Projektitis« und »Programmitis«. Der Nutzen einer kommunalen Infrastruktur zur Förderung des bürgerschaftlichen Engagements wird zwar kaum noch bestritten, aber sie ist oft noch immer prekär finanziert.

Wo liegen die Ursachen für diese ambivalente Entwicklung? Sie dürften in zwei Richtungen zu finden sein. Zum einen gibt es vermehrt Zweifel am Zukunftspotential des Leitbilds Bürgerkommune. Kritische Nachfragen reichen von verbreiteten Vorbehalten gegenüber der vielfach beteuerten hohen Engagementbereitschaft in der Bevölkerung bis zu den Grenzen der realen Belastbarkeit von Engagierten, von den sozialstrukturellen Verwerfungen in der Verteilung von Fähigkeiten und Ressourcen zum Engagement über dessen Steuerbarkeit bis hin zu den demokratisch fragwürdigen Extraprofiten, die Engagierte auf Kosten engagementferner Bevölkerungsgruppen einstreichen können. Es geht bei diesen Vorbehalten um mehr als eine wohlfeile Abwehrsemantik, die, fest dem Status quo verhaftet, die Debatte über die Stärkung des bürgerschaftlichen Engagements von Anbeginn begleitete. Wer auf bürgerschaftliches Engagement setzt, um die Zukunftsfähigkeit der Kommunen zu steigern, wird sich gerade mit jenen Zweifeln über dessen politischen und sozialen Gebrauchswert auseinandersetzen müssen, die aus den praktischen Erfahrungen mit Engagementpolitik vor Ort resultieren.

So steckt etwa die gezielte Förderung von beteiligungsfernen Gruppen noch immer in den Kinderschuhen. Der Zugang des bürgerschaftlichen Engagements zu zentralen Lernorten, wie zum Beispiel den Schulen, ist eher die Ausnahme, obwohl mit der Ausbreitung von Ganztagsschulen die Chancen enorm gestiegen sind, freiwilliges Engagement curricular und im schulischen Alltag zu verankern.[24] Daran hat auch die Entdeckung und Aufwertung des Engagements als Lernfeld wenig ändern können.[25] Die große Mehrheit der Bildungseinrichtungen konzentriert sich auf ihr »Kerngeschäft« und

---

24 Zur Beteiligungspraxis in Ganztagsschulen vgl. Arnoldt/Steiner (2010).

25 Einen Überblick zur Bedeutung des informellen Lernens im Jugendalter bieten Rauschenbach u.a. (2006), Düx u.a. (2008) und Otto/Rauschenbach (2008).

betrachtet die Öffnung der Schule in Richtung örtliche Gemeinschaft als einen »Luxus«, für den es an Zeit und Personal fehlt. Das Beharrungsvermögen der Anstaltsschule ist nur ein konkreter Ausdruck jener konzeptionellen Fallstricke, die eingangs benannt wurden.

Zum anderen gibt es jedoch eine Reihe von Anhaltspunkten dafür, dass weniger das Leitbild Bürgerkommune oder die Bereitschaft und soziale Fähigkeit zum Engagement enge Grenzen ziehen, sondern kommunal nur eingeschränkt zu beeinflussende Rahmenbedingungen, aber auch kommunalpolitische Gegenbewegungen wirksam sind. Dazu gehören unter anderem:

- große Reformwerke, wie zum Beispiel die Agenda 2010 oder die aktuellen Konjunkturprogramme, die bürgerschaftliches Engagement konzeptionell ausklammern und ihre Folgen für das Engagement nicht abwägen. Teilweise sind dabei wichtige kommunale Handlungsfelder, wie zum Beispiel die lokale Arbeitsmarktpolitik, sieht man einmal von den wenigen Optionskommunen ab, rezentralisiert worden;
- eine Föderalismusreform, die bislang nicht zu einer realen Dezentralisierung von Kompetenzen und Ressourcen in Richtung Kommunen geführt hat und damit lokales bürgerschaftliches Engagement vielfach leerlaufen lässt;
- Kommunalverfassungen und Gemeindeordnungen der Länder, die bislang das politische Gewicht des bürgerschaftlichen Engagements nur sehr eingeschränkt würdigen und zur Geltung bringen;

- ein fehlender parteipolitischer Wettbewerb in Sachen engagementorientierter Kommunalpolitik, wie insgesamt die kommunalpolitische Programmdebatte im Meer des pragmatischen Wurstelns untergegangen zu sein scheint;
- manageriell und steuerungsorientierte kommunale Verwaltungsreformen, die erst sehr spät entdeckten, dass eine engagierte Bürgerschaft eine wichtige Ressource kommunalen Handelns sein kann, wenn sie entsprechende Gelegenheiten erhält;
- die bevorzugte Praxis von Bund und Ländern, Aufgaben an die Kommunen mit Vorliebe in Form von »Pflichtaufgaben zur Erfüllung nach Weisung« zu übertragen, die kaum lokale Handlungsspielräume übrig lassen. Solche Formen der Delegation von Aufgaben bedeuten lediglich eine Scheindezentralisierung. Dies gilt übrigens auch für den Umgang mit dem Konjunkturpaket II in einigen Bundesländern, wo den Kommunen bis hin zum Fabrikat vorgeschrieben wird, welches Feuerwehrfahrzeug sie anschaffen dürfen;
- kommunale Ratsmitglieder, die sich heute wieder verstärkt als Akteure der untersten Verwaltungsebene sehen, denen kein eigenständiges politisches Mandat zukommt und die nicht als parlamentarische Vertreter der lokalen Bevölkerung in Anspruch genommen werden wollen.

Auf theoretischer Ebene werden diese Entwicklungen, die noch um die Leitbilder »unternehmerische Stadt«, um die massive Privatisierung öffentlicher Dienste oder die Auswirkungen des Cross-Border-Leasings zu ergänzen wären, zugespitzt als »Ende der kommunalen Selbstverwaltung« analysiert (so der Titel einer einschlägigen Studie von Norbert Wohlfahrt und Werner Zühlke). Maßstab der Kritik ist eine gewichtige, selbstbewusste und handlungsfähige dritte Ebene im föderalen System, die freilich erst noch zu schaffen wäre. Dass dies nicht nur linke Kritiker so sehen, verdeutlicht ein Kommentar, der in der FAZ erschien. Aus dem gesetzlichen Rahmen, in dem sich nach Artikel 28,2 des Grundgesetzes die kommunale Selbstverwaltung zu bewegen hat, seien

> *»überall gesetzliche Zwangsjacken geworden. (...) die Kommunalpolitiker (scheinen) ganz gut damit leben zu können, dass alles, was sie auf örtlicher Ebene durchsetzen müssen, ›höheren Orts‹ beschlossen wurde. Es enthebt sie der Verantwortung für Maßnahmen, die den Bürgern nicht gefallen, und verschafft ihnen vielfältige Möglichkeiten, nach mehr Geld zu rufen. (...) Verloren gegangen sind dabei nicht nur demokratische Teilhaberechte, sondern auch Bürgersinn und Kreativität.«*

## Für eine selbstbewusste Bürgerschaft

Eine neue Leitbilddebatte steht an. Statt über das Abschieben des bürgerschaftlichen Engagements in Richtung sozialer Kitt und Lückenbüßerei zu jammern, ist mehr politisches Selbstbewusstsein bei den bürgerschaftlich Aktiven im Umgang mit staatlicher, auch kommunaler Politik angesagt. »Bürgerschaftlich« darf nicht, wie das Wörtchen »alternativ« in den 1980er

Jahren in Berlin, zum Subventionstatbestand verkümmern, um schließlich so substanzlos zu werden, dass sein gänzliches Verschwinden kaum noch bemerkt wird. Aktuell bieten sich Protagonisten des bürgerschaftlichen Engagements für alle möglichen öffentlichen Aufgaben an. Die verstärkte Aufmerksamkeit für Kompetenzerwerb und informelles Lernen durch bürgerschaftliches Engagement bietet ein Beispiel aus der aktuellen Bildungsreformdebatte. Selbst wenn es gelänge, informelles Lernen durch Bildungszertifikate aufzuwerten, dürfte dies kaum den aufgelaufenen Reformbedarf in der schulischen Bildung kompensieren. Dabei gibt es kaum ein Programm der Gesundheits- und Kriminalprävention, das heute nicht auf freiwilliges Engagement setzt.

Der Wunsch nach Anerkennung und Förderung sollte dabei die Gefahr der Selbstinstrumentalisierung des bürgerschaftlichen Engagements nicht überdecken, weil so der Fokus verengt wird und das eigentliche Anliegen aus dem Blick zu geraten droht. Ein Beispiel mag diese Gefahr illustrieren: Ein jugendgeführter Verein, wie »Schüler Helfen Leben«, fordert den Engagierten durch die jährliche Organisation eines bundesweiten Sozialen Tags zwar eine Vielfalt von Managementfähigkeiten ab, für die beteiligten Jugendlichen geht es aber doch in erster Linie um die grenzüberschreitende Solidarität mit Gleichaltrigen in den kriegsgeschundenen Ländern des Balkans.

Wenn sich bürgerschaftliches Engagement als genereller Problemlöser anbietet und selektiv in öffentliche Förderprogramme eingebaut wird, droht eine staatlich alimentierte und formatierte Zivilgesellschaft, eine »manufactured civil society«[26], der es an Eigensinn fehlt. Wir sind in der Bundesrepublik zwar weit von einer ähnlichen Gewichtung bürgerschaftlichen Engagements entfernt, wie es sie zu Zeiten der Blair-Regierung in Großbritannien gab. Aber es gibt solche Entwicklungen in der Nussschale. Ein Beispiel sind zwiespältige Erfahrungen mit »Lokalen Aktionsplänen« im Rahmen der Bundesprogramme gegen Rechtsextremismus. Wo sie wesentlich von der Verwaltung gesteuert und von zivilgesellschaftlichen Akteuren lediglich umgesetzt werden, droht den Engagierten nicht nur Fremdbestimmung, sondern auch ein immenser bürokratischer Aufwand. An manchen Orten hat dies selbstbewusste Bürgerbündnisse dazu gebracht, gänzlich auf den »Geldsegen« zu verzichten, damit sich die Aktiven nicht mit dem Verfassen von Anträgen und mit Abrechnungen verschleißen.

In Opposition zur subalternen Einbindung ist eine verstärkte Selbststeuerung der Bürgergesellschaft gefordert. »In eigener Regie!« lautet der Titel einer Denkschrift, die von einigen Engagierten vorgelegt wurde (Backaus-Maul u.a. 2009). Ihre konkreten Vorschläge, von einem neuen Grundgesetzartikel über einen »Fonds Bürgergesellschaft« bis zu einer verbesserten Transparenz- und Veröffentlichungspraxis gemeinnütziger Organisationen, verdienen sicherlich eine im Detail auch kontroverse Debatte, die Stoßrichtung aber ist zutreffend.

---

26 Dieser Begriff wurde in der Auseinandersetzung mit der selektiven Förderung und Nutzung der britischen Zivilgesellschaft durch New Labour geprägt (Hodgson 2004) und wird seither zur Charakterisierung von ähnlich angelegten staatlichen Programmen verwendet.

Eine der Hauptaufgaben für eine Weiterentwicklung in Richtung Bürgerkommune besteht darin, die demokratische Beteiligung auf lokaler Ebene zu vertiefen. Vor zehn Jahren gab es eine verbreitete Stimmung, erst einmal die Wirkungen der Ausweitung direktdemokratischer Verfahren abzuwarten, die der Siegeszug der süddeutschen Ratsverfassung nach der Vereinigung mit sich gebracht hat. Ohne auf die Effekte im Detail einzugehen, wurde deutlich, dass damit die alltäglichen Beteiligungswünsche, wie sie im bürgerschaftlichen Engagement zum Ausdruck kommen, nicht erfüllt worden sind. Gegenwärtig werden rund 100 Verfahren weltweit erprobt, wie solche demokratischen Vertiefungen aussehen können. Ihr Schwerpunkt liegt auf deliberativen Formen, das heißt auf öffentlichen Debatten und Bürgerforen, Planungszellen und Mini-Öffentlichkeiten, die Vorschläge für angemessene Problemlösungen entwickeln. Auch wenn sie keine bindenden Entscheidungen fällen können, sollte ihre Bedeutung nicht unterschätzt werden. Denn nicht gefragt zu werden, dürfte gegenwärtig eine der zentralen Quellen politischer Verdrossenheit in der Bürgerschaft sein. Es geht also nicht um die oft beschworene Alternative repräsentativ oder direktdemokratisch oder gar um die Abschaffung repräsentativer Formen. Gefordert ist vielmehr eine umfassende demokratische Erneuerung des öffentlichen Sektors, wie es beispielsweise Kita-Verfassungen oder Klassenräte als Elemente einer demokratischen Schulkultur vorsehen, und eine nachhaltige Beteiligung bei wichtigen kommunalen Weichenstellungen, die sich in der Regel nicht in ein Ja/Nein-Schema oder in parteipolitische Schnittmuster zwängen lassen. Dies kann sogar zu einer Belebung kommunaler Mandate führen, wenn sich die Ratsmitglieder als Moderatoren und Impulsgeber von Beteiligungsprozessen verstehen – und mit solchen Verfahren keine Angst vor der Aushöhlung ihres Mandats verbinden. Die Dimension demokratischer Beteiligung ist schon deshalb so wichtig, weil sie gegenwärtig das stärkste Motiv bürgerschaftlichen Engagements ist.

Kommunale Beteiligung wird zur »Treppe ins Nichts«, wenn sie nicht mit einer erfahrbaren (Re-)Kommunalisierung verbunden wird. Kommunen sollten die erweiterten demokratischen Ansprüche ihrer Bürgerschaft nutzen, um größere Handlungs- und Gestaltungsspielräume gegen Land, Bund und Europäische Union zu beanspruchen. Nötig ist eine demokratische Subsidiarität: So vieles wie irgend möglich sollte auf kommunaler Ebene von den Gemeindebürgern entschieden werden. »Landespolitik soll Kommunen und Verwaltungen vor Ort stark machen; die kommunale Handlungsfähigkeit soll gestärkt und nicht geschwächt werden«, lautet nicht von ungefähr eine zentrale Empfehlung des Bürgergutachtens zur Kommunal- und Verwaltungsreform in Rheinland-Pfalz. Dazu braucht es mehr Bürgerbeteiligung: »Bürger wollen Verantwortung übernehmen und sich an politischen Prozessen und Entscheidungen beteiligen, dafür soll die Politik die Bedingungen verbessern. Neue Partnerschaften sollen da entstehen, wo Kommunen nur noch begrenzten Spielraum haben.«[27]

---

27 Böhm u. a. (2008): 14.

## Bürgerhaushalte als demokratische Innovation

Aus der Vielzahl der aktuellen lokalen Beteiligungsmodelle sticht eines besonders hervor: der Bürgerhaushalt. Eigentlich kann davon nur im Plural die Rede sein, weil sich das ursprüngliche Modell auf seiner Reise um die Welt erheblich verändert hat. Es soll hier ausführlicher und anhand von konkreten Beispielen dargestellt werden, denn in ihm bündeln sich die vielfältigen Erwartungen, die aktuell mit dem Versuch verbunden sind, repräsentative Demokratien (weiter) zu demokratisieren. Einige wenige sollen vorab benannt werden.

Bürgerhaushalte faszinieren ein weites politisches Spektrum. Erscheint es der politischen Linken als »reale Utopie« (Wright 2010), die deutlich macht, dass radikale Formen der Selbstbestimmung möglich sind, so verbindet eine eher konservativ pragmatische Sicht mit der Beteiligung von Bürgerinnen und Bürgern an kommunalen Haushalten einen effizienteren Mitteleinsatz entlang von kollektiv definierten und kontrollierten Zielen im Sinne von verantwortlicher Regierung (»good governance«). Radikal sind Bürgerhaushalte, weil sie in das »Allerheiligste« repräsentativer Demokratien, das Budgetrecht der Parlamente, eindringen, pragmatisch sind sie mit Blick auf die konkreten Handlungsmöglichkeiten, denn sie bewegen sich in einem zumeist engen Korridor der vorhandenen öffentlichen Mittel. Grundlegende Umverteilungen oder alternative Formen der Produktion, wie sie in der sozialistischen Tradition eingefordert werden, sind damit nicht notwendig verknüpft.

Durch ihren lokalen Ansatz bleiben Bürgerhaushalte und ihre Projekte in der Regel so konkret und anschaulich, dass genügend Stoff für eine breite Beteiligung vorhanden ist. Sie können sich an bildungsferne Schichten ebenso wenden wie an Kinder und Jugendliche, weil es nicht zuletzt um einen konkreten, nachvollziehbaren Nutzen geht.

Es unterstreicht die Ernsthaftigkeit des Beteiligungsverfahrens, dass dabei Geld in die Hand genommen wird. Es geht um etwas – und sei es »nur« das eigene Wunschprojekt, das nun für alle zur Verfügung stehen soll, wenn sie sich von dessen Nutzen überzeugen lassen. Mitmachen lohnt.

Bürgerhaushalte lassen sich zudem mit einer Vielzahl demokratischer Formen verbinden. Sie enthalten stets eine große deliberative Portion öffentlicher Debatten, Abwägungen und Kontroversen. Gleichzeitig geben sie Anlass zur Gruppen- und Gemeinschaftsbildung, um sich auf Schwerpunkte zu verständigen und diese im Haushaltsprozess erfolgreich geltend zu machen. Haushaltsdebatten sind in der Regel in öffentliche Institutionen eingebettet, die sich dadurch öffnen und neue Impulse erhalten können. Partizipatorische Haushalte können mit besonderer Förderung, mit dem Empowerment von Kindern und Jugendlichen oder benachteiligten Bevölkerungsgruppen und Quartieren verbunden werden. Da sie auf direkte Sachentscheidungen zielen, sind partizipatorische Haushalte auch eine Form direkter Demokratie, die über einzelne Sachvoten hinausgeht. Schließlich werden sie vielerorts mit einer bunten Kombination von öffentlichen Versammlungen und internetgestützten Kommunikationsforen auf den Weg gebracht. Nicht zuletzt dieser experimentelle demokratische Mix, der den jeweiligen lokalen Verhältnissen angepasst werden kann, macht den Bürgerhaushalt besonders attraktiv. Er ist kein »one fits all«-Modell.

In den Berichten über Bürgerhaushalte geht es stets auch um das politische Lernen der Beteiligten. Aus einem Buch mit sieben Siegeln müssen transparente Vorlagen werden, über die möglichst ohne allzu große Voraussetzungen entschieden werden kann. Neben dieser Wissensdimension geht es um einen politischen Bildungsprozess, in dem die eigenen Interessen mit denen der anderen im Gemeinwesen abgeglichen werden müssen. Gesprächs- und Konfliktfähigkeit gehören ebenso zum Lernprogramm wie die Bereitschaft, Verantwortung für das kommunale Geschehen zu übernehmen. Skeptische Beobachter zeigen sich regelmäßig erstaunt, wie kompetent und »vernünftig« Bürgerinnen und Bürger jeden Alters und jeder Herkunft entscheiden können. Für die Beteiligten selbst bieten Bürgerhaushalte eine ideale Lernfolie für die Entwicklung von Bürgermacht.

Bürger, die an der Projektauswahl und den Prioritätensetzungen beteiligt sind, entwickeln häufig eine besondere Verantwortlichkeit im Sinne einer öffentlichen Umsetzung, wenn sie nicht ohnehin an diesem Prozess durch bürgerschaftliches Engagement beteiligt sind.

Einige dieser skizzierten Erwartungen werden besonders deutlich, wenn die Beteiligung von Kindern und Jugendlichen am Bürgerhaushalt in den Blick genommen wird. Sie bildet deshalb einen zentralen Fokus in der Auswahl und Darstellung der Beispiele.

## Das Vorbild Porto Alegre

Der in der brasilianischen Großstadt Porto Alegre 1989 erfundene Bürgerhaushalt (PB) hat zunächst in Brasilien und Südamerika,[28] schließlich auch weltweit eine schnelle Ausbreitung erfahren. Er wird als *die* demokratische Innovation unserer Tage angesehen, die in keiner Sammlung neuer demokratischer Beteiligungsformen fehlen darf. Die Zahl der Veröffentlichungen zum Modell Porto Alegre und zu partizipativen Haushalten generell ist kaum mehr überschaubar.[29] Unterstützt wurde diese Ausbreitung auch durch internationale Organisationen wie die Weltbank und das UN-Programm HABITAT, die partizipative Haushalte vor allem in den Ländern des globalen Südens als Vorzeigemodell für »good governance« empfehlen.[30] Mit den Weltsozialforen, die seit 2001 überwiegend in Porto Alegre stattgefunden haben, erhielt dieses Erfolgsmodell zusätzliche Aufmerksamkeit. Längst haben Bürgerhaushalte auch in den reichen OECD-Ländern als Beitrag zur »Demokratisierung liberaler Demokratien« Einzug gehalten. In Kanada und den USA gibt es bereits zahl-

28 Im Jahr 2006 haben 1200 der insgesamt 16 000 lateinamerikanischen Gemeinden solche Verfahren eingerichtet. PB wird zudem in einigen Ländern auf regionaler Ebene verbindlich gemacht, in Peru wird PB sogar landesweit zur gesetzlichen Pflichtaufgabe der Gemeinden (vgl. Sintomer u. a. 2010: 36 ff.).

29 Eine größere Auswahl der Studien findet sich auf der Netzseite www.democraciaparticipativa.org.

30 Zur beeindruckenden Entwicklung von Bürgerhaushalten außerhalb der OECD-Welt vgl. Shah 2007.

reiche Kommunen mit partizipativen Haushalten. In Westeuropa wurden 2009 etwa 200 Bürgerkommunen gezählt (Sintomer u.a. 2010: 44). Auch in der Bundesrepublik haben sich kommunale Reformnetzwerke (»Civitas«, »Kommunen der Zukunft«), aber auch eine Entwicklungsorganisation des Bundes (InWEnt) und die Bundeszentrale für politische Bildung[31] für die Verbreitung von partizipativen Haushalten auf kommunaler Ebene eingesetzt. Am 1. März 2010 sind in Deutschland 140 Kommunen auf einer Karte der Bürgerhaushalte aufgeführt, »67 davon sind bereits aktive Kommunen, das heißt, sie haben einen Bürgerhaushalt beschlossen, eingeführt und fortgeführt, über den sie ihre Bürger informieren – zum Vergleich, im Juli 2009 waren es 58 aktive Kommunen« (Rieck 2010: 2). Das Interesse an und die Ausbreitung von Bürgerhaushalten hält also auch heute an. Dennoch scheint es sich auch hier nicht um eine simple Erfolgsgeschichte zu handeln, um ein Modell, welches sich auf einem unwiderstehlichen Siegeszug befindet.

Auf ihrem Weg um die Welt hat die Idee des Bürgerhaushalts wie ihre konkrete Realisierung eine Fülle von Wandlungen und Variationen erfahren; Widerstände und Gelingensbedingungen sind deutlicher geworden. Dynamisches Zentrum ist eine einfache demokratische Grundidee, die an die Formel der amerikanischen Unabhängigkeitsbewegung (»No taxation without representation«) anknüpft und sie weiterführt. Bür-

31 Die Bundeszentrale hat auch ein Planspiel als Beteiligungsinstrument entwickeln lassen, das erstmals auf der Jugendmesse 2008 vorgestellt wurde (www.buergerhaushalt.de).

gerinnen und Bürger eines Gemeinwesens wollen über die Verwendung öffentlicher Mittel in öffentlicher Debatte mitentscheiden können. Für diese Praxis lassen sich zwar vielfältige historische Spuren etwa in der Townhall-Praxis der Neuenglandstaaten, dem bis ins 18. Jahrhundert wirksamen »Kommunalismus« in Südwesteuropa oder in traditionellen indischen Gemeindeversammlungen finden, aber der Beteiligungshaushalt in einer modernen Millionenstadt kann durchaus als eine soziale und politische Innovation gelten.

Ohne die umfangreiche Forschung zu den mehr als 20 Jahren Bürgerhaushalt in Porto Alegre zu referieren, genügt es in unserem Zusammenhang, auf einige Merkmale aufmerksam zu machen, die den besonderen Kontext und das Anregungspotential dieser guten Praxis verdeutlichen. Der Impuls entstand nach dem Ende der Militärdiktatur mit der Übernahme der Stadtregierung durch die Arbeiterpartei (PT), die einerseits klassische sozialistische Orientierungen repräsentierte, aber auch durch vielfältige soziale Bewegungen geprägt wurde (unter anderem durch die der Landlosen). Der Partizipationshaushalt verstand sich als radikaldemokratisches Angebot an diese mobilisierte und aktive Basis, sich in die Gestaltung der Stadt dauerhaft einzubringen. Er zielte auf die Wiedergewinnung demokratischer Verhältnisse, die nach der Militärdiktatur nicht nur repräsentative Verfahren, sondern auch eine engagierte Bürgerschaft benötigen. Deshalb wurde der Bürgerhaushalt auch als ein Mittel angesehen, eine durch die Diktatur fragmentierte und apathische Stadtgesellschaft durch Anreize für die Bildung von zivilgesellschaftlichen

Zusammenschlüssen wiederzubeleben. Die durch ihre Kooperation mit der Diktatur desavouierten, aber nach wie vor einflussreichen lokalen Eliten sollten gezielt entmachtet und kontrolliert werden. Porto Alegre strebte nach Transparenz und Kontrolle einer klientelistischen und reichlich korrupten Stadtverwaltung und brachte schließlich eine Umverteilung der öffentlichen Ressourcen zugunsten benachteiligter Bevölkerungsgruppen und Quartiere voran.

Schon in der Ausdehnung des Modells Beteiligungshaushalt auf andere brasilianische Städte und Regionen spielten die radikaldemokratischen Impulse nur noch eine geringe Rolle. Für die Vereinten Nationen oder die Weltbank, die sich früh für die Verbreitung von Bürgerhaushalten einsetzten, standen Aufgaben wie die demokratische Konsolidierung nach einer autoritären Herrschaft, die Festigung von »good governance« durch Transparenz und Korruptionskontrolle der öffentlichen Verwaltung oder die Bekämpfung von Armut durch eine gezielte lokale Umverteilungspolitik im Vordergrund.

Frühe Dokumente und die internationale Rezeption betonen eine Neugewichtung von Beteiligung als Kern einer vertieften demokratischen Praxis. Die intensive Partizipation der Stadtbewohner an der Haushaltsgestaltung hatte zwar einen demokratischen Eigenwert, wurde aber zugleich mit der Erwartung auf nützliche Nebeneffekte verbunden: Partizipation fördert Gleichberechtigung; sie erzeugt und stärkt die Identität von Gruppen und Bewegungen; sie fördert die Verantwortlichkeit, Effizienz und Wirksamkeit lokaler Politik. Sie nutzt, fördert und respektiert die Fähigkeiten der Bürger, und sie trägt zu einer deliberativen Neudefinition von Öffentlichkeit bei. Und Partizipation enthält Elemente eines neuen Gesellschaftsvertrags, der Bürgerinnen und Bürger aufwertet.[32]

Um diese Wirkungen zu erzielen, experimentiert Porto Alegre seit 1989 mit verschiedenen Beteiligungsverfahren. Am Anfang standen Quartiersversammlungen, die sich an den lebensweltlichen Grenzen der Stadtbewohner orientieren. Seit 2002 werden zusätzlich Stadtkonferenzen veranstaltet, um die gesamtstädtische Perspektive zu stärken.[33]

---

32 Diese pädagogische Philosophie des Modells Porto Alegre hat Danilo Streck am klarsten herausgearbeitet. Der partizipative Bürgerhaushalt sei ein »privilegierter Ort (…), um partizipative soziale Prozesse zu beobachten, die zur Schaffung eines anderen Gesellschaftsvertrags führen können« (Streck 2006: 85).

33 In einer Resolution definiert die 2. Stadtkonferenz (2005) ihr Selbstverständnis: Die Stadtkonferenz ist ein Forum für Diskussionen und Vorschläge zur Stadtentwicklung und verwandten Themen. Ihr Zweck ist das Vorantreiben der Partizipation der Bürger in bestimmten sozialen Bereichen. Teilnehmer sind soziale Bewegungen, Arbeitervereinigungen, Wirtschaft, NGOs, zivilgesellschaftliche Organisation des öffentlichen Interesses (OSCIPs), Universitäten, Forschungseinrichtungen, staatliche Akteure. Einige der grundsätzlichsten Wirkungen der 102 Resolutionen der 2. Stadtkonferenz:

- Garantie, dass Regierungen die Entscheidungen über öffentliche Investitionen mit der Bevölkerung teilen,
- Demokratisierung der Kommunikationsmittel mit speziellen Anreizen für öffentliche Rundfunk- und Fernsehanstalten,
- Etablierung der Stadtverwaltungen/-räte auf örtlicher, staatlicher und nationaler Ebene als Instrumente, politische Themen vorzuschlagen bzw. die politische Praxis zu überwachen (z. B. Wohnungs-, Verkehrs-, Stadtplanungs- und Entsorgungs-/Stadtreinigungs-/Umweltpolitik),
- präzisere Definition der Rolle der anderen staatlichen Ebenen mit Blick auf die Entwicklung von Städten und Regionen,

Der Beteiligungshaushalt wurde früh als demokratisch-bürgerschaftliches Handlungsfeld mit besonderen politischen Lernchancen angesehen. Er sei ein Königsweg, um »Bürger-Sein zu wecken und zu erlernen«, indem eine Art der Konsultation eingeübt wird, die einen Bruch mit historischen Mustern einer klientelistischen und paternalistischen politischen Kultur ermöglicht (Streck 2006: 88).

Dieser Lernprozess umfasst, wenn er gelingt, vier Elemente: erstens die Erweiterung und den Erwerb von Kenntnissen über den Haushalt, über die lokale und regionale Wirklichkeit sowie über das Funktionieren und die Organisation von Gesellschaft; zweitens die Entdeckung der eigenen Stimme, der Kraft und Macht zur Gestaltung eines Gemeinwesens, die aus der Partizipation geschöpft werden kann; drittens die Einbindung in Prozesse der Konsensbildung und Entscheidungsfindung; und viertens die Aufwertung von Gemeinsinn und einer Ethik der Solidarität. Kollektive Diskussionen über Prioritäten und Bedürfnisse führen zur Schaffung eines neuen Bewusstseins, das über aktuelle lokale Grenzen hinausreicht. Der partizipative Bürgerhaushalt verdeutlicht, wenn dieser Prozess gelingt, wie sich Gesellschaft in einen lernenden Organismus verwandeln kann (vgl. Streck 2006: 96ff.).

---

- Vorantreiben einer (Finanz-)Reform zugunsten der Ressourcen von Gemeinden und Bundesstaaten,
- Vorantreiben eines Konzepts für nachhaltige Stadtentwicklung, die auch die regionale Integration urbaner und ländlicher Gebiete einschließt (vgl. www.cidades.gov.br).

## Die Beteiligung von Kindern und Jugendlichen im Bürgerhaushalt brasilianischer Städte

In Porto Alegre ist früh beachtet worden, dass Kinder und Jugendliche eigene Foren und Beteiligungsmöglichkeiten brauchen, um ihre Perspektiven einbringen zu können (Streck 2008). Sie einzubeziehen, schien schon angesichts der schnellen gesellschaftlichen Veränderungen unabdingbar. Sie zu beteiligen, heißt, Platz für andere Realitäten zu schaffen.

Der Schule kommen im Bürgerhaushalt wichtige Funktionen zu. Schulen sollen Ausgangspunkt für vorbereitende Informations- und Bildungsangebote sein. Hier können erste Vorschläge gemeinsam mit den Eltern entwickelt werden. Schließlich können Schulen eigene partizipatorische Budgets ausweisen, die Schülerinnen und Schüler mit Beteiligungsprozessen in ihrem direkten Umfeld vertraut machen.

Leitbild war in Porto Alegre die »Bürgerschule« (Escola Cidada), die auf den Prinzipien der Demokratisierung des Zugangs auf qualitativ hochwertige Bildung sowie des Wissens und der Verwaltung beruht.

Bereits 1997 entstand an Schulen auf Basis des Bürgerhaushalts ein eigener partizipativer Schulhaushalt.[34] Die Diskussionsprozesse beginnen dabei im Klassenzimmer. Alle relevanten Gruppen – Lehrer, Eltern, Schüler und weiteres Personal – wählen in einer Versammlung ihre Vertreter und setzen ihre Prioritäten. In Arbeitstreffen mit Vertretern des

34 Dieser Weg wird auch in Kanada beschritten, wo School Participatory Budgets eingerichtet worden sind (vgl. Lerner und van Wagner 2006).

Bürgerhaushalts werden die Perspektiven ausgehandelt. Eine wichtige Folge war die radikale Abkehr vom traditionellen Muster des hierarchischen Verhältnisses zwischen Gemeinde und Schule. Nun waren die Schulen gefordert, sich mit der Entwicklung des Gemeinwesens zu beschäftigen.

In São Paulo erreichte der Bürgerhaushalt durch die Fokussierung auf Schulen eindrucksvolle Teilnehmerzahlen. Zudem wurden systematisch Erwachsene als »Ermöglicher« zur Prozessbegleitung, Motivation und Unterstützung der 11- bis 15-jährigen Schüler eingesetzt. Auch hier wurde die Beteiligung am kommunalen Budget mit einer intensiven Beteiligung an der demokratischen Schulleitung und am Schulhaushalt unterstützt. Bürgerhaushalte, Stadtpolitik und Stadtentwicklung wurden als Themen in die schulischen Curricula[35] aufgenommen und die Haushaltsmittel für Kinder- und Jugendprojekte in der Stadt drastisch erhöht.

Auf ähnliche Ergebnisse wird in der nordostbrasilianischen Stadt Fortaleza verwiesen, die Stadtteilversammlungen durch Versammlungen »sozialer Randgruppen« ergänzt hat. Da Kinder und Jugendliche zu diesen besonders zu berücksichtigenden »Randgruppen« gezählt werden, konnten sie in Versammlungen an Schulen und im öffentlichen Raum, an denen sich

---

35 Die GTZ arbeitete in den letzten Jahren in Paraguay gemeinsam mit dem Bildungsministerium an einem Lernmodul für Schulen zur Beteiligung von Kindern und Jugendlichen an Prozessen der öffentlichen Rechenschaftslegung in Gemeinden. Dieses Modul soll in das Curriculum aufgenommen werden und wird dann verbindlich für die vorgesehenen Jahrgänge. Der Entwurf des Moduls liegt vor. Es handelt sich demnach um Material für Kurse des Medienunterrichts: »Cursos de la Educación Media«.

auch Straßenkinder beteiligten, eigene Vorschläge einbringen (vgl. CEDECA 2005).

Ein wichtiger Nebeneffekt der Einbeziehung von Schulen in partizipative Haushaltsplanungen, sowohl auf kommunaler wie auf schulischer Ebene, ist eine Steigerung der Wertschätzung und öffentlichen Anerkennung der Schulen, die nun als Lebensort begriffen und aufgewertet werden.[36]

Über die wohl einmalige Praxis in Barra Mansa (Brasilien) ist schon häufig berichtet worden. Im Rahmen des kommunalen Beteiligungshaushalts verfügt ein zunächst in den Stadtteilen, dann in den Schulen gewählter Kinder- und Jugendrat (mit je 18 männlichen und weiblichen Jugendlichen zwischen 9 und 15 Jahren) über ein eigenes jährliches Budget von 125 000 Dollar, das von ihnen wesentlich zur Verbesserung der Kinderbetreuung und der schulischen Situation eingesetzt wird.[37]

## Zwei europäische Ansätze

In Europa existieren mehr als 200 lokale Beteiligungshaushalte, die in der Regel jedoch nicht das Anspruchsniveau des brasilianischen Vorbilds erreichen. Sie sind zumeist nur schwer vergleichbar, weil sie in die unterschiedlichen, national und oft auch regional geprägten kommunalpolitischen Strukturen

36 Die Devise lautet: »Eine Schule ist nur schlecht, wenn sie von Schülern, Eltern, Lehrern, Angestellten schlecht gemacht wird.«

37 Nähere Informationen bieten Guerra (2002), Barceló (2005) und Cabannes (2005).

eingebunden sind. Ihr Anspruchsniveau schwankt zwischen »partizipativer Demokratie, Verwaltungsmodernisierung und sozialer Gerechtigkeit« (vgl. Sintomer u.a. 2010). Beispiele aus Frankreich und England signalisieren unterschiedliche Entwicklungsmöglichkeiten für »kleine Bürgerhaushalte«, die speziell auf die Lebenslagen von Kindern und Jugendlichen zugeschnitten sind.

Bezogen auf die Beteiligung von Kindern und Jugendlichen wird Frankreich, speziell die Region Poitou-Charentes, als Avantgarde gesehen, wo in einem Verbund von 93 Gymnasien ein Beteiligungshaushalt durchgeführt wird. Die Präsidentin der Region, Ségolène Royal, hat diese Idee vorangebracht und in Frankreich populär werden lassen. Auch wenn dieses Modell gegen Widerstände in der Verwaltung durchgesetzt werden musste, führte es sowohl zur verbesserten »Bedarfsorientierung in den Schulen« als auch zu einem »einfacheren Management«[38]. Der Bürgerhaushalt in der Region Poitou-Charentes ist in zweierlei Hinsicht von besonderem Interesse:

Er ist das erste Beispiel eines Beteiligungshaushaltes auf regionaler Ebene in Europa. Dabei geht es nicht allein um Konsultationen, vielmehr haben die Ergebnisse für die Exekutive auf regionaler Ebene verpflichtenden Charakter, sobald die Entscheidungen in ihren rechtlichen Zuständigkeitsbereich fallen.

Von einem Gesamtvolumen von 110 Millionen Euro für Gymnasien in der Region können im Rahmen des Beteiligungshaushalts insgesamt 10 Millionen Euro für Projekte und

---

38 So Herzberg (2010: 29); vgl. auch Sintomer u.a. (2010: 172ff.).

kleinere Investitionen von jeweils bis maximal 150 000 Euro verteilt werden. Das Beteiligungsverfahren ist standardisiert. In allen 93 Gymnasien werden je zwei Vollversammlungen organisiert, die allen betroffenen Akteuren offenstehen: den Schülern, ihren Eltern, den Lehrern, dem Direktor, dem Hausmeister sowie dem Küchen- und Reinigungspersonal und den Verwaltungsangestellten. Der gesamte Prozess wird im Internet dokumentiert, alle Dokumente sind öffentlich zugänglich, und am Ende erfolgt jeweils eine Evaluation des Verfahrens. Die Sitzungen werden von Vertretern der regionalen Ebene begleitet und von externen Diskussionsleitern durchgeführt. Die erste Sitzung dient zur Vorstellung des Verfahrens, anschließend werden Arbeitsgruppen zu unterschiedlichen Themen gebildet, und zwar ohne regionale Vertreter und Schulleiter, um die Diskussion nicht zu beeinflussen. Die Projekte werden von der Regionalverwaltung geprüft und auf einer zweiten Vollversammlung vorgestellt. Anschließend stimmen alle Anwesenden ab, indem sie zehn Punkte unter den Projekten verteilen; diese werden nach Anzahl der erhaltenen Punkte geordnet und so eine Prioritätenliste erstellt. Mindestens das Projekt mit den meisten Punkten muss realisiert werden. Bis dato konnten bis zu drei Projekte pro Schule realisiert werden.

Die Teilnahme der unterschiedlichen Akteursgruppen ist, bei insgesamt steigender Tendenz im Verlauf von zwei Jahren, ungleich: Die Zahl der beteiligten Schüler hat um 20 Prozent zugenommen, während die Teilnahme der Eltern und Lehrer tendenziell sinkt. In den Jahren 2007/08 nahmen rund sieben bis acht Prozent der 120 000 Teilnahmeberechtigten am Verfahren teil. Alles in allem kann hier also nicht von einer starken »Bottom-Up-Dynamik« gesprochen werden (Sintomer u.a. 2010: 190).

Die Qualität der Debatten und die Höhe der Beteiligung hängt maßgeblich davon ab, ob das Verfahren von Lehrern und Direktor unterstützt wird. Eine geplante dritte Versammlungsrunde, die das Zusammenkommen von Akteuren verschiedener Schulen vorsah, um unter anderem Fragen der Verteilungsgerechtigkeit zwischen den Schulen in den einzelnen Regionen zu diskutieren, wurde von den Schulleitern abgelehnt. Sie sahen die Autonomie ihrer Schulen gefährdet. Die Begrenzung auf die »mikro-lokale Ebene« verhindert, »dass die Partizipation ein Instrument der sozialen Gerechtigkeit wird« (Sintomer u.a. 2010: 193). Aber die Regierung hat selbst den redistributiven Part übernommen: Der Erkenntnisgewinn aus den Beteiligungsverfahren dient als Legitimation, bisher vernachlässigte Schulen auf Kosten anderer zu bevorzugen.

In Newcastle (GB) konnten Kinder und Jugendliche für das Haushaltsjahr 2008/09 entscheiden, wie 2,25 Millionen Pfund im Bereich der Jugendarbeit ausgegeben werden sollten.[39] Über die Projekte des »Children's Fund Newcastle«, die das Leben der Gleichaltrigen verbessern sollen, entschieden im Mai

39 Es gab gleichzeitig weitere »kleine Bürgerhaushalte«, in denen die Bewohner von fünf benachteiligten Stadtteilen über Ausgaben von jeweils 20000 bis 45000 Pfund mitwirken konnten. In einem Konsultationsverfahren konnten sie den Ratsmitgliedern Maßnahmen zur Verbesserung der Lebensbedingungen im Quartier vorschlagen (»Bürgerhaushalt im Kleinen«).

2008 139 junge Menschen. Vorgelagert waren komplexe Lern-, Diskussions- und Abstimmungsprozesse in verschiedenen Settings, wie zum Beispiel einer »pupil referral unit«, einer »young careers group«, in Sonderschulen, in einer Anzahl von BME (Black and Minority Ethnic)-Gruppen, die Kinder und Jugendliche in die Lage versetzen sollten, unterschiedliche Perspektiven einzunehmen und Sachverhalte objektiver zu beurteilen. Das Projekt wendete sich besonders an jene benachteiligten Kinder und Jugendlichen – mit niedrigem Selbstwertgefühl, Schulproblemen oder kriminellen Karrieren –, die am meisten vom neuen Beteiligungsverfahren profitieren würden. Sie wurden aufgefordert, im Internet präsentierte Angebote und Projekte nach folgenden Kriterien zu bewerten: »Waren junge Leute an der Entwicklung der Projektidee beteiligt, und wird das Projekt auf die Kinder und jungen Leute hören? Wird es die jungen Menschen erreichen, die am meisten Unterstützung brauchen? Wird es etwas bewirken?«

Die verschiedenen Diskussionsgruppen wurden durch die Möglichkeit ergänzt, auch über eine Internetabstimmung Präferenzen zum Ausdruck zu bringen.[40]

40 Über Einzelheiten des »U-Decide Participatory Budgeting in Newcastle 2009« informiert die offizielle Website der Stadt (www.newcastle.gov.uk).

## Bürgerhaushalte in Deutschland

Auch in Deutschland wurden Bürgerhaushalte als innovative Idee bereits vor mehr als einem Jahrzehnt aufgegriffen. Erste Modellprojekte starteten 1998 im Kontext von Reformnetzwerken wie »Civitas«, moderiert von der Bertelsmann Stiftung und »Kommunen der Zukunft«, unterstützt unter anderem von der Hans-Böckler-Stiftung und der Gewerkschaft Verdi. Im Kontext der repräsentativ geprägten Kommunalverfassungen Deutschlands haben diese Verfahren notwendig einen konsultativen Status, das heißt, die im Rahmen von öffentlichen Debatten entwickelten Haushaltsprioritäten gehen als Vorschlag an den Gemeinderat, der schließlich über den Haushalt entscheidet. Die partizipativ erarbeiteten Vorschläge können eine gewisse Verbindlichkeit erreichen, wenn sich die Ratsmitglieder selbst zuvor dazu öffentlich verpflichtet haben oder sie das Ergebnis für überzeugend halten. Anders als zum Beispiel in Brasilien oder Peru gibt es bisher in der Bundesrepublik keine gesetzliche Grundlage, die Bürgerhaushalte beziehungsweise die Ergebnisse von Partizipationsverfahren verbindlich machen würden.

Auch die Motive für die Aufstellung von Bürgerhaushalten sind anders gelagert. Zu Beginn des Prozesses dominierte die Reformagenda der »Bürgerkommune«, die als Weiterentwicklung der Dienstleistungskommune propagiert wurde. Sie war stark durch Elemente des new public management (Neues Steuerungsmodell) geprägt, die in der Kommunalpolitik moderne Governance-Strukturen schaffen sollten. Bürgerhaushalte wurden in der Folge weniger in demokratiepolitischer

Perspektive als in der des public management vorangebracht. Konkret sollte durch die Bürgerbeteiligung am Haushalt vor allem die Transparenz der politischen Prioritätensetzung und die Effizienz kommunaler Dienste gesteigert, Fehlplanungen vermieden und bürgerschaftliches Engagement mobilisiert werden.

In den letzten Jahren haben sich die Akzente noch einmal deutlich verschoben. Die prekäre Finanzlage der Kommunen hat inzwischen die managementorientierte Reformdebatte deutlich überschattet. Bürgerhaushalte werden aktuell vor allem als Einsparinstrument ins Spiel gebracht. Sie sollen die Abkehr von »Besitzständen« und eine neue Prioritätensetzung bei der Verteilung der Haushaltsmittel befördern, den Verzicht auf Leistungen und die Absenkung von Leistungsstandards legitimieren sowie eine bessere Nutzung der geringen Haushaltsspielräume ermöglichen. Positiv interpretiert, soll Wissen und Engagement der Bürgerschaft als Ressource genutzt werden, um kommunalpolitisch handlungsfähig zu bleiben. Dazu trägt bereits eine durch detaillierte Informationen über die Haushaltslage aufgeklärte Einwohnerschaft bei. Nachdrückliche Informationen über schwindende Handlungsspielräume im Bereich der freiwilligen Leistungen sollen dabei helfen, Ansprüche zu reduzieren. Einige der aktuellen Beteiligungsprozesse an kommunalen Budgets beschränken sich letztlich auf die Suche nach klugen Einsparvorschlägen, für die zudem mehr Akzeptanz erwartet wird, wenn sie aus der Bürgerschaft selbst kommen.

Viele Versuche, die Beteiligung der Bürgerschaft an den Haushaltsplanungen zu stärken, wirken halbherzig, der

Umsetzungsaufwand hält sich in Grenzen, und die Ergebnisse bleiben eher bescheiden. So fehlt zum Beispiel oft ein zielgruppenspezifisches Kommunikationskonzept. Wie bei anderen Beteiligungsangeboten auch funktionieren Bürgerhaushalte nicht einfach von selbst, sondern benötigen eine kommunikative Infrastruktur, die im Alltag der Bürgerinnen und Bürger verankert ist. Wo es an solchen Vorkehrungen mangelt, fehlt es an Resonanz in der Bürgerschaft.[41]

Angesichts dieser Halbherzigkeit hat es eine verstärkte Einbeziehung von Kindern und Jugendlichen in Haushaltsplanungsprozesse besonders schwer, zumal von ihnen – schon angesichts ihres bescheidenen Anteils am disponiblen Gesamtbudget – in der Regel keine nennenswerten Einsparvorschläge zu erwarten sind. Da sie zudem ihr Unbehagen nicht über Wahlen zum Ausdruck bringen können und nur über schwache Interessennetzwerke verfügen, stellen sie im kommunalen Budgetprozess unter Haushaltssicherungsbedingungen eine besonders verletzliche Gruppe dar, an deren Stärkung wenig Interesse besteht. Allerdings gibt es durch die Aufwertung der Kinder- und Jugendbeteiligung in der Umsetzung der Kinderrechtskonvention auch gegenläufige Tendenzen.

Berlin gilt in der Bundesrepublik als der Stadtstaat, der sich am stärksten um die Beteiligung von Kindern und Jugendlichen an der Debatte über kommunale Haushalte bemüht hat.

---

41 Dies belegt z. B. für die Landeshauptstadt Potsdam, die sich bereits seit 2004 für einen Bürgerhaushalt ausgesprochen hat, eine einschlägige Befragung mit dem prägnanten Titel »Bürgerhaushalt ohne Bürger?« (Franzke/Kleger 2009, zu den Potsdamer Anfängen insgesamt Franzke/Kleger 2006).

Nach offiziellen Darstellungen haben acht der elf Berliner Bezirke einen Bürgerhaushalt. Entsprechende Internetseiten lassen sich jedoch nicht für alle Bezirke finden. Einige beschränken sich auf die Befragung einer repräsentativen Auswahl von Bürgerinnen und Bürgern, andere führen Bürgerversammlungen auf Stadtteilebene durch. Aber es gibt auch ambitioniertere Bezirke. Dazu einige Beispiele, die eine Vielfalt von Ansätzen, wenn auch zumeist auf einem niedrigen Anspruchs- und Umsetzungsniveau, erkennen lassen:

Friedrichshain-Kreuzberg verfügt über ein »Kinder- und Jugend-Beteiligungsbüro« und eine »Jugendjury«, die über Projektideen mit einem Budget bis zu 500 Euro entscheiden darf. Eine Verbindung mit dem Bürgerhaushalt lässt sich nur sehr vermittelt feststellen. Immerhin wird im Bürgerhaushalt 2009 eine sozialraumorientierte Bürgerbeteiligung angekündigt, »um so insbesondere die soziale Realität von Jugendlichen und die Wirksamkeit vorhandener Infrastrukturen vor Ort in den Mittelpunkt zu rücken und Jugendliche als Adressaten und (Mit-)Produzenten sozialer Dienstleistungen aktiv einzubeziehen« (Märker/Nitschke 2008: 136 ff.) .

Berlin-Lichtenberg: Im Rahmen des Beteiligungshaushalts können 2010 Bürgerjurys in den verschiedenen Stadtteilen über den Einsatz eines sogenannten Kiezfonds mit einer Maximalsumme von insgesamt 65 000 Euro entscheiden. Die Jury setzt sich zu 60 Prozent aus Bewohnern des jeweiligen Stadtteils zusammen, die nach dem Zufallsprinzip aus dem Melderegister gezogen werden. Jugendliche sollen entsprechend ihrem Anteil an der Bevölkerung vertreten sein. 40 Prozent der Mitglieder kommen aus der organisierten Bürgerschaft, wobei auch Schüler- und Elternvertretungen berücksichtigt werden.[42] Eindrucksvoller präsentiert sich der Bezirk in seinem elektronischen Partizipationsangebot (Online-Konsultation).[43] Jugendliche unter 20 sind im Vergleich zu ihrer Teilnahme an dezentralen Bürgerversammlungen im Beteiligungsformat Internet »deutlich überrepräsentiert« (Märker/Nitschke 2008: 135). Mit offiziell 125 000 Euro investierte Lichtenberg mehr als alle anderen deutschen Kommunen in das Beteiligungsverfahren. Die Präsenz Jugendlicher ist durch die dezentralen und netzgestützten Angebote zwar nicht repräsentativ, aber stärker als in anderen deutschen Kommunen. Auch Jugendclubs fordern ihre Besucher zur Partizipation auf, nicht zuletzt um Verbesserungen für die eigene Einrichtung zu erreichen (Sintomer u. a. 2010: 128 ff.).

Das »Beteilungskonzept« in Marzahn-Hellersdorf kann als das anspruchsvollste Berliner Modell angesehen werden, das ausdrücklich die Partizipation von Kindern und Jugendlichen vorsieht:

> *»Der Stimme der Jugendlichen soll mehr Gewicht gegeben werden, und ihre Meinung soll in Entscheidungen darüber, wofür Geld ausgegeben wird, miteinbezogen werden. Geplant wird*

42 Im Rahmen des Quartiersmanagements (QM) gibt es seit 2001 in den QM-Gebieten sogenannte Quartiersfonds. Die Mitglieder der Jurys setzen sich zu je 50 Prozent aus Vertretern der organisierten Bürgerschaft und zufällig qua Melderegisterauszug Ausgewählten zusammen. Ob und welche Verknüpfungen zwischen Beteiligungshaushalt und QM bestehen, muss hier offenbleiben.

43 Vgl. die Evaluation von Klages/Daramus 2006.

*der Haushalt 2010/2011. Alle Bürgerinnen und Bürger, auch Kinder und Jugendliche sind aufgerufen, sich sowohl mit konkreten Projektvorschlägen, als auch mit Schwerpunktsetzungen für bestimmte Haushaltsbereiche zu beteiligen. In deinem Stadtteil wird viel Geld ausgegeben. Die Politikerinnen und Politiker des Bezirks Marzahn-Hellersdorf, zu dem dein Stadtteil gehört, wollen gerne erfahren, wie deine Meinung darüber ist. Es gibt verschiedene Aktionen in deinem Stadtteil/Schule, an denen du teilnehmen kannst. Wenn du Interesse an diesem Projekt hast, mehr darüber erfahren willst oder Ideen beziehungsweise Vorschläge hast, melde dich im Kinder- und Jugendbüro Marzahn Hellersdorf.«*[44]

Der Internetauftritt verweist zudem auf eine Palette von speziell für Kinder und Jugendliche konzipierten Beteiligungsinstrumenten: Info-Flyer, Fragebogen, Einladung, Visualisierung der stadtteilbezogenen und stadtteilübergreifenden Vorschläge von Kindern und Jugendlichen; zusätzlich wurde eine spezielle Jugendseite im Internet eingerichtet.

Die praktische Umsetzung des ersten Modellversuchs in drei Stadtteilen dieses Berliner Bezirks[45] (Marzahn Nord, Hellersdorf Süd und Biesdorf) erfolgte 2006 dezentral,[46] indem

44 www.buergerhaushalt-mh-de, abgefragt am 10. März 2010.

45 2009 hatte Marzahn-Hellersdorf rund 250 000 Einwohner.

46 Bereits mit dem Bezirksamtsbeschluss für einen Beteiligungshaushalt vom Dezember 2004 wurden unterschiedliche Beteiligungsformen von Kindern und Jugendlichen in Regie des bezirklichen Kinder- und Jugendbüros vorgesehen (vgl. Ziese-Henatsch 2008).

Stadtteilzentren als Kontaktbörsen ausgebaut wurden, die eigene Ansprechpartner benannten und diverse Projekte anboten. Ergänzend hatte es eine Fragebogenaktion an Schulen und in den Angeboten der Jugendsozialarbeit gegeben. Zusätzlich wurden die Beteiligungsergebnisse aus Projekten wie dem Stadtteilspiel »Kiezdetektive«, Kinderrechtsuntersuchungen und dem Jugendwettbewerb »Stadtumbau Ost« berücksichtigt.

Um eine angemessene Beteiligung zu erreichen, so das Ergebnis der Pilotphase, ist eine lebensweltorientierte Methodenvielfalt entscheidend, die an Schulen und Jugendfreizeiteinrichtungen in den Stadtteilen ansetzt, offene Befragungen im öffentlichen Raum, zum Beispiel auf Stadtteilfesten, nutzt und gezielte Öffentlichkeitsarbeit betreibt. Bewährt haben sich themenspezifische Veranstaltungen und Arbeitsgruppen in allen drei Stadtteilen entlang der Interessenlagen von Kindern und Jugendlichen, zum Beispiel in der AG Grün mit allen Themen zu Spiel, Sport und Verkehrssituationen oder in der AG Soziales mit Themen zu allen Angeboten der Jugendhilfe.

Das Kinder- und Jugendbüro (KJB) trug aktiv zur Themenfindung bei und ergänzte bestimmte Sachverhalte um die Sicht und den Standpunkt von Kindern und Jugendlichen. Die konkreten Ergebnisse dieser vielfältigen Beteiligungsformen wurden im April 2006 durch das KJB in Form von 14 eigenen Vorschlägen für den Bürgerhaushalt Marzahn-Hellersdorf 2006 eingereicht. Damit kam rund ein Viertel der gesamten 61 Vorschläge für den Bürgerhaushalt von Kindern und Jugendlichen. In der Beschlussfassung der Bezirksverordnetenversammlung (BVV) stieg ihr Anteil an den beschlossenen Vorschlägen auf ein Drittel.

Trotz dieses Erfolges sieht das KJB nach den Erfahrungen der Pilotphase in drei Punkten Weiterentwicklungsbedarf: erstens im Ausbau der Kooperation mit Schulen; so könnten Themen des Bürgerhaushalts innerhalb des Unterrichts oder in Projekten behandelt sowie stärker mit Jugendfreizeiteinrichtungen zusammengearbeitet werden, um darüber hinaus auch jene Jugendlichen zu erreichen, die nicht mehr in Schulen eingebunden sind.

Zweitens ist für die Bekanntmachung einer Internetseite des Bürgerhaushalts Marzahn-Hellersdorf, die besonders für Jugendliche ein Forum bildet, die Zusammenarbeit mit Schulen und Jugendfreizeiteinrichtungen ebenfalls sehr wichtig.

Drittens wäre es sinnvoll, zum Beispiel Hochschulen für Kooperationsprojekte im Bereich Bürgerhaushalt/Beteiligung zu gewinnen (vgl. Schlosser 2008).

In den Jahren 2008/09 wurde das Modellprojekt nicht fortgeführt. 2010 startet der Bürgerhaushalt in Marzahn-Hellersdorf jedoch erneut mit dem Ziel, Bürgerinnen und Bürger aller Altersstufen an der Aufstellung des Bezirkshaushaltes 2010/11 zu beteiligen (Motto: »Misch mit – Bürgerhaushalt 2010/11«). Neu ist, dass der Bürgerhaushalt erstmals im gesamten Bezirk durchgeführt wird, verstärkt Moderatoren in den Stadtteilzentren für jeden der neun Stadtteile und im Kinder- und Jugendbüro Marzahn-Hellersdorf eingesetzt werden, das koordinierend und beratend für den Bezirk Marzahn-Hellersdorf zuständig ist. Das KJB sollte den gesamten Prozess begleiten, das heißt auch die Ergebnisse in die politischen Entscheidungsgremien einbringen und den Umsetzungsprozess im Blick behalten.

Stadtteilübergreifend soll die Internetplattform des Bürgerhaushalts Marzahn-Hellersdorf durch eine Bustour mit dem Beteiligungsmobil an Schulen, Jugendfreizeiteinrichtungen und im öffentlichen Raum bekannt gemacht werden. Geplant sind zudem exemplarische Aktionen in jenen Stadtteilen, in denen es den Kooperationspartnern selbst nicht möglich ist, gezielt Kinder und Jugendliche zu beteiligen, beziehungsweise es an interessanten Themen mangelt.[47]

Im Rahmen des Freiburger Beteiligungshaushalts 2009/10, der mit einem differenzierten Instrumentarium, unter anderem einer repräsentativen Umfrage, verschiedenen Stadtteil- und Themenforen, einem Online-Haushaltsrechner und einer abschließenden zweitägigen Stadtkonferenz Alternativen zum Haushaltsentwurf des Gemeinderats vorlegte,[48] wurde auch eine schriftliche Umfrage bei Jugendlichen durchgeführt.

Im Zuge der öffentlichen Debatten über den Beteiligungshaushalt hatte sich eine Initiative »Jugend im Haushalt/Mit uns ist zu rechnen!« gebildet, die den gesamten Prozess kritisch und mit eigenen Schwerpunkten begleitete.[49] Das lokale

47 Angesichts der angespannten Haushaltssituation scheint es jedoch fraglich, ob die geplanten Maßnahmen auch umgesetzt werden können.

48 Drucksache G-08/179

49 Die Initiative wurde Ende 2009 mit dem Sonderpreis »Jugend macht Demokratie« im Rahmen des Heinz-Westphal-Preises vom Deutschen Bundesjugendring und BMFSFJ ausgezeichnet (nähere Informationen: http://jugendimhaushalt.jumo-on.de).

Jugendbüro hatte (als Leitstelle für Kommunale Jugendbeteiligung) dafür unter anderem zusätzlich spezielle Workshops und Unterrichtseinheiten an Schulen gestaltet, um die Schülerinnen und Schüler mit dem Thema vertraut zu machen. Die Jugendlichen der Initiative machten deutlich, dass die üblichen offenen Verfahren, aber auch neuere Online-Formen eine starke Verzerrung in Richtung ältere männliche Teilnehmer produzieren.

Der schließlich vorgelegte Beteiligungshaushalt weist deutliche Verschiebungen der Prioritäten in Richtung Kinderbetreuung, Schulen und Bildung auf. Damit wird die Erfahrung zahlreicher Haushaltsbeteiligungsprozesse bestätigt, die im Ergebnis zu einer Aufwertung kommunaler Kinder-, Jugend- und Bildungspolitik führen.

## Barrieren und Handlungsmöglichkeiten

Die Beteiligung von Kindern und Jugendlichen an Entscheidungsprozessen, in denen es um öffentliche Ressourcen für das Bildungssystem geht, ist sowohl international wie national bislang die große Ausnahme. Die Gründe dafür sind vielfältig und verstärken sich wechselseitig: Direkte Mitwirkungsmöglichkeiten bei öffentlichen Haushaltsentscheidungen gehören zu den Tabuzonen repräsentativer Demokratien, die gerade im Budgetrecht die zentrale Gestaltungs- und Kontrollmöglichkeit von Parlamenten sieht. Dies wird auch in der konkreten Ausgestaltung von direktdemokratischen Mitwirkungsformen, wie zum Beispiel Bürgerentscheiden auf kommunaler Ebene, deutlich. Ihre Genehmigung wird in den Gemeindeordnungen zumeist unter einen doppelten Haushaltsvorbehalt gestellt, indem solche Initiativen zum einen nicht unmittelbar in Haushaltsentscheidungen eingreifen dürfen und zum anderen Bürgerbegehren Kosten und Finanzierungsvorschläge ausweisen müssen.

Kinder- und Jugendliche genießen gerade mit Blick auf politische Beteiligung keinen Bürgerstatus, das heißt, immer wenn von Bürgerinnen und Bürgern die Rede ist, geht es um Erwachsene ab 18 Jahren. Öffnungen gibt es nur in der Herabsetzung des Wahlalters in einigen Bundesländern beziehungsweise auf kommunaler Ebene auf 16 Jahre.

Die Beteiligung von Kindern und Jugendlichen an ihren eigenen, das heißt sie betreffenden Angelegenheiten ist mit der Unterzeichnung der Kinderrechtskonvention der Vereinten Nationen von 1989 zwar in fast allen Ländern der Welt zur verbindlichen Norm geworden, aber die Umsetzung lässt auch in der Bundesrepublik erheblichen Entwicklungsbedarf erkennen.[50] Dies gilt besonders für kommunale und schulische Angelegenheiten. Dass Kinder und Jugendliche zum Beispiel an den Reformdebatten im Bildungsbereich zu beteiligen sind, entzieht sich bislang der Vorstellungswelt der weit überwiegenden Mehrzahl auch der wohlmeinenden Akteure auf diesem notorisch übervölkerten Reformgelände. So kommt es zu der absurd anmutenden Situation, dass die

50 Empirische Befunde zur Beteiligung von Kindern und Jugendlichen in Deutschland bieten unter anderem Fatke/Schneider (2005); Betz u.a. (2010); Schneider u.a. (2011).

Gestaltung und Bewertung von Kinderspielplätzen oder von Freizeitangeboten durchaus zum Objekt kommunaler Beteiligungsangebote werden, aber ein Lebensbereich, der für die Lebenssituation und Zukunftsperspektiven von Kindern und Jugendlichen von zentraler Bedeutung ist, weitgehend beteiligungsfrei bleibt. Die jüngsten massiven Proteste gegen die Auswirkungen der Bologna-Reformen und verkürzte Gymnasialzeiten verdeutlichen, dass Bildungsreformen hierzulande in der Regel ohne Betroffenenbeteiligung betrieben werden. Den Betroffenen bleibt nur der nachträgliche Versuch, dies durch Protest zu korrigieren.

Von diesen restriktiven Rahmenbedingungen sind auch die Reformschritte in Richtung Bürgerhaushalte geprägt. Die Beteiligung von Kindern und Jugendlichen spielt dabei bislang konzeptionell in der Bundesrepublik nahezu keine Rolle. Welche Impulse sind von einer (stärkeren) Beteiligung von Kindern und Jugendlichen an lokalen und überregionalen Bildungsreformen zu erwarten? Neben dem allgemeinen Nutzen, der mit gelingender Beteiligung stets verbunden ist – Entwicklung demokratischer Kompetenzen, Erfahrung der Selbstwirksamkeit, Inhaltslernen und Anerkennung –, sind eine ganze Reihe positiver Wirkungen zu erwarten: Die konkreten Lebens- und Lernbedingungen von Kindern und Jugendlichen werden in Reformüberlegungen von vornherein besser berücksichtigt. Viele der bildungspolitischen Reformkonzepte der letzten Jahrzehnte, die auf eine Beschleunigung und zeitliche Verdichtung von Lernprozessen gerichtet sind, folgen einer professionellen Binnenrationalität oder externen, ökonomisch inspirierten Effizienzerwartungen, die nicht selten sowohl die Logik individueller Lernprozesse als auch die konkreten Lernbedingungen junger Menschen verfehlen. Wenn Kinder und Jugendliche die Chance erhalten, ihre Sicht wirksam einzubringen, könnten solche Fehlentwicklungen vielleicht vermieden werden, wie sie jüngst mit Blick auf die überfälligen Nachjustierungsversuche der Bologna-Reformen thematisiert werden.

Mehr Bildungsgerechtigkeit ist zu erwarten, wenn Kinder und Jugendliche unterschiedlicher Schultypen und Quartiere auf gleicher Augenhöhe über Ansprüche an Bildungsräume debattieren. Jedenfalls zeigen die wenigen vorliegenden Erfahrungen, dass Kinder- und Jugendgremien für sozialmoralische Gerechtigkeitsnormen sensibel und zu entsprechenden Solidaritäten fähig sind, wenn ihnen die Chance eingeräumt wird, strukturelle Bildungsbenachteiligungen nicht länger als Schicksal hinzunehmen, sondern aktiv anzugehen.

»Ownership« beziehungsweise Verantwortlichkeit sind zwei Konzepte sehr unterschiedlichen Jahrgangs, die in diesem Zusammenhang besondere Aufmerksamkeit verdienen. Beteiligung eröffnet die Chance, dass Kinder und Jugendliche ihre Lernorte zu ihrer eigenen Sache machen. Wenn Schüler sich ihre Schule durch aktive Beteiligung mitgestalten können, dürfte dies auch positive Auswirkungen auf die Schulkultur, das soziale Klima und das Lernverhalten haben.

Schulen und Bildungsprozesse spielen nach den oben beschriebenen Erfahrungen vor allem in brasilianischen Beteiligungshaushalten eine in vielerlei Hinsicht wichtige Rolle: Schulen werden dort häufig zum Ausgangspunkt demokratischer Beteiligungsverfahren gemacht, weil über die Schulpflicht (fast) alle Kinder eines Jahrgangs erreicht werden können. Dies ist von besonderer Bedeutung, wenn es um die repräsentative Zusammensetzung von Vertretungen, etwa der Kinder- und Jugendstadträte, die unter anderem über Budgets entscheiden, und die Stärkung von Kindern in benachteiligten Quartieren geht.[51]

In Schulen kann zudem das nötige Fachwissen vermittelt werden, das für eine informierte und sachgerechte Entscheidung über Budgets unerlässlich ist.[52] Die referierten Beispiele über kommunale Beteiligungshaushalte greifen überwiegend auf diese Möglichkeit zurück. Die »kindgerechte« Aufbereitung des zumeist komplexen Wissens, das den üblichen kommunalen Haushaltsplanungen in der Tradition der Kameralistik, aber auch der neueren Doppik zugrunde liegt, ist eine gemeinsame Aufgabe von lokaler Politik und Schulen. Dieser Lern- und Übersetzungsprozess fördert zugleich die Beteiligung insgesamt und die partizipationsferner Bevölkerungsgruppen im Besonderen.[53]

---

51 Deutschsprachige Informationen zu Lernprozessen in brasilianischen Beteiligungshaushalten bieten Streck (2006 und 2008) und Herbert (2008).

52 In einem Erfahrungsaustausch betonen Organisatoren von Bürgerhaushalten, dass »es (u. a.) wichtig (sei,) gezielt an Schulen zu gehen, um dort Multiplikatoren zu gewinnen«. Grundsätzlich unterstütze ein Bürgerhaushalt »die langfristige Entwicklung eines kommunalen Selbstverständnisses«. Es brauche allerdings Geduld und Zeit, »um Beteiligung, zu lernen« (Kruse 2007: 25).

53 In Lateinamerika ist es auf diesem Wege sogar gelungen, Bevölkerungsgruppen mit geringer formaler Bildung in partizipatorische Haushaltsplanungen einzubeziehen.

Schulen sind, dies machen die zitierten Beispiele deutlich, die größten Nutznießer partizipatorischer Haushaltsprozesse, wenn Kinder daran beteiligt werden. Schließlich ist es ihre zentrale außerhäusliche Lebenswelt, deren Ausgestaltung sie in der Regel höchste Priorität zumessen.[54]

Partizipatorische Haushaltsprozesse können zu einem wichtigen Motor für die Entfaltung kommunaler Bildungslandschaften werden, weil sie Schulen und Schüler für die Belange des Gemeinwesens öffnen und zugleich die Verantwortung des Gemeinwesens für Bildungsprozesse unterstreichen.

Durch die Beteiligung an Budgetentscheidungen entwickeln Kinder und Jugendliche verstärkt Verantwortlichkeit für ihre Einrichtungen und deren Alltagspraxis. Dies steigert ihr bürgerschaftliches Engagement und ihre Bereitschaft zur Koproduktion.

Schließlich wirken Kinder und Jugendliche durch ihre Beteiligung an Budgetprozessen daran mit, eine mitbestimmte beziehungsweise selbstorganisierte Lernkultur zu entfalten, in der es um die Gestaltung realer Lebensumstände geht.

Dabei zeigt sich deutlich, dass durch die Beteiligung dieser spezifischen Zielgruppe an Entscheidungen über die Verausgabung öffentlicher Mittel vor Ort Kinder und Jugendliche motiviert werden können, sich insgesamt in kommunale Entscheidungsprozesse einzumischen, ihre Sichtweise sowie Interessen und Bedürfnisse einzubringen und als »Experten

54 Dies zeigen nicht nur die lokalen Haushaltsprioritäten, wenn Kinder beteiligt worden sind, sondern auch Umfragedaten zu den politischen Prioritäten von Jugendlichen.

in eigener Sache« ihre Rechte wahrzunehmen. Kinder und Jugendliche profitieren von solchen Modellen und Verfahrensweisen in mehrfacher Hinsicht: Sie sind an der Produktion politischer Entscheidungen, die wiederum positive Auswirkungen auf ihre Lebenswelt haben, beteiligt und können ihre Wünsche und Interessen in solche Entscheidungsprozesse einbringen. Sie erwerben partizipationsorientierte Fähigkeiten und Fertigkeiten, die sich auch in anderen Lebenskontexten anwenden lassen und ihre Rolle als aktive Subjekte stärken. Durch Beteiligung durchschauen sie politische Spielregeln und Verfahrensweisen besser und lernen so, politische Entscheidungsprozesse im Hinblick auf ihre Funktionsweise und Ergebnisse einzuschätzen und in ihrem Sinne zu beeinflussen.

## Realisierbare Ansatzpunkte in Deutschland

Die internationalen Beispiele haben gezeigt, dass Kinder und Jugendliche durch ihre Beteiligung an Haushaltsentscheidungen in der Kommune und in ihren Bildungseinrichtungen den üblicherweise eher bescheidenen Rahmen der Kinder- und Jugendbeteiligung deutlich erweitern können. Dies gilt besonders dann, wenn es ihnen gelingt, ihr Lernumfeld mitzugestalten. Dies ist von verschiedenen Ausgangspunkten her möglich. Der Prozess kann in einer oder in mehreren Schulen starten, indem die Schülerschaft über das Schulbudget mitentscheiden kann. Oder er setzt über die Kommune ein, die quartiersbezogen, auf Stadtteilebene oder gesamtstädtisch starten kann und das Schulbudget einbezieht. In der Bundesrepublik bieten sich hierfür folgende Ansatzpunkte an:

- Kinder- und Jugendräte mit eigenen regelmäßigen Budgets für Kinder- und Jugendbeteiligung, wie dies in einigen Kommunen, wie zum Beispiel in Solingen, der Fall ist, bieten einen institutionellen Fokus, der in Richtung Schulen ausgeweitet werden kann. Wenn zudem die Urwahl für solche Gremien in Schulen stattfindet, ließe sich deren Aufstockung und Ausweitung in Richtung schulische Belange bewerkstelligen.

- Quartiersbudgets mit starker Kinder- und Jugendbeteiligung können ein weiterer Startpunkt sein. In QM-Gebieten und darüber hinaus (so in Bremen-Tenever[55]) gibt es häufig eigene Beteiligungsbudgets, die – entsprechend aufgestockt – auch zur Entwicklung von Bildungslandschaften beitragen können.

- Kommunale Bildungshaushalte können für die Beteiligung von Kindern und Jugendlichen geöffnet werden, sei es über Vorschläge zur Weiterentwicklung der lokalen Bildungslandschaften, sei es über die Verankerung von Kinder- und Jugendbeteiligung als Ziel und Qualitätsmerkmal von Bürgerhaushalten.

---

55 Nähere Informationen zur Beteiligungspraxis in Bremen-Tenever bietet Barloschky (2008).

- Schulische Beteiligungsbudgets können als Ergebnis erweiterter Schulträgerschaft mit Beteiligung der Schülerschaft angestrebt werden.[56]

Alle vier Ausgangspunkte können zu Lernwerkstätten für Bürgermacht entwickelt werden.

## »Kleine« Gesellschaftsverträge mit demokratischem Charme

In einige innovative Beteiligungsmodelle sind kontraktualistische Elemente eingebaut, das heißt, es werden zu Beginn eines Projekts oder des Eintritts in eine Einrichtung Verträge geschlossen, die die Rechte und Pflichten der Beteiligten fixieren. Sie haben sich vor allem in jenen Bereichen ausgebreitet, die mit Herausforderungen zu tun haben, für die es (noch) keine verbindlichen Lösungen gibt, oder sie sind Teil eines Reformprozesses, dessen Resultate offen sind. Kontrakte sind eine Form, in der Ungewissheiten ausgehandelt werden können, wenn es keine verbindlichen institutionellen Regelungen und geteilten Erwartungen gibt oder diese unsicher geworden und neu auszuhandeln sind.

Ein Blick auf die Vertragstheorien der frühbürgerlichen Gesellschaften – von Locke bis Rousseau – und deren aktuel-

56 »Schools, as an integral part of the community, should be an obvious venue for fostering young people's understanding and experience of democratic participation. This has been argued forcefully by a number of great educational philosophers, but in practice it is rare« (Hart 1992: 37).

le Wiederbelebungen von Carole Pateman bis T. M. Scanlon macht das genuin demokratische Potential von Gesellschaftsverträgen deutlich. Dies gilt vor allem dann, wenn es nicht um implizite Gesellschaftsverträge, sondern um offen ausgehandelte und ausbalancierte Rechte und Pflichten geht. Dass sie gesellschaftliche Ungleichheiten nicht einfach überwinden können und deshalb in der Regel in asymmetrischen Konstellationen verhandelt werden, gilt es dabei ebenso im Blick zu behalten wie die ausgesparten, stillschweigend vorausgesetzten Elemente der Verträge, von den nicht kontraktuellen Geltungsbedingungen der Verträge ganz abgesehen. Einige wenige Beispiele mögen das demokratische Potential solcher Verträge, besonders der vorgängigen Vertragsverhandlungen, verdeutlichen.

In den letzten Jahren haben sich Kitas in einigen norddeutschen Kommunen im Rahmen des Modellprojekts »Kinderstube der Demokratie« Verfassungen gegeben, die auf einem längeren Aushandlungsprozess zwischen Erzieherinnen, Kindern und Eltern beruhen (Knauer 2007). In ihnen wird oft bis ins kleinste Detail geregelt, wer von den Beteiligten zu welchem Thema zu befragen ist und welche Institutionen und Regelungen geschaffen werden, um die Umsetzung des Katalogs von Rechten und Pflichten zu garantieren. Es geht dabei um scheinbar so banale Dinge wie den Speiseplan, um Schlafzeiten für die Kinder oder gemeinsame Ausflugsziele. Nicht nur für die Kita-Kinder geht es aber um die Gestaltung ihres Kita-Alltags und um das Aushandeln der Bedürfnisse und Anforderungen, die auch Erzieher und Eltern in diesen Alltag einbringen. Die Kita-Verfassungen versuchen Regelungen zu erfinden, wie der Prozess des Interessenabgleichs aussehen sollte, welche Entscheidungsregeln gelten und wie bei möglichen Konflikten zu verfahren ist. Kita-Verfassungen sind ein gutes Beispiel, wie die Norm der auch von der Bundesrepublik ratifizierten UN-Kinderrechtskonvention eingelöst werden kann, Kinder gemäß ihrer »evolving capacities« an ihren Angelegenheiten zu beteiligen und den Willen der Kinder angemessen zu berücksichtigen (Art. 12, 1). Zugleich handelt es sich um einen Prozess wechselseitiger Anerkennung. Eltern und Erzieherinnen respektieren den Subjektstatus der Kinder. Erzieherinnen ratifizieren, dass Kinder und Eltern mit Rechten ausgestattete Partner im Erziehungs- und Bildungsprozess sind. Gleichzeitig übernehmen alle Beteiligten explizit Verantwortung für den Kita-Alltag. Gelingen die Vertragsaushandlungen und führen sie zu einem lebbaren, freilich immer auch revidierbaren Ergebnis, dann ist die Kita potentiell zu einem demokratischen Lernort für alle Beteiligten geworden.

Zu einer demokratisch ambitionierten Schule gehören heute ebenso Verträge wie zu verschiedenen Modellen der schulischen Gewaltprävention. Schüler und Lehrer handeln, gelegentlich auch mit Beteiligung der Eltern, zum Beispiel aus, welche Verhaltensweisen sie wechselseitig voneinander erwarten und welches Schulklima sie sich wünschen. Wird gegen die Leitlinien eines zivilen, anerkennenden und respektvollen Umgangs verstoßen, treten zuvor ausgehandelte Sanktionsinstanzen und -mechanismen in Kraft, die einen fixierten Sanktionskatalog umsetzen. Die Festlegung auf zivile Umgangsformen ist für alle Beteiligten verbindlich, aber in der Regel keineswegs selbstverständlich. Dies gilt für Lehrer wie für Schüler gleichermaßen. Sie machen die Schule potentiell zu einem zivilen und angstfreien Ort – und verbessern damit nebenbei die Lernbedingungen.[57]

Verträge sind auch ein anerkanntes Mittel der Integrationspolitik geworden. Sie können zu vergleichsweise konfliktarmen, kommunal unterstützten Moscheebau-Projekten beitragen, wenn sie auf einer Vereinbarung zwischen Stadt, Repräsentanten der Bürger und von Moschee-Vereinen beruhen, in der vorab Rechte, Pflichten und Erwartungen ausgehandelt worden sind. Auch hier werden potentielle Konflikte und Befürchtungen vorab diskutiert und ihr Austrag einvernehmlich reguliert. Es gehört zu den besonderen Leistungen solcher Verhandlungssituationen, dass sie zumindest potentiell die Anerkennung der legitimen Interessen aller Beteiligten ermöglichen. Dies schließt faire Kompromisse bei widerstreitenden Erwartungen ein.

Die Stadt Wiesbaden hat mit dieser Linie gute Erfahrungen gesammelt und sie zur Grundlage ihrer Integrationspolitik im religiösen Bereich gemacht (Müller 2008). Die Stadt Chemnitz schließt mit jedem Zuwanderer eine individuelle Integrationsvereinbarung ab. Ein Kontraktmodell, das bei Bedarf auch individuelle Hilfepläne oder Coaching vorsieht, wendet auch Dortmund zur Eingliederung von Spätaussiedlern und jüdischen Immigranten an. Auch hier geht es um das Aushandeln von Rechten und Pflichten. Was können die Zuwanderer

57 Dass dies nicht in jedem Fall gelingt, macht die Begleituntersuchung eines Modellprojekts in Brandenburg deutlich (Marx 2003).

von der Stadt an Unterstützung erwarten, was erwartet wiederum die Stadt an integrationsförderlichen Aktivitäten von den Zugewanderten?

Diese individuelle Ebene ist aufgrund der Machtasymmetrie zwischen den Beteiligten sicherlich problematischer als die institutionellen Beispiele zuvor. Gleichwohl deutet die Nutzung des Instruments »Vereinbarung« darauf hin, dass hier Gesellschaftsverträge im Kleinen ausgehandelt werden, die den Subjektcharakter und die Integrität der Beteiligten respektieren. Sie sind Teil und Ergebnis eines deliberativen Prozesses, der einen expliziten Erwartungs- und Interessenausgleich ermöglicht. Er macht auch Befürchtungen und Wünsche artikulierbar, die sonst keine Chance auf eine diskursive Bearbeitung hätten, sondern sich ansonsten erst in Konfliktsituation offenbaren.

## Kein Mangel an Instrumenten und Verfahren

Die ausgewählten Beispiele und ein Blick in die einschlägige internationale Literatur[58] zeigen, dass die Vitalisierung der Demokratie durch die Erprobung einer Vielzahl neuer, teils wiederentdeckter, teils erweiterter Formen der Beteiligung in vollem Gange ist. Keine dieser neuen (und älteren)

58 Übersichten und konkrete Beispiele bieten unter anderem Hirst/Khilnani 1996; Europarat 2005; Gastil/Levine 2005; Smith 2005; Gastil 2008; Goodin 2008; Kersting 2008; Klages u. a. 2009; Sirianni 2009; Smith 2009; Bertelsmann Stiftung 2010.

Formen bedeutet per se einen Frontalangriff auf die repräsentativen Grundfesten westlicher Demokratien, aber sie stärken den Einfluss und die Handlungsfähigkeit der Bürgerschaft über das minimalistische Angebot der Wahlbeteiligung hinaus. Zwar sind frontale politische und programmatische Abwehrhaltungen nach dem Motto nur »Representation is Democracy« (Plotke 1997) seltener geworden, aber der »repräsentative Absolutismus« ist gerade bei den politischen Spitzen sehr zählebig, auch wenn er sich heute in vielfältige Bedenken kleidet. Sie mögen im Detail durchaus berechtigt sein, geraten aber zur Abwehrsemantik, wenn das Risiko vertiefender demokratischer Experimente gänzlich vermieden wird. Die meisten Beteiligungsvorschläge verstehen sich heute als notwendige oder wünschbare Ergänzungen repräsentativer Formen, die zu einer Verbesserung und Vertiefung liberaler Demokratien beitragen sollen.[59] Längst ist ein entsprechender Markt entstanden. »Die Anzahl neuer Beteiligungsinstrumente ist mannigfaltig. Beratungsfirmen neigen dazu, ihr eigenes Instrument neu zu erfinden. Häufig werden ähnliche Ansätze unter anderen Labels neu vermarktet. Zum Teil werden nur Nuancen verändert. Um das geistige Eigentum zu schützen, werden eigene Trademarks entwickelt. (…) Zum Teil werden Verfahren verknüpft und hierüber neu entwickelt« (Kersting 2008: 28).

59 Diese Sichtweise wird von einigen konservativen Vertretern des Faches in der Bundesrepublik allerdings nicht geteilt. Mit der Suche nach mehr Bürgerbeteiligung verbindet sich für sie die Gefahr einer »Hyperdemokratie«, die den Boden liberaler Demokratien verlassen habe (vgl. Zittel 2008).

Ihre Verbreitung wird als notwendig angesehen, weil es darum geht, die wachsende Kluft zwischen den institutionellen Praktiken der »konventionellen« Parteiendemokratie auf der einen und zivilgesellschaftlichen (vormals »unkonventionellen«) Formen der politischen Beteiligung auf der anderen Seite zu verkleinern (so Kersting 2008: 11). Die präsentierten Modelle und Innovationen liegen in dieser Brückenfunktion einmal näher am Ufer der konventionellen Politik, ein anderes Mal lagern sie näher am unkonventionellen Ufer der Bürgerinitiativen und Nichtregierungsorganisationen, der Proteste und sozialen Bewegungen. Sie reichen von Neuerungen im Bereich der repräsentativen Praxis, etwa durch verstärkte Nutzung neuer Medien in Wahlkämpfen und in der Kommunikation mit den Bürgern, wie sie zuletzt US-Präsident Barack Obama in eindrucksvoller Weise genutzt hat, über direktdemokratische Verfahren, die zwar bereits zum antiken Kulturgut gehörten, aber in den letzten 20 Jahren eine erstaunliche Karriere in vielen westlichen Demokratien erfahren haben, bis hin zu diskursiv und interaktiv angelegten Modellen deliberativer Politik, die nicht zuletzt durch die eindrucksvolle Praxis des Weltsozialforums und seine Ausstrahlung auf regionale und lokale Foren eine enorme Aufmerksamkeit und Verbreitung gefunden haben.

Eine detaillierte Darstellung weiterer Instrumente und Verfahren, die zur Vitalisierung von Demokratie beitragen können und sollen, würde den Rahmen sprengen. Im Green Paper des Europarats (2005) werden 28 Reformempfehlungen ausgesprochen, wovon sich ein Großteil auf innovative Verfahren und Modelle bezieht. Graham Smith hat im gleichen Jahr

57 demokratische Innovationen aus aller Welt zusammengetragen (Smith 2005). In ihrem Handbuch über deliberative Demokratie versammeln John Gastil und Peter Levine (2005) ausführlich 17 verschiedene Zugänge dieser Reformrichtung, in einer jüngeren deutschen Publikation werden 13 dialogorientierte Instrumente präsentiert und zugleich mit Qualitäts- beziehungsweise Evaluationskriterien versehen (Kersting 2008). Eine vergleichende Synopse ist schwierig, weil es zu viele Differenzierungsangebote für Formen der politischen Beteiligung gibt (vgl. Kersting 2008: 20 ff.). Für eine Bewertung ihrer Reichweite, Qualität und Übertragbarkeit fehlt es zumeist an soliden Evaluationen und mehrjährigen Erfahrungen – zumindest gibt es bislang nur wenige Versuche, das auch in dieser Dimension möglicherweise verstreut vorhandene Wissen zusammenzutragen (u. a. Gaventa / Barrett 2010).

Einige Innovationen werden in nahezu allen Bänden abgehandelt. Dies gilt vor allem für den Bürgerhaushalt, der von Porto Alegre aus im letzten Jahrzehnt einen erstaunlichen Siegeszug angetreten hat. Der Grund ist einfach, denn die partizipative Erarbeitung und Verabschiedung eines kommunalen Haushalts stellt im Prinzip den Versuch dar, direkte und partizipatorische Demokratie möglichst umfassend zu verwirklichen. Denn es geht dabei nicht nur um Einzelentscheidungen und abgegrenzte Themen, sondern um die finanziell gestützte Festlegung der Gesamtpolitik einer Kommune. Gleichzeitig lagern sich an Beteiligungshaushalte eine Vielzahl von Beteiligungsformen – online und offline, direkt und deliberativ, assoziativ und repräsentativ – an, werden Partizipationsangebote für verschiedene Gruppen entwickelt und die Reichweite politischen Handelns in einer Weise ausgeweitet, dass Bürgerhaushalte zuweilen als »masterframe«, als gemeinsamer Rahmen für alle Formen der Beteiligung, erscheinen mag. In der Realität sind viele Ansätze zu Bürgerhaushalten allerdings – wie dargestellt wurde – wesentlich bescheidener. Auf dem Weg in andere Weltregionen ist nach schnellen Anfangserfolgen[60] Ernüchterung eingekehrt. Während in Porto Alegre mit diesem Instrument wirklich etwas bewegt werden konnte, erwies es sich an anderen Orten als stumpfes Schwert, nicht zuletzt weil es an disponiblen Ressourcen und lokalen Zuständigkeiten mangelte.[61] Dass ausgerechnet drei südamerikanische Bürgerhaushalte – bei mehr als 100 Vorschlägen aus mehreren Kontinenten – die ersten Plätze des Reinhard-Mohn-Preises 2011 »Vitalisierung der Demokratie durch Partizipation« erringen konnten, spricht jedoch für deren ungebrochene Anziehungskraft, denn die Entscheidung über die Preisträger wurde in die Hände von 11 600 zufällig ausgewählten Bürgerinnen und Bürgern aus ganz Deutschland gelegt, die in ihrer Zusammensetzung repräsentativ sind. Zudem fiel der erste Platz an Recife (Brasilien), wo auch die Stadt- und Schulentwicklung durch Bürgerhaushalte mit starker Kinderbeteiligung gestaltet wird.

Unter den Innovationen finden sich erstaunlich viele Ansätze, die versuchen, zum Beispiel durch »mini-publics« und

60 2008 versuchten sich mehr als 150 Kommunen in Europa an der partizipativen Haushaltsplanung – von Sevilla bis Berlin-Lichtenberg.

61 Das Journal »Eurotopia« betitelte deshalb sein Themenheft zum Bürgerhaushalt 2008 vorsichtig »Participatory Democracy at the Crossroads«.

»deliberation days« die Rationalität von Wahlen und die themenbezogene Repräsentativität von Vertretungskörperschaften und ihren Entscheidungen zu verbessern. Das Gros der Bemühungen geht in Richtung unverbindliche konsultative Angebote, die sich möglichst auf aussagekräftige, intensive diskursive Angebote wie Open Space, Zukunftswerkstatt und World Café, aber auch auf Planungszelle, Bürgerforum und Bürgerpanel (Klages u.a. 2008) stützen. Sie geben der Bürgerschaft eine Stimme: Ob sie gehört wird, bleibt allerdings ungewiss. Nicht zuletzt um diese Grenze zu überwinden, haben direktdemokratische Optionen, wie zum Beispiel Bürgerbegehren und Bürgerentscheid, in jüngster Zeit einen beachtlichen Zuwachs erfahren.[62]

Gerade in der Bundesrepublik werden sie häufig – uninformiert und phantasielos – als einzige Variante benannt, wenn es um die Vertiefung und Ergänzung liberaler Demokratien geht. Auch mit Blick auf direktdemokratische Formen sind die großen Erwartungen deutlich zurückgeschraubt worden. Dennoch fällt die Beurteilung durch Experten dieses Feldes verhalten positiv aus: »Die seit den 1990er Jahren vermehrt eingeführten und angewendeten direktdemokratischen Verfahren bieten eine effektive Möglichkeit, die politische Be-

62 Zum Ausbau direktdemokratischer Formen auf kommunaler Ebene (Positiv- und Negativkataloge, Quoren, Zulassungsbedingungen etc.) und darüber hinaus (bis zu den EU-Referenden) gibt es eine aktuelle Übersicht für die EU-Länder (Walter-Rogg 2008); zu internationalen Entwicklungen vgl. IDEA 2008. Zur Bedeutung von Bürgerbegehren und Bürgerentscheidungen für die Vitalisierung liberaler Demokratien vgl. Verhulst und Nijeboer (2007).

teiligung über die Wahlbeteiligung hinaus auszudehnen. Initiativrechte bieten Potentiale der Agenda-Gestaltung, in der Rolle als Entscheidungsträger können Bürger zur Machtkontrolle und zu einer erhöhten Verbindlichkeit beitragen. Die vergleichsweise hohen Kosten für die Durchführung von Verfahren auf Seiten der Bürger wie auf Seiten der Gemeinden lassen es auch bei niedrigen Einstiegshürden unwahrscheinlich erscheinen, dass die Anzahl der Verfahren der Anzahl parlamentarischer Entscheidungen nahe kommt« (Mittendorf/Schiller 2008: 155).

Die Mehrzahl der demokratischen Verfahren greift heute auf elektronische Unterstützung zurück. Das gilt für die klassische repräsentative Demokratie, die neuerdings auch als »electronic democracy« mit virtuellen Bürgerinformationsdiensten, Internetbefragungen, Online-Konferenzen, Webforen und Online-Wahlen antritt. Auch direktdemokratische Verfahren gehen mit der Zeit, werben für elektronisch gestützte Sachvoten, für die entsprechende Netzseiten angemessen aufbereitete Materialien bereithalten. Selbst komplexe Quartiersplanungen können heute ins Internet verlagert werden und finden dort ihr aktives Publikum – wobei es zuweilen, wie deutsche Beispiele zeigen, nicht gelingt, die Planungsergebnisse für die Entscheidungsträger interessant oder gar verbindlich zu machen.

Zur Ausgestaltung, Verbindlichkeit und Qualität von Beteiligungsverfahren tragen rechtliche Regelungen bei, die verstärkt eingefordert werden. Auf individueller Ebene sind dies zum Beispiel Informationsfreiheitsgesetze, Verbraucherschutzgesetze und der Whistleblower-Schutz. Auf Gruppenebene schlägt sich dies in Beteiligungsrechten nieder (etwa in der Kinder- und Jugendpolitik).[63] Hinzu kommen schwächer institutionalisierte Vertretungsformen, wie sie beispielsweise Beauftragte für verschiedene Bevölkerungsgruppen darstellen.

Wenn wir auf das Gefüge wohlorganisierter Interessengruppen in der Bundesrepublik schauen, wird die Dringlichkeit der Unterstützung von Zusammenschlüssen »schwacher Interessen« und der Förderung von »Themenanwälten« deutlich. Migrantenselbstorganisationen, jugendgeführte Vereine, wie zum Beispiel »Schüler Helfen Leben«, Betroffenenzusammenschlüsse wie »People First!« bedürfen der Unterstützung, damit ihre Stimme im Originalton gehört werden kann. »Schwache Interessen« leiden in der Regel unter einem Vertretungsdefizit. Wo sie auf Unterstützer treffen, droht ihnen Paternalisierung und Klientelisierung. Die dänische Sozialpolitik hat einen interessanten Versuch gestartet. Sie unterstützt selbstorganisierte Sozialgruppen, die ihre Agenda selbst bestimmen und öffentlich vertreten können.[64]

Die beschriebenen Instrumente und Methoden funktionieren nicht einfach von selbst, sondern benötigen zumeist Unterstützung und Ermöglichung (»facilitation«) durch Modera-

---

63 Erste Evaluationen sprechen für regelmäßige und verpflichtende lokale Dialogtage nach finnischem Vorbild, wo Kinder und Jugendliche das Beteiligungsangebot der Stadt bewerten, städtische Gremien Rede und Antwort stehen und jährliche Fortschrittsberichte für Verbindlichkeit sorgen (vgl. Feldmann-Wojtachnia u. a. 2010).

64 Dadurch sind z.B. eine Wohnungslosengewerkschaft und eine Drogennutzervertretung entstanden.

toren, Kommunikationslotsen, Mentoren, die dazu beitragen, in bisher beteiligungsarmen Feldern Partizipation zuwege zu bringen beziehungsweise vorhandene Partizipationsbarrieren abzubauen.[65]

Unverbindlich, aber oft ausgesprochen innovativ sind eine Vielzahl von Projekten, Modellprogrammen und Wettbewerben, die gerade im Bereich der Demokratieentwicklung immer wieder aufgelegt werden. Ihre Stärken liegen zumeist im Agenda-Setting und in einer exemplarischen Praxis, die neue Standards setzen kann. Ihre Nachteile sind ebenfalls deutlich: Sie können weder Nachhaltigkeit noch Breitenwirkung garantieren. Da sie oft parallel zu Regelstrukturen betrieben werden, bleibt das Problem der Übertragbarkeit häufig ungelöst. Mit dem Programm »Come in Contract« hat zum Beispiel das Bundesfamilienministerium Jugendprojekte gefördert, die in einem Vertragsmodell weitgehende Selbstständigkeit in der Verwendung von Projektmitteln erhielten.

Dies gilt in ähnlicher Weise für »Youth Banks«, die lokale Jugendinitiativen in der Regie von Jugendlichen unbürokratisch unterstützen. Ein Großprojekt ist die mehrjährige Bundes- und Landesförderung von »Lokalen Aktionsplänen«, die in fast 200 Städten und Landkreisen eine demokratische und tolerante politische Alltagskultur unterstützen. Es lauert bei all diesen temporären Förderansätzen die Gefahr von »Modellruinen« und einer »Projektitis«, wo häufig wechselnde Projekte

65 Auswertungen des Programms »Soziale Stadt«, aber auch verschiedene Lokalstudien belegen grundsätzlich diese Möglichkeit (vgl. Dörner/Vogt 2008: 212).

positive Entwicklungen eher simulieren als dauerhaft gestalten können.

In der Fülle der Formate und Optionen droht der Blick dafür verloren zu gehen, wie es um deren Kompatibilität und Kombinierbarkeit steht. Kosten- und Zeitstrukturen gehören ebenfalls zu den wenig beleuchteten Seiten der Vitalisierungsangebote. Politische Barrieren und Widerstände derer, die kein Interesse an einer potentiell machtverschiebenden Vitalisierung haben, bleiben zumeist unbelichtet und damit auch unbearbeitet.

## Audits zur Vitalisierung der Demokratie

Audits gehören heute als eine Form der Leistungsmessung und des Leistungsvergleichs zum Standardrepertoire des öffentlichen und privaten Sektors. Leistung und Verantwortung werden nicht mehr als selbstverständliches Resultat angesehen, sondern zum Gegenstand von Überprüfungen. In dem Maße, wie generalisiertes Vertrauen in die Leistungsfähigkeit öffentlicher und privater Einrichtungen zu einem knappen Gut geworden ist, gewinnen Verifikationen an Bedeutung. Legitimation kann nicht einfach vorausgesetzt werden, sondern bedarf der empirischen Bekräftigung. Auf Schritt und Tritt sind wir mit einer solchen Fülle von Leistungsvergleichen konfrontiert, dass kritische Stimmen bereits vor mehr als einem Jahrzehnt vor einem Weg in die »Audit-Gesellschaft« gewarnt haben (Power 1997). Gewarnt wird vor dieser Entwicklung unter anderem deshalb, weil Auditing selbst zu einem Ritual zu werden droht, das Vertrauens- und Legitimationsverluste von Institutionen und Akteuren nur begrenzt auffangen kann.

Auditing ist eine Methode der gezielten Qualitätsentwicklung entlang eines systematischen Kriterienkatalogs, der zur Grundlage regelmäßiger Anhörungen und Befragungen beziehungsweise wiederholter Beobachtung (Monitoring) gemacht wird. Eingesetzt wird es zumeist als externe oder interne Begutachtung auf freiwilliger Basis. Seine wesentlichen Grundlagen sind Gespräche und Befragungen. Da die befragten Akteure selbst an der Entwicklung und Bewertung von Zielen teilhaben sollten, können Audits auch als Form der aktivierenden Befragung begriffen werden, das heißt, die befragten Personen sind Beteiligte (Auditoren), die einem gemeinsam festgelegten Ziel näher kommen wollen. Es wird nicht abstrakt nach vorgefertigten professionellen Maßstäben »gemessen«, sondern die Befragten setzen eigene Standards, zum Beispiel in der Beurteilung der Qualität einer Dienstleistung. Solche Qualitätsdialoge stellen eine Form des Audits dar, die sich in zahlreichen Handlungsfeldern bewährt hat.

Demokratie-Audits stehen in dieser Tradition. Sie gehen davon aus, dass die Legitimation und Leistungsfähigkeit demokratischer Institutionen und Verfahren nicht einfach als gegeben vorausgesetzt werden können, sondern selbst der Überprüfung bedürfen. Im Unterschied zu sozialwissenschaftlichen Demokratiemessungen, deren Maßstäbe sich wissenschaftlichen Theorietraditionen und Debatten verdanken, setzen Demokratie-Audits auf die Beratung und Deliberation durch die Bürgerinnen und Bürger selbst (»citizen audit«). Dass nicht Experten die Demokratiestandards festlegen, sondern diese Ergebnis eines bürgerschaftlichen Konsultationsprozesses sind, ist ein entscheidendes Merkmal, das den demokratiepolitischen Nutzen von Demokratie-Audits ausmacht. Es geht folglich um einen Evaluationsprozess, der umfassend und nicht selektiv ist, der Partizipation voraussetzt und zur Grundlage macht, der nicht theorie- und hypothesenzentriert vorgeht, sondern auf praktische Verbesserungen zielt.

Ausgangspunkt ist eine Vorstellung von Demokratiequalität, die sich aus der Begutachtung des Ist-Zustands, des Abstands zwischen geteilten Normen und aktueller Praxis ergibt. Zu den Prämissen zählt, dass in der Bürgerschaft die Fähigkeit und Bereitschaft vorhanden ist, demokratische Praxisformen zu entwickeln, die geeignet sind, diesen Abstand zu verkleinern. Dies gilt besonders für bürgerschaftliches Engagement und zivilgesellschaftliche Praxisformen, aber auch für institutionelle Reformen, die neue Formen der direkten Beteiligung und Entscheidung ermöglichen. Getragen werden Demokratie-Audits von der Überzeugung, das Demokratie kein fester Zustand, sondern ein offener gestaltbarer Prozess ist: Demokratiepolitik ist möglich und wünschbar. Mit der Hilfe von Audits kann festgestellt werden, wie zufrieden oder unzufrieden die Bürgerschaft mit ihren demokratischen Einfluss-, Gestaltungs- und Kontrollmöglichkeiten ist, wo Defizite beklagt werden und der Verbesserungsbedarf am größten ist. Damit wird eine wichtige Vorbedingung deutlich, die über den Sinn und Nutzen von Demokratie-Audits bereits im Vorfeld entscheidet. Voraussetzung ist die Bereitschaft von einflussreichen Akteuren des politischen Systems, die Ergebnisse als Impulse für demokratische Reformen aufzugreifen. Wenn diese Reformbereitschaft nicht gegeben ist, können Audits auch zur politischen Entfremdung und Demokratieentleerung beitragen.

## Demokratiekonzepte

Wer von »Vitalisierung der Demokratie« spricht, sollte wissen, dass es für die demokratische Qualität eines Gemeinwesens keine allgemein akzeptierten und verbindlichen Maßstäbe gibt. Es bedarf der Entscheidung für einen normativ ausgewiesenen Zugang zum Thema. Davon kündet bereits die anhaltende Auseinandersetzung um angemessene Demokratiekonzepte, die von den lange Zeit dominierenden, relativ anspruchslosen »realistischen« Modellen einer durch die »demokratische Methode« geregelten Elitenzirkulation bis zu anspruchsvollen Visionen einer »starken«, auf ein demokratisches Gemeinschaftsleben (»civic culture«) gegründeten Demokratie reichen (Barber 1994), die sich gern auf Alexis de Tocquevilles Reiseberichte »Über die Demokratie in Amerika« aus dem 19. Jahrhundert berufen.[66] Die nach dem Ende des Kalten Krieges eingetretenen Entwicklungen[67] haben

66 Diese Tradition aktualisiert z. B. Wolin (2001).

67 Zu nennen ist besonders die »dritte Welle« der Demokratisierung, auf die sich Länder des Ostens und Südens begeben haben, aber auch Rückbildungen sowohl in den neuen wie in den konsolidierten Demokratien, zum Beispiel unter dem Eindruck des »Krieges gegen den Terror« oder durch verstärkte Korruptionsintensität.

eine neue Runde demokratietheoretischer Debatten ausgelöst. Konsens dürfte lediglich darin bestehen, dass weder das »schlanke« Modell der »demokratischen Methode«, das heißt vor allem durch regelmäßige allgemeine Wahlen zustande gekommene Regierungen, noch das basisdemokratische Modell der zivilgesellschaftlich fundierten »starken Demokratie« ausreichen, um auf die aktuellen politischen Herausforderungen in neuen, aber auch konsolidierten Demokratien angemessene Antworten zu geben.

Bereits die wissenschaftliche Bewertung von Demokratiequalität ist stark von den gewählten Konzepten abhängig, wobei klassisch prozedurale und substanzielle Ansätze konkurrieren. An Verfahren orientierte Konzepte lassen sich wiederum unterscheiden in ihrer Präferenz für repräsentative, direktdemokratische oder deliberative Demokratieformen (Lauth 2008: 33ff.). An Versuchen und Ansätzen zur vergleichenden Demokratiebewertung herrscht in der wissenschaftlichen Debatte kein Mangel, wobei sich eine Tendenz zu komplexen Messbatterien abzeichnet, die sich stark an quantifizierenden Wissenschaftsidealen der vergleichenden Politikwissenschaft orientieren. Ihr aufklärender Wert und praktisch-politischer Nutzen nimmt allerdings mit wachsender szientifischer Komplexität ab.[68] Die Präzisierung der Messinstrumente und Indikatoren sollte zudem nicht darüber hinwegtäuschen, dass es immer auch um »subjektive« Bewertungen durch die jeweilige Bevölkerung geht. Zudem gibt es unterschiedliche institutionelle Ausprägungen und

68 Siehe die Synopse in Beetham et al. (2008: 306).

damit auch Qualitäten (westlicher) Demokratie, die ein kontextsensibles Vorgehen erfordern und es verbieten, ein Raster für alle Staaten und für alle politischen Ebenen einzusetzen (Abromeit 2004).

Demokratie-Audits können dazu beitragen, diese Fallstricke wissenschaftlicher Demokratiemessung zu vermeiden, indem sie den »Souverän« selbst zum Sprechen bringen. Seine Ansprüche und Maßstäbe finden Ausdruck und können so in Reformprozessen zur Geltung gebracht werden. Dass sich dabei auch die Bewertungen und Maßstäbe verändern können und werden, liegt auf der Hand. Die Befürchtung, der Appetit komme beim Essen, lässt besonders konservative Regierungen vor solchen Audits zurückschrecken. Sie flüchten stattdessen lieber in scheinbar ewige Verfassungsordnungen, mit denen jeder demokratische Veränderungsanspruch abgeschmettert werden soll – der deutsche Rekurs auf eine scheinbar feststehende »freiheitlich demokratische Grundordnung« ist eine solche Fluchtbewegung.

## Das britische Vorbild

Die zuerst in Großbritannien entwickelte und dann international aufgegriffene Variante des Demokratie-Audits bietet den gegenwärtig wohl interessantesten Ansatz für die deutsche Debatte, weil er die Bewertung von Demokratiequalität in der Regel mit praktischen Reformabsichten verknüpft. Die grundlegende Definition lautet: »Unter Demokratie-Audit versteht man (...) ein Analyseinstrument, welches ausgehend von einer präzise operationalisierten Definition des Basiskonzepts Demokratie und davon abgeleiteten Beurteilungskriterien Regierungssysteme und ihre Bestandteile, das heißt korporative Akteure, Institutionen und Verfahren der politischen Meinungs- und Willensbildung sowie Entscheidungsfindung auf ihren Demokratiegrad prüft und Defizite diagnostiziert« (Kaiser/Seils 2005: 133f.).

Solche Demokratie-Audits wurden inzwischen in rund 20 Ländern in verschiedenen Regionen der Welt und für die Europäische Union vorgenommen. Sie bestehen seit 1993 als Orientierungsrahmen für unterschiedliche Projekte zur Erforschung der Demokratiequalität ganzer Nationen, werden aber auch zu kleinteiligen Assessments von verschiedenen institutionellen Bereichen und Handlungsfeldern (von der Parteien- und Wahlkampffinanzierung bis zur Korruptionsbekämpfung), zur Bewertung von Reformregierungen (zum Beispiel der Blair-Agenda in Großbritannien) oder der demokratischen Qualität wichtiger Einzelentscheidungen genutzt, etwa solcher außenpolitischen Weichenstellungen wie des Eintritts in die »Koalition der Willigen« im Kontext des »war on terror« und dessen innenpolitische Rückwirkungen auf Demokratie und Bürgerrechte in Großbritannien.

Dieses von zuerst David Beetham, Stuart Weir und anderen in reformpolitischer Absicht – im Kontext der britischen Charta 88 – entwickelte Konzept hat beachtliche Resonanz vor allem in den angelsächsischen Ländern, aber auch zum Beispiel in Italien, den Niederlanden und in Schweden gefunden. Das seit 2002 geförderte australische Demokratie-Audit zum Beispiel stellt sich neben dem Anspruch, verbesserte

Methoden der Demokratiebewertung zu entwickeln, auch die Aufgabe, durch internationale Vergleiche Benchmarks für Demokratiereformen zu gewinnen und dadurch die Reformdebatte in Australien zu beleben.

Demokratie-Audits müssen sich, wie das australische Beispiel zeigt, keineswegs auf staatliches Handeln und politische Kerninstitutionen beschränken. Zu den veröffentlichten Reports gehört zum Beispiel auch eine Studie über die Repräsentation von benachteiligten Bevölkerungsgruppen in der australischen Politik durch Nichtregierungsorganisationen.[69] Auch die Bewertung von neuen direktdemokratischen Formen ist möglich.

Von den üblichen Formen der Demokratiemessung, die sich stark an neuen Demokratien und ihren Konsolidierungsproblemen ausrichten, unterscheidet sich das Demokratie-Audit dadurch, dass es ein hinreichend differenziertes Instrumentarium anbietet, um auch demokratisch bedeutsame Veränderungen und Unterschiede in entwickelten westlichen Demokratien zu erfassen und zu bewerten. Es wendet sich nicht in erster Linie an ein wissenschaftliches Publikum, sondern an demokratische Reformkräfte in der Bevölkerung, in Regierungen, Parteien und zivilgesellschaftlichen Organisationen. Interessant scheint besonders die Variante der Selbstevaluation der Demokratiequalität nach niederländischem Vorbild. Im Jahr 2006 haben die Niederlande den Bericht »The State of Our Democracy« (Ministry 2006) vorgelegt, dessen Aufbau sich an den Untersuchungsfragen des Stockholmer »International

69 Nachzulesen auf http://democratic.audit.anu.edu.au.

Institute for Democracy and Electoral Assistance (International IDEA)« orientiert.

Diese internationale Organisation hatte dem britischen Team von »democratic audit« die Chance gegeben, die gemachten Erfahrungen für ein transnational anwendbares Handwerkszeug auszuarbeiten. Im Unterschied zu anderen Demokratiemessverfahren (vgl. Lauth 2008) richten sich die IDEA-Fragenkataloge nicht an ein wissenschaftliches Publikum, sondern stehen direkt den Bürgerinnen und Bürgern eines Landes zur Verfügung, die im Sinne eines »Gesundheitschecks« die Qualität der Demokratie in ihrem Land beurteilen und eine entsprechende Reformagenda entwickeln wollen. Die Ergebnisse dieser Bemühungen wurden in Form eines Praxishandbuchs (Beetham u.a. 2008) und in einer Broschüre (Landman 2008) zusammengefasst. Das Verfahren wurde zwar auch in der deutschsprachigen Politikwissenschaft – überwiegend positiv – wahrgenommen,[70] allerdings ist es bislang nicht reformpolitisch genutzt worden.[71]

Im Zentrum des Demokratie-Audits stehen zwei demokratische Schlüsseldimensionen, die als relativ unumstritten gelten können: politische Gleichheit der Bürgerinnen und Bürger in der Einflussnahme auf die Regierungspraxis (»political equality«) und die öffentliche Kontrolle staatlichen Handelns (»popular control«). Auch die aktuelle Agenda von Interna-

70 Vgl. Kaiser/Seils (2005); Lauth (2004 und 2008).

71 Immerhin wurden ähnlich gerichtete Audits für die demokratische Schulentwicklung oder den Umgang mit gruppenbezogener Menschenfeindlichkeit entwickelt und eingesetzt (vgl. Eikel 2009).

tional IDEA setzt dort an: Politische Entscheidungen können von allen Bürgerinnen und Bürgern beeinflusst und kontrolliert werden, und alle Bürgerinnen und Bürger haben die gleichen politischen Rechte. Aus diesen Prämissen ergibt sich implizit ein demokratischer Sollwert: Ein demokratisches politisches System ist inklusiv, partizipatorisch, repräsentativ, verantwortlich, transparent und reagiert auf Wünsche und Erwartungen der Bürgerinnen und Bürger. Zwischen diesen Prinzipien können Spannungen bestehen, die besonders bei Reformvorschlägen zu berücksichtigen sind, wenn Interdependenzen und Rückwirkungen nicht zu unbeabsichtigten Nebenfolgen führen sollen.

Am Anfang von Länderbeobachtungen steht deshalb ein möglichst umfassendes Audit, denn Schwerpunktsetzungen sollen nicht (allein) die Aufgabe von Wissenschaftlern, sondern Ergebnis der Präferenzen in der Bevölkerung und/oder Ausdruck von Benchmarks sein, die durch internationale Vergleiche gewonnen werden. Ihre Konkretisierung erfahren die demokratischen Grundprinzipien in verschiedenen Varianten. Für die deutsche Debatte dürfte die jüngste zusammenfassende Version von International IDEA die interessanteste sein. Aus den beiden Grundprinzipien öffentliche Kontrolle und politische Gleichheit werden sieben weitere Werte abgeleitet – Partizipation, Autorisierung, Repräsentation, Verantwortlichkeit, Transparenz, Responsivität und Solidarität (Landman 2008: 11) –, die als Maßstäbe für die Untersuchung von vier Säulen demokratischer Gemeinwesen geltend gemacht werden:

- **Bürgerstatus, Gesetze und Rechte:**
  - Nationaler Rahmen und Bürgerstatus
  - Rechtsstaatlichkeit und Zugang zu Gerichten
  - Zivile und politische Rechte
  - Ökonomische und soziale Rechte

- **Repräsentative und verantwortliche Regierung:**
  - Freie und faire Wahlen
  - Demokratische Rolle politischer Parteien
  - Effektive und responsive Regierung
  - Demokratische Effektivität des Parlaments
  - Zivile Kontrolle von Militär und Polizei
  - Integrität des öffentlichen Lebens

- **Zivilgesellschaft und öffentliches Engagement:**
  - Demokratische Medien
  - Politische Partizipation
  - Dezentralisierung

- **Demokratie jenseits des Staates:**
  - Externe Einflüsse auf die Demokratie des Landes
  - Die demokratische Wirkung des Landes im Ausland

Aus dieser Struktur ergeben sich 15 übergreifende Fragen, die durch 75 spezifische Auswertungsfragen ergänzt werden (Landman 2008: 25 ff.). All diese Fragen sind inzwischen im Rahmen von Länderstudien durch eine Serie von empirischen Indikatoren konkretisiert und oft auch den jeweiligen nationalen Gegebenheiten angepasst worden, die zudem Anschluss an die üblichen Demokratiemesskonzepte halten (Beetham et al. 2008: 70–282).

Gleichzeitig betonen die Vertreter des Demokratie-Audits, dass es sich dabei selbst um ein demokratisches Verfahren handeln muss (www.democraticaudit.com). Die Qualität der Bewertung von Demokratie lebt davon, dass sie sich auf eine möglichst breite öffentliche Beteiligung stützen kann und dabei detailliert die Vorstellungen der Bevölkerung aufgreift, wie eine qualitative Verbesserung der Demokratie aussehen könnte und sollte. Die Chance, dass Demokratie-Audits zu demokratischen Reformprozessen beitragen können, steigt in dem Maße, wie bereits der Prozess der Bewertung gesellschaftlich getragen und von wichtigen Nichtregierungsorganisationen sowie anderen zivilgesellschaftlichen Akteuren unterstützt wird, das heißt nicht ausschließlich in der Hand einer Regierungskommission oder wissenschaftlichen Expertengruppe bleibt. Mit dem Prozess der Demokratie-Bewertung ist in jedem Fall eine Selbstaufklärung über die Stärken und Schwächen der aktuellen demokratischen Verfassung verbunden. Der Einfluss von Demokratie-Audits auf den demokratischen Prozess ist umso größer, je stärker eine allgemeine Reformbereitschaft in einem Land zu spüren ist. Zu einer Reflexion und Stärkung der demokratischen Ansprüche der Zivilgesellschaft und zu einer Vitalisierung der Demokratie können solche Demokratie-Audits, so eine Zwischenbilanz der gemachten Erfahrungen (Beetham et al. 2008: 285 ff.), längerfristig auf jeden Fall beitragen.

Die vorliegenden Audits verdeutlichen den Nutzen einer umfassenden Demokratiemessung und Demokratiebewertung durch die Bevölkerung. National spezifische Stärken und Schwächen können deutlicher hervorgehoben werden. Die Kluft zwischen den großen Krisendiagnosen einerseits und oft sehr pragmatischen Reformvorschlägen mit geringer Reichweite andererseits, die sich zudem meist auf einzelne Instrumente konzentrieren, wird zumindest sichtbar. Bei wiederholten Bewertungen lässt sich zudem überprüfen, ob die realisierten Reformen den erwarteten demokratischen Mehrwert erbracht haben. Zudem wird in den Studien sichtbar, dass Demokratisierungsprozesse gerade in »alten« Demokratien in nationale Pfade eingebettet sind und voller Widersprüche stecken. Steigerungen der demokratischen Qualität in einer Dimension können durch Rückbildungen in anderen Dimensionen konterkariert werden – von den regelmäßig zu erwartenden nicht intendierten Folgen einmal ganz abgesehen.

Es dürfte deutlich geworden sein, dass ein beteiligungsorientiertes Demokratie-Audit selbst ein wichtiger Beitrag zur Vitalisierung von Demokratie sein kann. Es konzentriert sich nicht nur auf eine Leistungsbilanz der bestehenden politischen Institutionen und der sie tragenden Zusammenschlüsse, sondern nimmt auch die demokratische Verfassung der Zivilgesellschaft in den Blick. Zudem wird die zunehmend bedeutende Frage des Einflusses transnationaler Institutionen und regionaler Zusammenschlüsse (EU) auf den nationalen Politikprozess gestellt, ohne wiederum dessen transnationale Wirkungen zu vernachlässigen.[72]

---

72 Die übergreifende Fragestellung lautet: »Ist die Wirkung externer Einflüsse unterstützend für die demokratische Entwicklung des Landes?«

## Deutsche Erfahrungen

Im Unterschied zu den Nachbarländern Niederlande und Österreich (Campbell/Schaller 2002) gibt es für die Bundesrepublik bislang kein umfassendes Demokratie-Audit. Immerhin verfügen wir durch Einzelstudien und internationale Vergleiche über eine Fülle von Informationen zu einzelnen Dimensionen eines solchen Audits: Sie reichen von den Resultaten der Parteien- und Wahlforschung über die Protest- und Bewegungsforschung bis hin zu den Ergebnissen der Freiwilligensurveys. Sie sind jedoch nicht eingebunden in einen Reformprozess, der auf eine möglichst breite Beratung und Bewertung der Bürgerschaft setzt und damit dem Anspruch eines demokratischen Audits genügen könnte.

Zudem fällt auf, dass es enorme Wahrnehmungs-, Wissens- und Bewertungslücken gibt. Zum Beispiel liegen die letzten Versuche, die Praxis von Bürgerinitiativen, beispielsweise ihre Themen, Aktionsformen, Teilnehmerstrukturen oder Erfolge, systematisch zu erfassen und in ihren demokratischen Wirkungen zu bewerten, bereits drei Jahrzehnte zurück, obwohl wir auch heute davon ausgehen können, dass in solchen Initiativen regelmäßig mehr Menschen engagiert sind als in den politischen Parteien. Dabei dürfte nicht nur die Zahl der Initiativbürger von Interesse sein, sondern gerade auch die demokratische Qualität ihres Engagements – eine Frage, die nicht erst durch das Vordringen rechtsextremer Kräfte in Hei-

---

Und umgekehrt: »Trägt die Außenpolitik eines Landes dazu bei, globale Demokratie zu stärken?« (Landman 2008: 30).

matvereinen oder Bürgerinitiativen gegen Moschee-Bauten an politischer Brisanz gewonnen hat (s. Häusler 2008).

Diese Abstinenz in Sachen Demokratie-Audits ist erstaunlich, gibt es doch zahlreiche Gründe, den Zustand der Demokratie in Deutschland genauer auszuloten und nach Reformansätzen zu suchen. Das Vertrauen in die Leistungsfähigkeit gewählter Regierungen befindet sich ebenso auf einer Talfahrt wie der Legitimationsglaube der Bevölkerung, die in ihrer Mehrheit an der Gemeinwohlorientierung der politischen Repräsentanten zweifelt. Gleichzeitig wächst der Anspruch, intensiver an politischen Entscheidungen beteiligt zu werden. Gefragt sind tiefgehende politische Reformen, die dem entleerten repräsentativen Gefüge direktdemokratische, deliberative und assoziative Stützen verschaffen.

Dies gilt für alle Ebenen der Staatsorganisation. Während der Bund keine positive Resonanz auf eine demokratisch anspruchsvollere Bürgerschaft zeigt, gibt es auf Landesebene bereits mutmachende Versuche. So hat Rheinland-Pfalz seine Verwaltungs- und Kommunalreform mit einem bisher einmaligen Aufwand an demokratischer Beteiligung vorangebracht (Beck/Ziekow 2011) – allerdings ohne sich auf ein themenübergreifendes und umfassendes Demokratie-Audit zu stützen. Die Bundesländer Thüringen und Sachsen haben ein regelmäßiges Berichtssystem entwickelt, das mehr oder weniger detaillierte Auskünfte zur Demokratiezufriedenheit der Bevölkerung erhebt. Es ist jedoch nicht in partizipative Prozesse mit reformpolitischer Zielsetzung im Sinne des »democratic auditing« eingebunden.

Die größte Nähe zu den demokratiepolitischen Intentionen

von Demokratie-Audits lässt sich bei verschiedenen kommunalpolitischen Initiativen feststellen. Zwei Anknüpfungspunkte verdienen besondere Aufmerksamkeit:

1. Im Zusammenhang mit verschiedenen Netzwerken von »bürgerorientierten Kommunen« wurde auch die skandinavische Tradition »kleiner Demokratiebilanzen« aufgegriffen. Im Zentrum steht dabei die Leistungsfähigkeit kommunaler Einrichtungen und politischer Vertretungen, aber auch die Zufriedenheit mit den Möglichkeiten politischer Einflussnahme vor Ort insgesamt. Einige Kommunen, so in Viernheim, Heidelberg, Leipzig, Nürtingen und Weyarn, haben mit einer Reihe solcher lokalen Demokratiebilanzen praktische Erfahrungen gesammelt und sie zur Grundlage kommunaler Reformprozesse gemacht.[73] Qualität und Ansprüche der Studien sind sehr unterschiedlich, ebenso die Ausdauer, mit der sie betrieben wurden. Für eine Studie zu Viernheim gab es auch eine nationale Vergleichsuntersuchung, die Benchmarks zur Verfügung stellen sollte (Gensicke 2002). In den letzten Jahren hat es vor allem für lokale Bürgerhaushalte umfassende Beteiligungs- und Bewertungsverfahren gegeben, in denen die örtliche Bürgerschaft ihre Prioritäten zum Besten gegeben hat.

   Während der Beginn der Reformnetzwerke stark unter den Vorzeichen des »neuen Steuerungsmodells« stand

73 siehe: www.buergerorientierte-kommune.de/schwerpunkte/demokratiebilanz.html

und der demokratischen Eigentätigkeit der Gemeindebürger wenig Aufmerksamkeit widmete, können heute manageriell orientierte Reformansätze wenig überzeugen. Allerdings ist mit der tiefen Finanzkrise der Kommunen nicht nur der Steuerungsoptimismus geschwunden. Ihre demokratische Handlungsfähigkeit steht insgesamt zur Disposition (vgl. DStGB 2010).

2. Demokratie ist zu einem zentralen Fokus kommunaler Strategien gegen Rechtsextremismus und Fremdenfeindlichkeit geworden, die seit einem Jahrzehnt auch durch Bundesprogramme gefördert werden. Dies gilt besonders für die »Lokalen Aktionspläne« (LAPs), die inzwischen in beachtlicher Zahl seit mehreren Jahren gefördert werden. Es wäre zu prüfen, in welchem Umfang und mit welchen Ausformungen das Demokratiepostulat der LAPs ernst genommen worden ist. Anspruchsvolle positive Beispiele bieten Dessau-Roßlau oder Wiesbaden. Die Maßnahmeförderung der Bundesprogramme ist besonders in Berlin durch umfangreiche Sozialraumanalysen unterstützt worden. Innovativ sind sicherlich auch die »Sozialraumanalysen zum Zusammenleben vor Ort« (SoRA-ZO) mit dem Fokus auf soziale Desintegration und Engagementbereitschaft gegen Rechtsextremismus. Während die LAPs in der Regel eher pragmatisch angelegt sind, gehen die Sozialraumanalysen stark theoriegeleitet vor. Beide Ansätze lassen den Deutungen der Befragten jedoch wenig Raum und beleuchten nur einen kleinen, wenn auch wichtigen Ausschnitt des demokratischen Geschehens vor Ort.

## Vorläufiges Fazit

Das demokratiepolitische Potential von Demokratie-Audits ist in der Bundesrepublik bislang kaum genutzt worden. Ob dies an einer notorisch überheblichen Selbstzufriedenheit im politischen Betrieb und/oder einer politikwissenschaftlichen Begleitforschung liegt, die sich von den in der Bevölkerung angestauten Unzufriedenheiten mit der real existierenden Demokratie nicht ankränkeln lässt, mag hier offenbleiben. In ihrer Abschiedsrede hat die professionell angesehene Politikwissenschaftlerin Heidrun Abromeit (2007) diese Überanpassung an den politischen Betrieb gerade in der Frage der demokratischen Maßstäbe einer (selbst-)kritischen Inspektion unterzogen. Dennoch sind Spekulationen über eine Leerstelle in der Regel müßig.

Zu demokratischen Audits wird es vermutlich nur kommen, wenn das Unbehagen sich in Gestalt von »Wutbürgern« verstärkt und eine Ausweitung demokratischer Mitsprache und Mitentscheidung demonstrativ eingefordert wird. Nach vorliegenden Erfahrungen geschieht dies am wahrscheinlichsten auf kommunaler Ebene, weil sie in der Reichweite der meisten Bürgerinnen und Bürger liegt. Die Demokratiebilanzen der Bürgerkommunen kommen den Absichten des britischen Vorbilds der »democratic audits« vermutlich am nächsten. Dass es nur bei einigen Dutzend Kommunen geblieben ist, die sich auf diesen Weg begeben haben, dürfte an den erheblichen Widerständen liegen, auf die nachhaltige Formen der demokratischen Beteiligung gerade auch in den Kommunen stoßen (vgl. Roth 2009). Dass die Impulse aus einzelnen Institutionen, vor allem demokratischen Schulen und Kindergärten, und Politikfeldern, wie der Auseinandersetzung mit Rechtsextremismus in LAPs, kommen, verweist auf vorhandene Potentiale. Sie machen gleichzeitig die Wegstrecke deutlich, die noch zu bewältigen ist, um zu umfassenden Demokratie-Audits auf allen politischen Ebenen zu kommen.

## Empowerment für eine solidarische Bürgergesellschaft

> *»Sich dem Empowerment-Programm verpflichtet zu fühlen, bedeutet, sich zum Ziel zu setzen, solche Lebenskontexte zu identifizieren, zugänglich zu machen oder neu zu schaffen, in denen bislang stumme und isolierte Menschen (...) Verständnis, Stimme und Einfluss im Hinblick auf jene Lebensumstände gewinnen, die ihr Leben beeinflussen.«*
> Julian Rappaport

Der Empowermentbegriff kommt aus einer anderen politischen Kultur, die mit Macht positive Erwartungen verknüpft. In der pragmatischen Tradition der USA bedeutet Macht, die Fähigkeit, Dinge, Projekte voranzubringen, »getting things done«. Menschen tun sich zusammen, um gemeinsam etwas zu bewirken, und nicht, um andere zu Handlungen zu zwingen, die sie eigentlich, das heißt ohne die Androhung von Zwang, gar nicht tun wollen. Dem entspricht ein Politikverständnis, für das sich die vertriebene deutschstämmige

Philosophin Hannah Arendt zeitlebens stark gemacht hat. Es geht bei Politik und Macht um die Fähigkeit freier Menschen in einer pluralen Gesellschaft, die gemeinschaftlichen Angelegenheiten kooperativ und öffentlich zu regeln.

Für die Sache selbst dürfte es keine Urheberschaft geben, denn ihre gemeinsame Handlungsfähigkeit dürften Menschen zu allen Zeiten entdeckt haben. Dennoch gilt Empowerment heute als eine Erfindung der US-Zivilgesellschaft, wenn auch eines besonderen Ausschnitts. Soziale Bewegungen in den USA – insbesondere die Bürgerrechts- und Frauenbewegung – sind die eigentlichen Ideengeberinnen des Empowermentkonzepts. Es stellt den Versuch dar, von den Praxisformen und Erfolgen vor allem der Bürgerrechtsbewegung zu lernen (Simon 1994). Wie es einer zunächst versklavten, dann lange diskriminierten, entmutigten und als machtlos eingestuften Bevölkerungsgruppe gelungen ist, alltäglichen Rassismus und vielfältige institutionelle Ausgrenzungen aufzubrechen, dazu beizutragen, dass Afroamerikaner schließlich als Bürger mit gleichen Rechten anerkannt wurden, inspirierte auch Professionelle in den Sozial-, Gesundheits- und Bildungseinrichtungen. Die Impulse reichen von der Bewusstseinsveränderung durch Selbsterfahrung und die biografische Rückbesinnung auf die eigenen Stärken über »Organizing« als Vernetzung und Gruppenbildung von zuvor Vereinzelten bis hin zu zivilem Ungehorsam und Protest als Wege, um schwache und benachteiligte Bevölkerungsgruppen zu stärken. Dass die Organisations- und Kampfformen sozialer Bewegungen in den USA leichter Eingang in das Curriculum der Sozialberufe – etwa als

Aktionsforschung, Community Organizing oder »empowerment evaluation« – fanden, hat auch mit den Bedingungen eines trotz New Deal residualen Sozialstaats zu tun, in dem es nur unzureichende sozialrechtliche Garantien und staatliche Sicherungssysteme gibt. Um die Lebensbedingungen ärmerer Bevölkerungsgruppen zu verbessern, erscheinen Protest und Bewegung in der Tradition der »poor people's movements« (Piven/Cloward 1986) aussichtsreicher als der Weg zu Sozialbehörden. Auch heute spielen in den USA solche meist lokalen sozialen Proteste, die zuweilen national und transnational vernetzt sind, eine wichtige sozialpolitische Rolle. Ein eindrucksvolles Beispiel bietet die in Philadelphia ansässige Kensington Welfare Rights Union, die nicht nur durch zahlreiche Protestaktionen auf sich aufmerksam machte, sondern auch eine Universtät für die Armen gründete, sich an den Weltsozialforen beteiligt und ein internationales Netzwerk von Initiativen für ökonomische Menschenrechte aufgebaut hat (www.kwru.org).

Das aktuelle Interesse an Empowerment dürfte in Deutschland sowohl mit einer selbstbewussteren Zivilgesellschaft als auch mit dem Erodieren sozialstaatlicher Garantien zu tun haben. Gleichzeitig nähern wir uns über Hartz IV und Workfare-Maßnahmen auch von der anderen Seite den US-Verhältnissen an, wo Armutssicherung und soziale Teilhabe eher durch Protest und Widerstand, aber nicht auf dem Rechtsweg zu bekommen sind. Wir sind zwar in vieler Hinsicht noch weit vom US-Modell des Wohlfahrtskapitalismus entfernt, aber die mit der Agenda 2010 vollzogene programmatische Abkehr vom »alten« Sozialstaat und die forcierten gesellschaftlichen Ausgrenzungs- und Spaltungsprozesse, die unter anderem durch die »Entdeckung« des »Prekariats« oder die aktuellen Zahlen zur Armutsentwicklung, besonders bei Kindern, thematisiert werden, erfordern neue sozialpolitische Initiativen und Handlungsformen.

Es ist jedoch kein naturwüchsiger Prozess, wenn in die sozialstaatlichen Lücken nun zivilgesellschaftliche Akteure einwandern und selbstbewusst das Ruder übernehmen. Konkrete Zivilgesellschaften oder Bürgergesellschaften sind keineswegs naturwüchsig auf Empowerment eingestellt. Dies gilt zunächst nur für demokratisch und emanzipatorisch gestimmte soziale Bewegungen und Initiativen.

Das Empowerment rechtsextremer Bewegungen trägt sicherlich nicht zu einer auf Toleranz, Vielfalt und Anerkennung gestimmten Zivilgesellschaft bei, ist aber eine zunehmend ernst zu nehmende Erscheinung »realer« Zivilgesellschaften. Es gibt viele zivilgesellschaftliche Bereiche, die nicht im Verdacht stehen zu »empowern«, das heißt, Menschen in benachteiligenden Verhältnissen, mit schwachen Unterstützungsnetzwerken und mit fehlendem Selbstbewusstsein zu stärken. In den ruhigen Zonen des Vereinslebens – in Sportvereinen, bei der Freiwilligen Feuerwehr oder in Heimatvereinen – können wir eher die Reproduktion der bestehenden Machtverhältnisse erwarten.

Auch wenn freiwillige Mitgliedschaften und Solidarität in der zivilgesellschaftlichen Sphäre stärker verbreitet sind als in anderen gesellschaftlichen Bereichen, wäre es naiv, Zivilgesellschaft als herrschaftsfreie und machtarme Zone zu verstehen, die sich auf Zivilität und Solidarität gründet.

Wir müssen vielmehr davon ausgehen, dass auch Zivilgesellschaften eine Struktur haben, in der ökonomische wie politische Machtverhältnisse ihren Niederschlag finden. Zivilgesellschaften sind keine neutralen Felder, auf denen alle mit gleichen Chancen spielerisch um Machtanteile und Gestaltungsmöglichkeiten ringen können. Dies gilt nicht zuletzt für Empowermentprozesse, denn sie setzen zunächst die stark bildungs- und damit auch schichtabhängige Fähigkeit zur Beteiligung und zeitliche Abkömmlichkeit voraus. Ähnliche Einschränkungen gelten auch für die normative Ausstattung zivilgesellschaftlicher Akteure. Zivilität und Solidarität sind Normen, die von vielen Milieus – von rechtsextremen Kameradschaften bis zu den Netzwerken neoliberal gestimmter Wirtschaftseliten – nur kontrafaktisch beansprucht werden.

Was für die Binnenwelt zu sagen ist, gilt noch stärker für die Einbettung von Zivilgesellschaft. Die Prägekraft der nichtzivilen Sphären von Wirtschaft, Staat und Gemeinschaften/Familien kann kaum überschätzt werden. Zum einen gilt es deren vielfältige zerstörerische Einflüsse und Kolonisierungsprozesse zu berücksichtigen – erinnert sei nur an die für die Verfassung der Zivilgesellschaft durchaus folgenreiche »mobilization of bias« durch ausländerfeindliche Wahlkampagnen. Zum anderen ist Zivilgesellschaft in hohem Maße von Vorleistungen aus den anderen Bereichen abhängig – etwa durch die Garantie der Bürgerrechte, durch ökonomische und soziale Absicherungen –, gleichgültig ob über einen funktionierenden Arbeitsmarkt, Sozialversicherungssysteme oder ein garantiertes Grundeinkommen. So wird zu Recht vor der Illusion gewarnt, soziale Sicherung ließe sich allein auf den

Schultern der Zivilgesellschaft abladen, denn dies würde die Ressource Solidarität überfordern.

Dennoch gibt es gute Argumente, nicht dem schwindenden Sozialstaat nachzutrauern, dessen Schattenseiten beim Abschied gern vergessen werden, sondern sich für eine demokratische Wohlfahrtsgesellschaft einzusetzen, die das spezifische Gewicht der Zivilgesellschaft stärkt, indem sie den Individuen und ihren freiwilligen Zusammenschlüssen größere Selbstbestimmung und Selbstgestaltungsmöglichkeiten eröffnet (vgl. Keupp 2007).

Dafür ist die gelegentlich beschworene »Neuerfindung des Bürgers« im Sinne des bürgerschaftlichen Engagements in Bürgerinitiativen, sozialen Bewegungen, Selbsthilfegruppen und sozialen Initiativen eine zentrale Voraussetzung. Sie sind eine wichtige Instanz, wenn es darum geht, gegen die Zangenbewegung von Durchstaatlichung und Vermarktlichung gerade auch im Sozialbereich das »Soziale«, das heißt die eigensinnige und selbstbestimmte Gestaltung von Lebensweisen, zur Geltung zu bringen.

## Eine zunehmend selbstbewusste deutsche Zivilgesellschaft und ihre Grenzen

International vergleichende Studien haben die Vielfalt realer Zivilgesellschaften aufgezeigt, deren Konturen stark von nationalen Traditionen und Entwicklungspfaden geprägt sind (vgl. etwa Salamon u.a. 1999 und 2004). So finden wir zum Beispiel in Lateinamerika hierarchisch gespaltene Zivilgesellschaften, in denen sich die Zusammenschlüsse der Oberschicht stark von denen der Unterschicht abgrenzen. Die Vermessung der deutschen Zivilgesellschaft hat bislang widersprüchliche Befunde zutage gefördert (vgl. Reimer 2006):

Einerseits existiert ein reiches Assoziationswesen – traditionell geprägt von Vereinen – und ein beachtliches bürgerschaftliches Engagement, andererseits haben wir es mit einer vergleichsweise staatslastigen, stark durch staatliche Subventionen und Abhängigkeiten geprägten Zivilgesellschaft zu tun. Im Sozialbereich gilt dies vor allem für die im internationalen Vergleich einmalige Privilegierung der – zunächst stark kirchlich geprägten – Wohlfahrtsverbände durch die nach dem Kriege verankerte »institutionelle Subsidiarität«. Das beachtliche – staatlich geförderte – ökonomische und institutionelle Gewicht hat die Schattenseite eines konfliktscheuen und wenig selbstbewussten »Dritten Sektors«, der seiner anwaltlichen Kritik- und Korrekturfunktion insgesamt nur sehr begrenzt nachkommt. Zur Prägekraft staatlicher Alimentierung gehört auch der Anreiz, Spitzenverbände zu bilden, die – vom Bund bis zu den Kommunen – in korporatistische Aushandlungssysteme eingebunden sind.

Gegen den damit verbundenen Mangel an Anwaltschaft und direkter Interessenvertretung haben sich in der Geschichte der Bundesrepublik immer wieder soziale Bewegungen entwickelt, die vor allem jene Themen zur Sprache brachten, die in den wohlgeordneten verbandlichen Verhandlungssystemen – zumindest zunächst – keinen Platz hatten, so die Kritik an der Heimunterbringung, Initiativen gegen Männergewalt, für die Rechte von Klienten und Patienten, gegen Erwerbslosigkeit, für gesundheitspolitische Alternativen oder Selbsthilfe. Seine beachtliche Stärke, aber auch sein begrenzter Einfluss auf sozialpolitische Grundsatzentscheidungen kennzeichnen den Bewegungssektor. Selbsthilfegruppen, Protestbewegungen und Alternativszenen waren allerdings in einer anderen Dimension erfolgreich. Sie haben über die Jahre hinweg die Institutionen und Etappen des Lebenslaufs und damit das »Soziale« zumindest in dem Sinne politisiert, dass Alternativen eingefordert wurden und möglich sind. Dies beginnt bei der Pränataldiagnostik, gilt für die Geburt, die Varianten der Kindererziehung und vieles andere mehr, aber auch für den Umgang mit Krankheiten, mit Alter und Sterben. Hospizinitiativen bemühen sich um menschenwürdige Formen, den letzten Lebensabschnitt zu gestalten. Brustkrebsinitiativen fordern einen anderen Umgang mit dieser schweren Krankheit. Die Schwulenbewegung hat in der Bundesrepublik erheblich dazu beigetragen, dass sich seuchenpolizeiliche Ansätze im Umgang mit Aids nicht durchsetzen konnten. Die Liste der Beispiele ließe sich lange fortsetzen. Gemeinsam ist ihnen, dass – mal mehr, mal weniger offensiv – institutionell eingespielte Formen der Behandlung und Verwaltung von Lebenslagen sowie die sie tragenden sozialen Professionen selbstbewusst herausgefordert werden.

Solche erweiterten Gestaltungsansprüche finden sich zudem auch in den eingespielten Formen des bürgerschaftlichen Engagements. In den Freiwilligensurveys von 1999 und 2004 finden wir eindeutige Hinweise. Wenn in der öffentlichen Debatte häufig Spaß und Geselligkeit betont werden, wo es um die Erwartungen geht, die mit freiwilligem Engagement verbunden werden, bleibt zumeist offen, woran die Engagierten eigentlich Spaß haben. Eine genauere Analyse ihrer Motive bringt interessante Aufschlüsse. Die Aussage »Ich will durch mein Engagement die Gesellschaft zumindest im Kleinen mitgestalten« findet bei zwei Dritteln der freiwillig Engagierten volle Zustimmung. »Wenigstens teilweise wird dieses Motiv sogar von fast allen Engagierten angegeben« – nämlich von 95 Prozent (Gensicke/Geiss 2006: 322). Selbst im größten und vergleichsweise politikfernen Bereich Sport und Bewegung erheben noch 59 Prozent der Engagierten voll und ganz diesen Anspruch. Er bleibt nicht auf die zivile Sphäre beschränkt. Wenn sich Menschen freiwillig in staatlichen beziehungsweise kommunalen Einrichtungen betätigen, prägen sie durch Koproduktion öffentliche Aufgaben und Leistungen mit: »Vor allem öffentliche Schulen, Kindergärten, Krankenhäuser, Hospize, Behinderteneinrichtungen und Altenheime sind hier zu nennen, aber auch die an kommunale Einrichtungen gebundene Freiwillige Feuerwehr sowie das lokale Bürgerengagement« (Gensicke/Geiss 2006: 312).

Auch die Schnittfläche von Zivilgesellschaft und Unternehmen hat in jüngster Zeit erheblich an politischer Dynamik gewonnen. Zum einen verpflichten sich Unternehmen im Rahmen von Corporate Citizenship oder Corporate Social Responsibility mehr oder weniger freiwillig und folgenreich, »gute Bürger« zu sein, und müssen sich schließlich auch an diesen Maßstäben messen lassen. Zum anderen sind »aktive Konsumenten« zu ernst zu nehmenden Akteuren geworden, die durch ethisch-politisch motivierte Kaufentscheidungen je nach Branche erheblichen Druck entfalten können.

# III. Demokratie lernen

*»If democracy is a good thing (as almost everybody everywhere now seems to believe) then more democracy should presumably be an even better thing.«*
JOHN DRYZEK

## Bürgermacht setzt Bürgerschaft voraus

Die Frage nach der Macht, die in der Idee der Bürgermacht angesprochen wird, ist bereits in den Darlegungen zur Bürgerschaft angeklungen. Es geht um wechselseitige Anerkennung und Verständigung, um gemeinsames Handeln und Gestaltungskraft. In der üppigen Theorielandschaft, die Macht zu lokalisieren versucht, hat Bürgermacht einen spezifischen Ort. Dieser liegt näher bei Hannah Arendt als bei Max Weber. Seine klassische Definition von Macht als »Chance, innerhalb einer sozialen Beziehung den eigenen Willen auch gegen Widerstreben durchzusetzen, gleichgültig worauf diese Chance beruht« (1922: 28) schlägt eine andere Tonlage an als Hannah Arendt, für die es bei Macht um die Steigerung der Fähigkeit geht, die gemeinsamen Angelegenheiten zu regeln. Bürgermacht ist eine Übersetzungsvariante von Empowerment. Sie bricht mit der Vorstellung eines Nullsummenspiels von Macht und setzt auf verbesserte individuelle und gemeinschaftliche Handlungsfähigkeit. Die klassische Vorstellung von Staatlichkeit spricht für Weber, und sie dominiert bis heute. Durch sein Monopol legitimer physischer Gewaltsamkeit verfügt der Staat über eine Fülle an Chancen, den Willen von Menschen zu brechen, ihren Gehorsam zu erzwingen, bevor auch nur Zwangswerkzeuge gezeigt werden. Hannah Arendt entwirft demgegenüber eine demokratische Politik- und Machtkonzeption, die auf das freiwillige Zusammenwirken freier Menschen im politischen Raum zum gemeinsamen Nutzen zielt. Bürgermacht bildet das Zentrum unserer Vorstellung vom Gemeinwesen. Für seine Bürger geht es darum, die eigene Selbstwirksamkeit zu erfahren und zu entfalten: Sie wird vor allem dann erfahrbar, wenn positive Ergebnisse eines Beteiligungsprozesses auf die eigene Mitwirkung zurückgeführt werden können.

Es fällt leicht, den beiden polaren Machtbegriffen unterschiedliche Handlungsfelder und Machtquellen zuzuordnen. Max Weber orientiert sich an der modernen Staatlichkeit und ihrem zentralen Herrschaftsmittel der zwingenden Gewalt, während Hannah Arendt sich eher in der Nähe freiwilliger Vereinigungen in der Zivilgesellschaft bewegt. Von solchen groben Vereinfachungen einmal abgesehen, besteht die Herausforderung just darin, beiden Machtbegriffen ihre jeweilige Realität zuzubilligen und zu sehen, dass sie sich in einem permanenten Kampfverhältnis befinden. Die Zuordnung der Machtbegriffe zu Bereichen verkennt, dass sie jeweils in allen Bereichen – wenn auch in sehr unterschiedlichen Gewichtungen – anzutreffen sind. Dies gilt nicht zuletzt für die Ökonomie, die einerseits auf Kooperation baut und andererseits mit den Eigentumstiteln Direktionsrechte verbindet. Wenn in diesem Buch von Bürgermacht die Rede ist, geht es um veränderte Machtbalancen zwischen Bürgerinnen und Bürgern auf der einen Seite und dem Staat auf der anderen, die zu einer Verbesserung der demokratischen Qualität des Gemeinwesens beitragen.

Ohne in die Untiefen der vielgestaltigen Machtbegriffe einzutauchen, soll das Verständnis von Bürgermacht und Bürgerdemokratie nachfolgend anhand von praktischen Demokratie- und Partizipationskonzepten in der Auseinandersetzung mit bürgerschaftlichem Engagement und Empowerment präzisiert werden. Bürgermacht appelliert nicht an die möglichst erfolgreiche Durchsetzung eigener Interessen, sondern setzt Bürgerschaft voraus. Entsprechend sind die Bürgerinnen und Bürger dieser Streitschrift nicht Angehörige einer sozialen Kategorie des Bürgertums, sondern Teil der Bürgerschaft als politisches Konzept. Im Zentrum stehen die normativen Grundlagen, institutionellen Absicherungen und konkreten Ausformungen, unter denen sich die Bürger und Bürgerinnen – jenseits aller verbliebenen Unterschiede – als Gleiche anerkennen. Diese Formulierung macht deutlich, dass es nicht nur um die gesetzlich fixierten Bürgerrechte und Bürgerpflichten oder um die Regulierung des Zugangs zum Bürgerstatus geht. Vielmehr stellt sich die Frage, ob sich Menschen in einer Gesellschaft als gleichberechtigt wahrnehmen, anerkennen und behandeln. Die internationale Debatte über »citizenship« – ins Deutsche nur unter charakteristischen semantischen Verlusten mit »Staatsbürgerschaft«, »Bürgerrechte« oder »Bürgerstatus« zu übersetzen – hat im letzten Jahrzehnt eine erstaunliche Karriere erlebt, die keineswegs abgeschlossen ist. Bei aller Vielfalt der Motive liegen einige der Gründe für dieses verstärkte Interesse auf der Hand:

Mit den weltweiten Migrationsbewegungen sind Fragen nach dem Zugang zum Bürgerstatus, nach seiner Bedeutung für die gesellschaftliche und politische Integration von Fremden sowie seiner sozialen Implikationen zu vordringlichen Themen geworden. Wie und unter welchen Umständen aus Flüchtlingen und Migranten Mitbürger mit vollen Bürgerrechten werden, gehört zu den politisch brisantesten Themen in der reichen Staatenwelt des Nordens.

Ökonomische Globalisierungsprozesse und damit verbundene politische Gewichtsverlagerungen haben die Orientierung am Nationalstaat als »natürlicher« und einziger, zumindest aber wichtigster Quelle des Bürgerstatus problematisch werden lassen. Positiv zeigt sich dies am zunehmenden Gewicht der Menschenrechte, in der Legitimation internationaler Politik im Sinne eines »transnational citizenship«, an der Entwicklung des EU-Bürgerstatus, aber auch im neuerlichen Bedeutungszuwachs des lokalen Bürgerstatus. Mit den vielfältigen Globalisierungsprozessen ist auch der Bürgerstatus massiven Veränderungen ausgesetzt. Seine nationale Ausgestaltung als Staatsangehörigkeit hat einerseits an Bedeutung gewonnen, eröffnet doch die nationale Zugehörigkeit in den reichen Ländern des Nordens Privilegien, die denen feudaler Geburtsrechte gleichkommen. Die aktuellen politischen Konflikte um die Immigrations-, Asyl- und Flüchtlingspolitik verweisen auf das Gewicht von Staatsangehörigkeit in einer Welt vielfältiger Migrationsprozesse. Gleichzeitig leidet der national definierte Bürgerstatus an Auszehrungen in zwei Richtungen. Transnationale Bürgerrechte gewinnen an Bedeutung, sei es mit der allmählichen Herausbildung eines EU-Bürgerrechts, dem Rekurs auf kosmopolitisch verstandene Menschenrechte in der internationalen Politik, wie zum Beispiel im Falle kriegerischer »humanitärer Interventionen« oder Sozialklauseln in internationalen Verträgen. Gleichzeitig gewinnt auch die subnationale Ebene für die Ausgestaltung von »citizenship« (erneut) an Gewicht. Teils durch den Rückzug des Nationalstaats als Garant sozialer Bürgerrechte, teils durch die Ausweitung politischer Bürgerrechte in den Kommunen bedingt, nimmt die lokale Ebene wachsenden Einfluss auf die konkrete Ausgestaltung des Bürgerstatus.

Die von T.H. Marshall (1950/1992) vor mehr als sechzig Jahren am britischen Beispiel analysierte Abfolge ziviler, politischer und sozialer Bürgerrechte ist in ihrer evolutionären Gewissheit nachhaltig erschüttert worden. Weder in ihren einzelnen Dimensionen noch in ihrer sich verstärkenden Dynamik erscheint »citizenship« heute als ein garantierter Status. Nicht zuletzt die sozialen Bürgerrechte sind seit einiger Zeit sowohl faktisch unter Druck als auch in ihrer Legitimation strittig. Gleichzeitig drängen sozial benachteiligte, ausgegrenzte Bevölkerungsgruppen und ihre Unterstützer mit Forderungen nach Existenzgeld oder einem festen Grundeinkommen auf eine garantistische Stärkung sozialer Bürgerrechte.

Marshalls dreigestuftes »citizenship«-Konzept hat jedoch

auch Kritik aus anderen Richtungen erfahren. Seiner klassischen Version war ein »male breadwinner model« des erwerbstätigen Bürgers allzu deutlich eingeschrieben, da es nicht zuletzt weibliche Lebensentwürfe diskriminierte. Wie steht es zudem um den Bürgerstatus von Kindern, Jugendlichen und alten Menschen oder von Klienten wohlfahrtsstaatlicher Einrichtungen? Selbst wenn heute zu einer »full citizenship« in selbstverständlicher Weise die Erweiterungen der »sexual citizenship« oder »ecological citizenship« gehören, um nur zwei Beispiele zu nennen, sind die historischen Engführungen der »citizenship«-Debatte nicht überwunden. Jedenfalls haben vor allem die neuen sozialen Bewegungen eine Fülle von Anfragen und Anforderungen an eine zeitgemäße Ausgestaltung des Bürgerstatus gestellt, deren Einlösung noch lange auf der politischen Agenda stehen wird.[1]

In den aktuellen Debatten über bürgerschaftliches Engagement, Zivilgesellschaft und soziales Kapital kommt eine Neugewichtung von »citizenship« zum Ausdruck, die demokratietheoretisch und -praktisch von besonderem Interesse ist – zumal in der deutschen Tradition citizenship einen passiven, staatlich-obrigkeitlich gewährten Bürgerstatus darstellt. Dessen Umwandlung in Richtung »aktive Bürgerschaft« ist in vollem Gange, aber ohne veränderte institutionelle Verfahren

1 Die Debatte über citizenship wird seit 15 Jahren intensiv in der internationalen Zeitschrift »Citizenship Studies« geführt. Aus der Fülle an Literatur sei mit Blick auf Marshalls Aktualität auf den Sammelband von Bulmer und Rees (1996) verwiesen. Eine aktualisierende deutsche Textsammlung bieten Mackert und Müller (2007), die transnationale Dimension beleuchtet der Sammelband von Kleger (1997).

in den Bereichen professioneller und repräsentativer Politik sicher nicht zu haben.

»Bürgerschaft ist ein Status, der allen Mitgliedern einer Gemeinschaft zukommt. Alle, die diesen Status besitzen, sind gleich mit Blick auf Rechte und Pflichten, mit denen dieser Status verknüpft ist.« Diese klassische Definition von T. H. Marshall verdeutlicht, dass es bei Bürgerschaft nicht nur um einen vorwiegend rechtlich definierten Status, sondern zugleich um eine an Gleichheit und wechselseitiger Anerkennung orientierte gesellschaftliche Praxis geht. Der Bürgerstatus definiert ein gesellschaftlich allgemein akzeptiertes Ideal, an dem sich konkrete Zustände und politische Strategien messen lassen müssen. Kämpfe und Konflikte sind in seine Ausgestaltung eingeschrieben. Die Geschichte sozialer Bewegungen lässt sich nicht zuletzt als eine der Kämpfe um den Bürgerstatus sowie gegen seine herrschaftliche, geschlechtsspezifische und elitäre Einengung beschreiben. Ein zentraler Streitpunkt sind dessen Zugangsbedingungen. Dies betrifft nicht nur die Ausgestaltung des Staatsbürgerrechts (ius soli versus ius sanguinis)[2], sondern auch seine frühbürgerliche Begründung durch Eigentum oder – moderner – durch Erwerbsarbeit. Judith N. Shklar hat in ihrer berühmten Tanner

2 Damit werden die beiden Grundprinzipien des Zugangs durch Abstammung oder durch den Geburtsort gekennzeichnet. Das konkrete nationale Staatsbürgerrecht enthält meist Kombinationen beider Prinzipien, allerdings mit einem deutlichen Schwergewicht auf einem der beiden Prinzipien.

Lecture über Bürgerschaft in den USA[3] betont, dass in dieser Gesellschaft im Grunde nur ein Bürgerrecht allgemein akzeptiert ist, nämlich das Recht auf Erwerbsarbeit. Wenn diese rar wird, wie seit geraumer Zeit in vielen reichen Ländern des Westens, stellt sich erneut die Frage nach den gesellschaftlichen Grundlagen für die wechselseitige Anerkennung der Bürgerinnen und Bürger untereinander in ihrer jeweiligen Unterschiedlichkeit.

Aber ist diese Betonung des Bürgerstatus überhaupt angemessen und nicht hoffnungslos altmodisch? Schließlich ist das moderne Konzept der Bürgerschaft überwiegend mit dem Nationalstaat verknüpft – im Deutschen sprachlich noch besonders hervorgehoben durch den Begriff der »Staatsbürgerschaft«, im Gegensatz zu »citizenship« beziehungsweise »citoyenneté«. Durch das Wirtschaftswachstum der Nachkriegszeit und den parallelen Ausbau des Sozialstaats schien in den OECD-Ländern die politische Bedeutung von Bürgerschaft rückläufig, weil sie zur Selbstverständlichkeit für fast alle geworden war und sich die einst sehr unterschiedlichen Wohlfahrtsstaaten immer stärker anglichen. Nach dem Ende dieses »Goldenen Zeitalters« scheint dieser Trend gebrochen. Lokale, regionale und einzelstaatliche Zugehörigkeiten gewinnen erneut an Bedeutung, während einheitliche und inklusive Regelungen auf dem Rückmarsch zu sein scheinen. Zudem profilieren sich zunehmend transnationale Institutionen als Quelle von Bürgerrechten, seien es nun regionale Zusammenschlüsse vom Typus der Europäischen Union, die dabei ist,

3 »American Citizenship: The Quest for Inclusion« (1995).

ein eigenes Bürgerrecht zu begründen, oder internationaler Zugehörigkeiten etwa durch Menschenrechtsabkommen – im Sinne einer »global citizenship«. Bekannte Beispiele sind der Menschenrechtsgerichtshof in Den Haag oder die Kinderrechtskommission der Vereinten Nationen, die von den Beitrittsstaaten Fortschrittsberichte und Aktionspläne verlangt, die sie durch zivilgesellschaftliche Akteure überprüfen lässt und bewertet.[4] In der Bundesrepublik zeigten sich nicht nur Regierungsvertreter überrascht, als sie Besuch von UN-Inspektoren bekamen, die sich mit systematischen Benachteiligungen im Bildungssystem oder fremdenfeindlichen Attacken und Diskriminierungen in Deutschland befassten.[5] Wenn wir heute über »citizenship« sprechen, ist es notwendig, sowohl diese verschiedenen Ebenen und ihren jeweiligen Einfluss im Blick zu behalten als auch ihr Zusammenspiel und die dabei auftretenden Gewichts- und Bedeutungsverlagerungen zu beachten.

Symptomatisch ist das Profil der jüngsten Protestbewegungen. Die Proteste gegen die Laufzeitverlängerung deutscher

4 Zur Dynamik und Arbeitsweise dieser Menschenrechtsregime, die mehr als bloße »Papiertiger« sind, siehe Nowak (2002) und Hamm (2003). Den Einfluss internationaler Normen auf nationale Entwicklungen analysieren verschiedene Beiträge in Risse u.a. (1999). Auch die Europäische Union hat für einige Themen, etwa Diskriminierung und Rassismus, solche Verfahren etabliert.

5 Siehe hierzu exemplarisch die Dokumentation von Overwien und Prengel (2007), die deutlich macht, wie wenig hierzulande Bildungsfragen in der Dimension eines Menschenrechts auf Bildung debattiert werden, das die Bundesrepublik in zahlreichen internationalen Pakten längst anerkannt hat.

AKWs richteten sich gegen die Entscheidung der Bundesregierung und bewegten sich somit auf der nationalen Ebene. Anders die Auseinandersetzungen um »Stuttgart 21«, in denen Stadtbürger emphatisch ihr »Recht auf die Stadt« gegen ein politisches Geflecht unterschiedlichster Interessen einklagen, die sich auf politische Weichenstellungen des Landes, des Bundes und der Europäischen Union berufen. Die Reaktorkatastrophe von Fukushima löste in der Bundesrepublik spontan massivere Proteste gegen die Kernenergienutzung aus, als dies in den ersten Wochen nach dem Super-GAU in Japan selbst der Fall war. Die dadurch sichtbare Überlagerung von lokalen, nationalen und kosmopolitischen Zugehörigkeiten kennzeichnet die aktuelle Konstellation, in der sich eine aktive Bürgerschaft bewegt. Sie nimmt damit ein demokratisches Grundprinzip in Anspruch, Einfluss auf Entscheidungen und Unterlassungen zu nehmen, von denen sie zumindest potentiell betroffen ist.

Zentral für demokratische Vitalisierungsprozesse dürfte die Frage sein, ob die Aushöhlung nationaler Zugehörigkeiten von einem Bedeutungsgewinn der lokalen Ebene begleitet wird und ob darin progressive Chancen liegen, wie die vielfältigen lokalen Demokratie- und Beteiligungsmodelle signalisieren. Dabei ist zu beachten, dass diese Prozesse nicht nur in eine Richtung gehen müssen, sondern für verschiedene Ausprägungen von »citizenship« unterschiedlich verlaufen können.

Was sich für die klassischen Elemente des Bürgerstatus sagen lässt, gilt verstärkt für dessen jüngere Erweiterungen, die zumeist erstmals auf lokaler Ebene institutionalisiert wurden. Ein »environmental citizenship«, das heißt das Bürgerrecht auf nicht gesundheitsschädigende Umweltbedingungen, erfuhr zuerst in kommunalen Umweltämtern und Umweltverträglichkeitsprüfungen eine institutionelle Anerkennung. Frauenbüros, die sich um verschiedene Dimensionen der Bürgerinnenrechte kümmern, sind inzwischen in Gemeindeordnungen verankert. Experimente mit aktivierenden Konzepten von Bürgerschaft im Sinne einer Beteiligungskultur sind auf kommunaler Ebene am weitesten gediehen. Auch für Kinderrechte oder die Bürgerrechte von Behinderten und Senioren sind die Kommunen die erste praktisch wirksame Adresse.

Es wäre jedoch verfehlt, aus diesen lokalen Erweiterungen bereits auf eine allgemeine Tendenz in Richtung einer Stärkung lokaler Bürgerrechte zu schließen. Die Erosion des nationalstaatlich gefassten Konzepts des Bürgerstatus hat für die kommunale Ebene durchaus ambivalente Folgen. Drei Entwicklungen scheinen besonders wirksam:

1. **Die Fragmentierung ziviler Bürgerrechte:** Basale Bürgerrechte, wie das der körperlichen Unversehrtheit und Bewegungsfreiheit, sind heute im lokalen Raum vielfach ungleicher verteilt, als dies noch in den 1970er Jahren der Fall war. Im Namen der Konsumenten- und Eigentumsrechte wird in den Einkaufszonen der großen Städte das Aufenthaltsrecht bestimmter Bevölkerungsgruppen beschnitten, werden vormals öffentliche Räume, wie zum Beispiel Bahnhöfe, privatisiert. Kommunale Sicherheitskonzepte und Kriminalitätsvorbeugung lassen ein höchst ungleiches Gemisch von Privilegien und Ausschlüssen entstehen. Sollten Bürgerrechte einst soziale Ungleichhei-

ten abfedern, so tendiert Kommunalpolitik vielfach dazu, sie entlang sozialer Ungleichheiten äußerst ungleich zu verteilen und damit als allgemeine Bürgerrechte auszuhebeln. Während »abweichende« Lebensformen armer Bevölkerungsgruppen auf Null-Toleranz stoßen – man denke an den Umgang mit »Wagenburgen« – und Bürgerrechtsbeschränkungen an der Tagesordnung sind,[6] erfreuen sich die Festungen der Reichen in Form von »gated communities« eines besonderen Schutzes; sie genießen Bürgerrechte erster Klasse.

2. **Die Neufassung politischer Bürgerrechte:** Dieses Signal geht unter anderem von den Reformen der Kommunalverfassungen im letzten Jahrzehnt aus. Es gibt einerseits den Weg für eine Erweiterung und Demokratisierung politischer Bürgerrechte jenseits der Wahl repräsentativer Körperschaften frei, indem – aktuell unter der Überschrift »bürgerschaftliches Engagement« – eine Beteiligungskultur gefördert und anerkannt wird, die sich in den letzten Jahrzehnten vielerorts bereits durch Proteste und soziale Bewegungen herausgebildet hat. Gleichzeitig erleben wir, gefördert durch die Ausbreitung der Direktwahlen von Bürgermeistern und Landräten, eine Zunahme charismatischer Personalisierung und exekutiver Führerschaft. Diese ambivalente Stärkung und Schwächung politischer Bürgerrechte drängt die Frage auf, ob es sich dabei um ei-

6 Siehe dazu Simon (2001) und mit internationalen Beispielen Eick u.a. (2007).

nen wirklichen politischen Substanzgewinn handelt oder um eine – auf Dauer frustrierende – Demokratisierung der Machtlosigkeit.

3. **Die Aushöhlung sozialer Bürgerrechte:** Sozialausgaben sind gegenwärtig der am heftigsten umstrittene Teil der kommunalen Haushalte. Fiskalische Orientierungen haben fast überall die Idee einer Ausgestaltung von sozialen Bürgerrechten abgelöst. Wo nicht einfach die Verschlechterung sozialer Lagen, wachsende Ungleichheiten und Ghettobildung hingenommen werden, gibt es einen starken Trend, soziale Leistungen mehr oder weniger diskriminierend an »workfare«-Programme, zum Beispiel »Hilfen zur Arbeit«, zu knüpfen.

Diese Trends wirken auf den ersten Blick widersprüchlich. Sie sind eingebunden in die Suche nach einer Neufassung des Bürgerstatus, die die lokale Ebene zu einem Experimentierfeld gegensätzlicher Imperative werden lässt. Auf breiter Front geht es unter dem Stichwort »Flexibilisierung« um die Überwindung von Rigiditäten institutioneller Regelungen, deren vergleichsweise inklusive und egalitäre Tendenzen, sozialstaatliche Garantien und Beschäftigungsnormen. Die kommunale Ebene trägt dem Rechnung, indem kompetitive ökonomische Leitbilder, wie es die Standortqualität oder die unternehmerische Stadt darstellen, zur Grundlage diskriminierender Praktiken gegenüber den Bewohnern werden. Tendenziell gewinnt dabei die Orientierung an Nichtbürgern, ausländischen Investoren beispielsweise, an Bedeutung, während der sozial integrative Anspruch gegenüber den eigenen Bewohnern abnimmt. Bisher dominierende intermediäre Kräfte, wie zum Beispiel die politischen Parteien, werden zurückgedrängt, ohne dass bessere Formen der Interessenvertretung an ihre Stelle getreten sind. Lokalparlamente sind so in der Gefahr, zum Forum für populistische Inszenierungen zu werden – oft garniert mit lediglich symbolischen Beteiligungsangeboten. Zur Neufassung des Bürgerstatus trägt auch der kräftige Schub lokaler Verwaltungs- und Organisationsreformen bei. Die Kommunen sind dabei, wie ausführlich beschrieben, zu Vorreitern und Experimentierfeldern geworden und haben die Landes- und Bundesverwaltungen weit hinter sich gelassen.

Bürgerschaft ist, dies dürfte deutlich geworden sein, ein anspruchsvolles Leitbild. Sie stellt einen aktiven Prozess dar, keinen Status, der verliehen wird und ohne eigenes Zutun bewahrt werden kann. Bürgerschaft bedeutet heute, auf mehreren Ebenen politische Zugehörigkeiten zu entwickeln und geltend zu machen. Dies setzt ein entsprechendes Umfeld voraus: reale und virtuelle öffentliche Räume, verfügbare und anspruchsvolle Medien, bürgerorientierte Verwaltungen und eine ermöglichende Staatlichkeit. Nicht zuletzt ist Bürgerschaft das Ergebnis von Lernprozessen, die durch eigenes Engagement mitgestaltet werden können.

## Fundamente der Bürgerdemokratie

> *»Democracy is not an all-or-nothing affair. It is a question of the degree to which citizens exercise control over political decision-making and are treated as equals. These values of democracy are realized through political institutions and practices. There is no universal model of democracy. A country's political institutions and practices are often shaped by its history, culture, social and economic factors. Democratization is not a linear process that moves from an authoritarian to a democratic regime. It is a multi-faceted, multi-disciplinary process that moves back and forth, where some institutions are more developed than others.*
>
> *A functioning democracy therefore requires many interdependent elements and processes that are based on a culture of citizen participation in public affairs.«*
>
> IDEA, CITIZEN ASSESSMENT OF DEMOCRACY

Das ausführliche Zitat einer Initiative, die sich seit vielen Jahren der Demokratiemessung und -bewertung durch die Bürgerinnen und Bürger verschrieben hat, fasst einige Prämissen zusammen, die für die Debatte über Bürgerdemokratie orientierend sein können. Demokratie wird hier nicht als ein hehres Ideal oder abstraktes Modell verstanden, das über der profanen Werktagspolitik schwebt. Vielmehr geht es um eine gelebte und erlebte politische Alltagspraxis, die stets – völlig unabhängig vom bereits erreichten demokratischen Niveau – verbesserungswürdig und verbesserungsfähig ist. Folgende acht Grundüberzeugungen sollten den Ausgangspunkt einer Suchbewegung in Richtung Bürgerdemokratie bilden:

1. Demokratie ist keine Alles-oder-nichts-Angelegenheit, sondern ein offener Prozess, in dem eine Gesellschaft ihren demokratischen Idealen näher kommt oder sich von ihnen entfernt.

2. Es gibt kein universelles Modell von Demokratie. Historische, nationale und lokale Besonderheiten spielen eine wichtige Rolle. Aber es lassen sich unterschiedliche Entwicklungsniveaus, Fortschritte und Rückschritte identifizieren.[7]

3. Ohne den Rückgriff auf explizite demokratische Normen und Werte, wie politische Gleichheit, Verantwortlichkeit der Regierung oder Rechtsstaatlichkeit, kann nicht sinnvoll von Demokratie gesprochen werden. Die Geltung dieser Normen, das heißt ihre institutionelle Umsetzung und alltagspraktische Bedeutung, kann erlebt, beobachtet und eingefordert werden. In diesem Sinne gibt es »schwache« oder »starke« Demokratien.

4. Akzeptierte und gelebte demokratische Normen sind auf individueller Ebene, im Alltagshandeln, in zivilgesellschaftlichen Organisationen und politischen Zusammen-

---

7 Gross schlägt ein vierstufiges Entwicklungsschema vor: basic, developed, stable and strong (Parliamentary Assembly 2008: 12).

schlüssen ebenso wie in der Regierungspraxis und im staatlichen Handeln von Bedeutung.

5. Demokratisierung und Demokratieentwicklung sind offene Prozesse; Fortschritte und Rückschritte sind immer möglich. Da sich Demokratie in vielfältigen Institutionen, Praxisformen und Lebensbereichen manifestiert, kann es in einer Gesellschaft – je nach Bereich – unterschiedliche Entwicklungen geben. In einigen Lebensbereichen ist das demokratische Entwicklungsniveau weiter fortgeschritten als in anderen.

6. Gute und gefestigte Demokratien zeichnen sich durch eine Vielfalt demokratisch geprägter und demokratieförderlicher Institutionen und Prozesse in allen gesellschaftlichen Bereichen aus. Ihre Grundlage ist die möglichst intensive Beteiligung der Bürgerinnen und Bürger an allen öffentlichen Angelegenheiten.

7. Diese Vielfalt an Möglichkeiten sollte auch das Nachdenken über demokratische Vitalisierungen inspirieren. Es gibt nicht den *einen* Schlüssel und den *einen* Weg, der zum gewünschten Zustand führt. Nicht alle denkbaren Reformanstrengungen passen zueinander und in den jeweiligen nationalen Entwicklungspfad. Oft wird die öffentliche Debatte durch Beiträge bestimmt, die ausschließlich auf eine demokratische Methode setzen, ohne Grenzen, Kosten und das notwendige Zusammenspiel mit anderen demokratischen Formen zu bedenken. Klassisch

ist die reflexartige Verteidigung repräsentativer Formen gegen jede demokratische Konkurrenz; aber auch Alternativen, wie zum Beispiel Bürgerentscheide oder Bürgergutachten, werden zuweilen absolut gesetzt. Dabei wird übersehen, dass wir es bereits heute in der Praxis mit vielfältigen Kombinationen demokratischer Verfahren zu tun haben. Eine Vertiefung der Demokratie benötigt neue Gewichtungen und neue demokratische Formen. Ihre wechselseitige Verträglichkeit und erwünschte Synergieeffekte werden sich oftmals erst im Reformprozess selbst erweisen.

8. Gefordert ist ein fehlerfreundliches experimentelles Design, das Beteiligungserfahrungen und -bewertungen der Bürgerinnen und Bürger immer wieder als Anstoß für Veränderungen einbezieht. Programme zur Vitalisierung der Demokratie können ihren normativen Ansprüchen und Qualitätsvorstellungen nur gerecht werden, wenn sie möglichst vielfältige Formen partizipativer Rückmeldung und Evaluation einbauen.

Der Ruf nach einer Erneuerung in Richtung Bürgerdemokratie benötigt heute keine angsteinflößenden Krisenszenarien, die es in großer Zahl gibt, sondern kann auf große demokratische Potentiale und Ressourcen in der Bürgerschaft bauen:

Der Niedergang konventioneller Formen der politischen Beteiligung ist in vielen westlichen Demokratien mit einem Aufschwung »unkonventioneller« Beteiligung verbunden.

Es ist, so lauteten schon die Befunde der frühen »Political Action«-Studie (Barnes u.a. 1979), zu einer Verschiebung im Handlungsrepertoire der Bürgerinnen und Bürger gekommen – und nicht zu einem Zerfall politischen Interesses, demokratischer Orientierungen und politischen Handelns. Für diese Verlagerung wurden in diesem Buch bereits die zahlreichen Ursachen benannt: bessere Bildungsressourcen, mehr freie Zeit, materielle Sicherheit als prägende Erfahrung, Zunahme postmaterialistischer, auf Partizipation und Selbstverwirklichung gestimmter Werthaltungen, Abschied von der patriarchalen Familie hin zur demokratische Orientierungen stärkenden »Verhandlungsfamilie«, sinkende Gewaltneigung und Zivilisierung des öffentlichen Lebens, eine an Assoziationen, Vereinen und Initiativen reiche Zivilgesellschaft. Diese demokratischen Potentiale haben jedoch nur eine Chance, politisch wirksam zu werden, wenn es gelingt, neue Formen der Beteiligung gegen das Übergewicht der »alten« Institutionen durchzusetzen.

Ob mit ihnen oder gegen sie, wird nicht zuletzt von deren Beharrungsvermögen oder Veränderungsbereitschaft abhängen. Bürgerdemokratie bedeutet in dieser Perspektive, diese neuen Motive (ökologische Themen, globale Gerechtigkeit oder Gender) und praktischen Anstöße (projektorientierte Beteiligung mit starken Selbstgestaltungsansprüchen oder Politik jenseits der traditionellen politischen Lagergrenzen) in den zentralen politischen Institutionen zur Geltung zu bringen und sie entsprechend zu renovieren.

In der Bundesrepublik ist die politisch-institutionelle Nutzung dieser neuen demokratischen Ressourcen bisher kaum gelungen.[8] Das politische Engagement in Bürgerinitiativen, sozialen Bewegungen und Nichtregierungsorganisationen ist seit den 1960er Jahren deutlich angestiegen. Dies gilt auch für bevorzugte Protestformen, wie zum Beispiel die Straßendemonstrationen. Demokratie stellt das gewichtigste übergreifende Thema der Mobilisierungen dar, sei es nun in Gestalt der Sorge über autoritäre Rückbildungen oder in der Forderung nach mehr Mitsprachemöglichkeiten, etwa bei der Technikwahl im Energiebereich, dem Einsatz gentechnisch veränderter Pflanzen oder bei großen Reformentscheidungen, wie bei der Agenda 2010. Auf diese Weise ist eine anspruchsvolle demokratische Reformagenda entstanden (vgl. Kapitel II), die zuletzt durch globalisierungskritische Bewegungen um die Dimension transnationaler Demokratie erweitert wurde (Rucht/Roth 2008, Della Porta 2009). Wenn auch nicht jede Forderung nach demokratischer Gestaltung ihren Anlass überdauert hat, ist im Rückblick durchaus erstaunlich, wie sensibel und innovativ das demokratische Agenda-Setting durch die neuen sozialen Bewegungen gewesen ist – und wie wenig davon bislang von institutionellen Akteuren aufgegriffen wurde. Trotz einiger Brückenschläge, wie der Gründung der Partei »Die Grünen«, die zunächst als Bewegungspartei antrat und den Spagat zwischen Parlamenten und sozialen Bewegungen versuchte, ist es weitgehend bei separaten Welten

8 Zu dieser Diagnose im Detail vgl. das Schlusskapitel unseres Handbuchs zu sozialen Bewegungen in Deutschland nach dem Zweiten Weltkrieg (Roth/Rucht 2008: 635 ff.). Es geht vor allem auf die demokratischen Herausforderungen und Impulse der Protestbewegungen und deren durchaus begrenzte Resonanz ein.

geblieben (Roth 1994), ohne dass die Bereitschaft zum Protest nachgelassen hätte. Anlässlich der aktuellen weltweiten Finanz- und Wirtschaftskrise sei nur daran erinnert, dass ein zentraler Mobilisierungsträger der globalisierungskritischen Bewegung, das 1998 in Frankreich gegründete und inzwischen weltweit verbreitete Netzwerk »attac«,[9] seinen Namen dem Bestreben verdankt, die globalen Finanzmärkte zum Nutzen der Bürgerinnen und Bürger politisch zu regulieren. Dass sich dieses Netzwerk zudem als »Volkshochschule« in Sachen globaler Ökonomie versteht und seit Jahren entsprechende Informationen in Sommerschulen und Themenabenden, auf Netzseiten und in Buchpublikationen anbietet, macht auf innovative politische Potentiale aufmerksam, die im Rahmen einer Vitalisierungsdebatte besondere Beachtung verdienen.[10]

Bürgerdemokratie ist in hohem Maße von einer lebendigen, demokratisch gestimmten Zivilgesellschaft abhängig. Bürgerschaft verwirklicht sich heute in zahlreichen Zugehörigkeiten. Auch hier gibt es zunächst positive Signale. Die Botschaft der Freiwilligensurveys von 1999, 2004 und 2009 (Gensicke/Geiss 2010) fällt eindeutig aus: Bürgerschaftliches Engagement gibt es in der Bundesrepublik auf hohem und leicht steigendem Niveau; imponierend ist besonders die wachsende Bereitschaft. Um die Förderung des bürgerschaft-

---

9 »Attac« ist ein Akronym für *Association pour la taxation des transactions financières pour l'aide aux citoyens.*

10 In dieses Bild passt auch, dass prominente Politiker, wie Heiner Geißler, und Bürgerrechtler, wie Friedrich Schorlemer, inzwischen als Mitglieder von »attac« auftreten.

lichen Engagements bemühen sich nach den Anstößen durch eine Enquete-Kommission des Bundestags »Zukunft des bürgerschaftlichen Engagements« (2000–2002) Bund, Länder und Kommunen. Engagementpolitik gewinnt mehr und mehr die Umrisse eines eigenen Politikfeldes. Hier scheint der Transfer zu den bestehenden politischen Institutionen insgesamt besser zu gelingen als im Umgang mit Protesten und neuen sozialen Bewegungen. Allerdings fällt auf, dass die demokratiepolitische Dimension des bürgerschaftlichen Engagements bisher eher an den Rand gedrängt wird. Ein zentrales Motiv der Engagierten ist es, zumindest im Kleinen etwas gestalten zu können – ein genuin demokratisches Anliegen, auch wenn es sich überwiegend in politikfernen Bereichen verwirklicht beziehungsweise verwirklichen muss.

Die Ausbreitung neuer Informationstechnologien und die enorme Verbilligung von Transportkosten erlauben eine Ausweitung politischer Räume und die Intensivierung politischer Kommunikation. Das schnelle Anwachsen internationaler Nichtregierungsorganisationen in den letzten beiden Jahrzehnten ist eine der konkreten Ausdrucksformen (vgl. Brunnengräber u.a. 2005; Brunnengräber 2011). Es gibt zwar keinen technologischen Determinismus,[11] aber E-Mail und Internet haben erheblich zu einer transnationalen Öffentlichkeit, einer dichten Folge transnationaler Mobilisierungen und

11 In der Tat wird die Debatte über die politischen Folgen von Internet und sozialen Medien äußerst kontrovers geführt. Zur Steigerung von Herrschaftsmöglichkeiten durch das weltweite Netz vgl. Morozov (2011), eine empirisch reichhaltige, balancierte Perspektive bieten Norris und Inglehart (2009).

zu neuen globalen politischen Vernetzungen beigetragen, wie zum Beispiel dem 2001 begründeten Weltsozialforum. Preisgünstige Internetkommunikation hat nicht nur die grenzüberschreitende Wahrnehmung und Vernetzung erleichtert, sondern auch lokalen Initiativen zur Demokratieentwicklung Auftrieb gegeben (e-democracy)[12]. Neue Informationstechnologien sind dabei, politische Kampagnen und Wahlkämpfe zu verändern – und dies nicht nur im negativen Sinne gesteigerter Manipulationsmöglichkeiten, sondern auch zugunsten eines demokratischen Mehrwerts, wie zum Beispiel deliberative und gemeinschaftsbildende Elemente der Obama-Wahlkampagne gezeigt haben. Der »Arabische Frühling« von 2011 ist ein weiterer Beleg für die politischen Potentiale der neuen Medien.

In den Übersichten zu demokratieförderlichen Verfahren und Instrumenten finden sich vor allem in den USA eine Reihe von Vorschlägen und Projekten, die auf moderne Kommunikationsmöglichkeiten gestützt den repräsentativen Charakter von Wahlen und Regierungsentscheidungen steigern wollen.

Was bei den technologischen Möglichkeiten schon positiv anklang, verweist auf gewichtige Herausforderungen, denen sich eine Vitalisierung der Demokratie heute stellen muss. Folgende Aufgaben dürften uns noch anhaltend beschäftigen:

Ohne sie hier im Detail beschreiben zu wollen, stellen die verstärkten Globalisierungsprozesse der letzten Jahrzehnte eine Herausforderung für jede nationalstaatlich verfasste Po-

12 Eine Übersicht zu den Erfolgsfaktoren internetgestützter Bürgerbeteiligung bieten Kubicek u. a. (2011).

litik dar. Dies reicht von der oft beklagten Einengung nationaler Handlungsspielräume[13] bis hin zu den Anforderungen an eine transnationale Zusammenarbeit angesichts der zahllosen ungelösten transnationalen Problemlagen.[14]

Auch hier sind nicht nur die Problemberge angewachsen. Mit den Globalisierungsprozessen findet auch ein verstärkter internationaler Austausch neuer politischer Formen und Initiativen statt. Der Trend zu einer globalen Zivilgesellschaft hat nicht nur eine neue Ebene transnationaler Politik hervorgebracht, sondern auch zu vielfältigen Rückwirkungen von globalen Entwicklungen auf die nationale und lokale Ebene geführt.[15] Der Rückzug auf eine vermeintlich einen sicheren Hafen versprechende lokale Politik dürfte angesichts der auf-

---

13 In einer Studie zur Demokratie in Norwegen heißt es: »Both politic and economic power is increasingly exercised above and outside the nation state, that is, beyond the reach of national democratic institutions; while within the nation state, the chain of command from below is weakening, outside the nation state a new chain of command is emerging from above that limits and directs national legislation but over which citizens and their representatives have virtually no say or control« (Stein Ringen, What Democracy is For, Princeton: Princeton University Press 2007, zitiert nach Parliamentary Assembly 2008, 62).

14 Die Dringlichkeit dieser Herausforderungen und ihre demokratiepolitischen Konsequenzen diskutieren in zupackender Weise Leggewie und Welzer (2009).

15 Sie werden zum Beispiel unter dem Stichwort »Neuformatierung von Politik« analysiert (Dean u.a. 2006). Einen guten Überblick mit soliden Daten über die vielfältigen Dimensionen dieses Prozesses bietet das seit 2001 zunächst bei Oxford University Press und dann bei Sage erscheinende, vom Center for the Study of Global Governance der London School of Economic and Political Science und dem Center for Civil Society an der University of California in Los Angeles herausgegebene Jahrbuch »Global

gelaufenen Probleme jedenfalls keine Chance haben[16] – auch wenn, schon aus demokratischen Gründen, eine Stärkung der lokalen Ebene Vorrang haben sollte. Bedingungen und Möglichkeiten einer demokratisch verfassten transnationalen Politik sind nicht nur heftig umstritten, sondern liegen auch in ihren institutionellen Ausprägungen noch weitgehend im Dunkeln.[17]

Die verstärkte regionale Zusammenarbeit ist ein Motor globaler Konkurrenz, aber auch eine Reaktionsbildung auf Globalisierungsprozesse.[18] Wir erleben dies in der Bundesrepublik als Intensivierung und Erweiterung der Europäischen Union. Die Demokratiebilanz der EU-Politik wird zumeist negativ erlebt und thematisiert: als Aushöhlung nationaler Handlungsräume ohne entsprechende demokratische Zugewinne auf der EU-Ebene. Dennoch oder gerade deshalb macht sich zum Beispiel der Europarat seit Jahren mit vielen Vorschlägen für eine demokratische Vitalisierung der europäischen Politik und die ihrer Mitgliedsländer stark.[19]

Diese eng miteinander verwobenen Prozesse fordern zwei klassische demokratische Normen heraus:

---

Civil Society« – zur demokratischen Entwicklung vgl. besonders die Ausgabe von 2007/2008 (Albrow u. a. 2008).

16 So auch mit guten Argumenten Hauck (2008).

17 Hierzu meine eigenen Überlegungen (Roth 2005) und die instruktive Problemanalyse von Bohman (2007).

18 Exemplarisch hierfür ist die »Lissabon-Strategie« der Europäischen Union mit dem alles beherrschenden Leitbild verbesserter globaler Wettbewerbsfähigkeit.

19 Siehe Council of Europe 2005 und 2007.

1. Von politischen Entscheidungen Betroffene müssen an diesen Entscheidungen angemessen beteiligt werden. Diese Norm wird gegenwärtig – und vermutlich auf absehbare Zeit – auf globaler Ebene nicht eingelöst. Sie schien so lange verzichtbar, wie die Tragweite von Entscheidungen auf Gipfeltreffen, in internationalen Organisationen und themenspezifischen internationalen »Regimen«[20] begrenzt war und prinzipiell durch nationale Politik – zumindest die der größeren Staaten – als beeinflussbar galt. Angesichts des Bedeutungsgewinns transnationaler Politik ist dies selbst für starke und einflussreiche Nationen wie die Bundesrepublik nur noch sehr eingeschränkt gegeben. Gefordert ist deshalb, wie in einem Dokument des Europarats ohne weitere Konkretisierung formuliert wird, die Ausweitung demokratischer Teilhabe auf die transnationale Ebene.[21]

2. Es ist mit demokratischen Normen nicht vereinbar, wenn größere Bevölkerungsgruppen dauerhaft von politischen Entscheidungsprozessen ausgeschlossen werden. Deshalb muss, wie in einem Papier des Europarats gefordert, der Zugang zu Bürgerrechten generell, aber auch zu politischen Rechten wie dem Wahlrecht für Nichtbürger ermöglicht werden, die sich dauerhaft und legal in einem

---

20 Einen aktuellen Überblick über eine größere Zahl dieser »Regime« bieten Hale und Held (2011), analytisch noch immer eindrucksvoll die vergleichende Studie von Braithwaite und Drahos (2000).

21 »Enlarge it to the transnational level« (Parliamentary Assembly 2008: 12).

Lande aufhalten. Die folgenreiche Unterscheidung von EU-Bürgern und Drittstaaten-Ausländern, wie sie etwa für das Grundgesetz (zum Beispiel in Artikel 28) maßgeblich ist, sollte deshalb überwunden werden.[22] Zudem komme es nicht nur auf eine formale Gleichstellung, sondern auf eine effektive Beteiligung an, was den Abbau institutioneller Barrieren und gesellschaftlicher Hindernisse einschließt. Entscheidend für die demokratische Entwicklung sei eine Balance zwischen dem Respekt vor der Vielfalt und der Integration. »Integration, which is basically aimed at eliminating exclusion and segregation of the society, has to go hand in hand with respect for diversity, different cultures, languages and religions, on full respect for human rights. Assimilation is not to be confused with integration and would undermine it« (Parliamentary Assembly 2008: 12).

Es ist sicherlich kein Zufall, dass diese Herausforderungen zu den kontroversen Themen öffentlicher Debatten gehören. Sie sind heute zentrale Mobilisierungsthemen für rechtsradikale und rechtspopulistische Gruppierungen, die ihren überraschenden Aufstieg nicht zuletzt darauf gründen können. Solche politischen Zuspitzungen verdeutlichen, wie dringlich demokratische Lösungsangebote auf diesem Terrain sind.

22 Parliamentary Assembly 2008: 9.

## Partizipation am Beispiel der Kinder- und Jugendbeteiligung

In der ausufernden Debatte über Partizipation helfen manchmal einfache Unterscheidungen. Idealtypisch lassen sich vier grundlegende Formen von Politik entlang der Präpositionen »für«, »mit«, »von« und »gegen« unterscheiden. Am Beispiel Kinderpolitik sollen diese Unterschiede verdeutlicht werden:

Eine Politik *für* Kinder versucht zum Beispiel kindgerechte Bedingungen des Lebens und Aufwachsens zu schaffen, betreibt Familienförderung und Kinderschutz, ohne dabei Kinder selbst beteiligen zu müssen. In Österreich wurde jüngst ein Generationenmonitoring etabliert, das dazu beitragen soll, Gesetze auf ihre Wirkungen auf Kinder und andere Altersgruppen zu prüfen. In Südafrika weisen einige Großstädte ihre Haushalte nach den jeweils begünstigten Altersgruppen aus, um nicht gegen die Mehrheit der jungen Menschen Politik zu machen, die ja zum Großteil nicht an den Entscheidungen selbst beteiligt werden. Mit solchen Maßnahmen soll die verbreitete Legitimationsfigur der Generationengerechtigkeit in ihrer Plausibilität überprüfbar gemacht werden.

Eine Politik *mit* Kindern setzt auf ihre Stimme in Konsultationen, nutzt ihr Expertenwissen zum Beispiel bei der Planung von Spielplätzen oder neuen Quartieren, fördert ihre Aktivitäten, vielleicht sogar ihre Mitarbeit bei der Umsetzung von Kinderprojekten, wie zum Beispiel Kinderstadtpläne oder einen Kinderzirkus. Koproduktion lautet die sozialpolitische Zauberformel, mit der auf die Ressourcen der Adressaten von Dienstleistungen und Angeboten aktiv zurückgegriffen wird.

Dies scheint bei Kindern besonders sinnvoll, weil die Planer und Macher als Erwachsene der aktuellen Lebenswelt der Kinder in der Regel fernstehen. Zu den weitestreichenden Partizipationsangeboten gehört vermutlich die Beteiligung von Kindern an der partizipativen kommunalen Haushaltsplanung (vgl. Streck 2006). Wenn sie dabei über einen eigenen Haushaltstitel verfügen können, wie dies im brasilianischen Barra Mansa der Fall war (s. Barceló 2005), dann ist die nächste Stufe der Beteiligung erreicht.

Eine Politik *von* Kindern findet immer dann statt, wenn Kinder selbst aktiv werden, sich ungefragt und ohne Auftrag einmischen, sich selbstbestimmt und unabhängig artikulieren. Kinderbewegungen und Kinderrechtsgruppen, wie die »K.r.ä.t.z.ä«[23], sind Beispiele solcher Selbsttätigkeit. Aber zu dieser Politikform gehören auch Kinderinitiativen, die von Erwachsenen unterstützt und ermöglicht werden, solange die Kinder und nicht die erwachsenen Mentoren und Förderer das Sagen haben. Besonders bei jüngeren Kindern dürften selbsttätige und selbstbestimmte Formen der Beteiligung erst durch die Unterstützung von (zumindest etwas) älteren Mentoren ermöglicht werden.

Eine Politik *gegen* Kinder wäre immer dann gegeben, wenn offen gegen die Interessen und Wünsche von Kindern gehan-

23 K.r.ä.t.z.ä ist das Akronym einer Berliner Kinderrechtsgruppe, die sich KinderRÄchTsZÄnker nennt und sich für die Gleichberechtigung von Kindern und Erwachsenen einsetzt. Sie hat durch eine Reihe von Aktionen für das Kinderwahlrecht und gegen die Schulpflicht auf sich aufmerksam gemacht und gibt einen eigenen Newsletter heraus (www.kraetzae.de).

delt wird. Zum Glück gibt es eine politische Scham, solche Gegnerschaften öffentlich und offensiv zu vertreten. Dennoch findet sie alltäglich statt. Ihre konkreten Ausdrucksformen reichen von den »Spielen verboten«-Schildern in der Nachbarschaft über den erbärmlichen Zustand vieler Bildungseinrichtungen bis zur Duldung von Kindesvernachlässigungen und -misshandlungen, weil es an Fachkräften und Kontrollen sowie einer aufmerksamen Nachbarschaft in den Kommunen fehlt.

Wenn wir von Partizipation sprechen, geht es vor allem um das *»Mit«*. Die praktische Ausgestaltung der Mitwirkung kann eine große Bandbreite haben, die von der bloßen Anhörung und Konsultation über die Mitbestimmung bis zur Mitgestaltung im Sinne der Umsetzung von Entscheidungen und Projekten reicht. Um dies zu verdeutlichen, wird häufig auf das Bild der Partizipationsleiter zurückgegriffen, die verschiedene Stufen der Beteiligung unterscheidet. In unserem Sinne gehören symbolische Formen, die lediglich das *»Für«* bespielen, wie zum Beispiel, um bei der Kinderpolitik zu bleiben, das folgenlose Probesitzen in Parlamenten, ebenso wenig zur Beteiligung wie die Selbstorganisation und Selbstverwaltung von Kindern, von der Antipolitik ganz zu schweigen.

Partizipation als Mitwirkung hat einige Voraussetzungen, die nicht selbstverständlich sind:

1. Sie verlangt die Anerkennung von Zugehörigkeiten, das heißt eine Antwort auf die Frage, wer als Teil eines Ganzen angesehen wird, an dem er oder sie mitwirken kann

und soll. Frauen, Fremde, Kinder, Jugendliche oder Menschen mit Behinderungen sind nur einige der Bevölkerungsgruppen, denen Zugehörigkeit, Anerkennung und damit auch Partizipation in unserer Gesellschaft lange verweigert wurden und oft noch immer erschwert werden. Im politischen Raum wird diese Zugehörigkeit als »citizenship« ausgestaltet. Man ist Bürgerin oder Bürger einer Gemeinde, eines Bundeslandes, der Bundesrepublik, der Europäischen Union und empfindet sich womöglich als Weltbürgerin oder Weltbürger. Als konkrete Personen haben wir es in der Regel mit solchen vielfältigen, sich überlappenden Zugehörigkeiten zu tun, die wir oft erst dann in ihrer Bedeutung wahrnehmen, wenn wir an einer Landesgrenze aussortiert werden und eine besondere Behandlung erfahren.

2. Partizipation braucht Menschen, die bereit sind, sich aktiv zu beteiligen. Beteiligungsbereitschaft kann zwar als »Naturressource« betrachtet werden, die schon bei Kleinkindern zu spüren ist. Gleichwohl entscheiden die erlebten oder die fehlenden Angebote zur Beteiligung erheblich über die Verkümmerung oder Entfaltung dieser Kompetenz. Auch Beteiligungsfähigkeit will biografisch erworben beziehungsweise verstärkt werden. Da in konkreten Gesellschaften die Beteiligungskompetenz sehr unterschiedlich verteilt ist, verlangt zum Beispiel das demokratische Ideal der politischen Gleichheit, dass wir die Spaltung von aktiven und passiven Bürgern nur so lange hinnehmen, wie Nichtbeteiligung selbst gewählt und frei-

willig ist. Das Ideal ist eine möglichst breite demokratische Partizipation, zumindest die Chance dazu, die durch gezielte Ansprachen und Unterstützungsformen gefördert werden kann.

3. »Mit« heißt stets, etwas »mit anderen zusammen« zu besprechen oder zu unternehmen. Partizipation schließt deshalb notwendig die Anerkennung einer Pluralität von Sichtweisen, Bedürfnissen und Interessen ein, die in Partizipationsprozesse Eingang finden und dort ausgehandelt werden sollen. Beteiligte sind mit der Anforderung konfrontiert, sich auf einen ergebnisoffenen Prozess mit anderen Beteiligten einzulassen und auf die Produktivität kollektiver Intelligenz zu vertrauen.

4. Es geht nicht nur um das »Wer«, sondern auch um das »Wie«, nicht nur um die Zulassung oder Einladung zur Beteiligung, sondern auch um deren konkrete Ausgestaltung durch Rechte, Regeln, Verträge und Verfahren. Sie entscheiden erheblich über die Qualität der Beteiligung und wirken sich auf deren Ergebnisse aus. Im Idealfall klären gleichberechtigte, nicht selektiv ausgewählte Beteiligte in öffentlichen und transparenten Debatten und Entscheidungsprozessen durch den »zwanglosen Zwang« des besseren Arguments, was ihr gemeinsames Interesse ist (Deliberation). Wenn es darüber hinaus um Entscheidungen geht, braucht es verbindliche, vorher bekannte und von den Beteiligten akzeptierte Regeln und Verfahren: Mehrheitsregel, Konsensprinzip, Losverfahren und

so weiter. Reale Beteiligungsprozesse benötigen professionelle Unterstützung und Moderation, das heißt, es braucht »Kümmerer«.

5. Resultate, Erfolge und Wirkungen gehören notwendig zur Partizipation. Partizipation ist kein Spiel und kein Selbstzweck, sondern verspricht Einfluss auf die Ergebnisse von Entscheidungsprozessen – sei es nun argumentativ oder durch Mitentscheidung. Die Erfahrung, dass es um etwas geht, kann bereits am Anfang eines Partizipationsprozesses stehen, wenn zum Beispiel die Beteiligten der Kinder- und Jugendparlamente selbst über einen gesicherten festen Etat verfügen können. Forderungen und Ansprüche auf Ressourcen können auch das Ergebnis von Beteiligungsprozessen sein. Schon der Begriff »Teilhabe« macht jedenfalls deutlich, dass es um etwas gehen soll. Ansonsten sprechen wir von Pseudopartizipation oder symbolischer Beteiligung.

6. Partizipation schließt die Bereitschaft zur Machtteilung ein, denn wer nicht nur zur symbolischen Mitwirkung einlädt, demonstriert die Bereitschaft, das offene Ergebnis eines Beteiligungsprozesses zu akzeptieren, das zwar im wohlverstandenen Interesse aller Beteiligten sein kann, aber meist auch Abstriche am mehr oder weniger bornierten Eigeninteresse verlangt. Es muss etwas anderes herauskommen dürfen und können, als diejenigen im Sinn haben, die zur Beteiligung auffordern.

7. Partizipation zielt auf die Legitimation der Ergebnisse solcher Verfahren, gleichgültig ob es um neue Regeln, Rechte, Pflichten, Vor- oder Nachteile geht, um die Verteilung von Anerkennung und Missachtung, die Gewichtung von Themen auf der politischen Agenda oder um die Verteilung von Ressourcen. Wer sich beteiligt beziehungsweise Gelegenheit zur Beteiligung hatte, ist gehalten, die Ergebnisse des Beteiligungsverfahrens zu akzeptieren – auch Nichtwähler müssen Entscheidungen einer Regierung akzeptieren, die ohne ihre Stimme zustande gekommen ist. Denn sie haben ja die Möglichkeit, die Entscheidungen bei nächster Gelegenheit durch aktive Beteiligung an einem geordneten Verfahren zu revidieren. Je nach Verfahren, Intensität der Beteiligung und Verbindlichkeit des Ergebnisses lassen sich Partizipationsprozesse mit starker oder schwacher Legitimationskraft, mit konkreter oder diffuser Bindungswirkung unterscheiden. Das Ergebnis einer Volksabstimmung wiegt legitimatorisch schwerer als eine knappe Regierungsentscheidung.

Diese sieben Dimensionen sind nicht nur eng mit dem Begriff der Partizipation verbunden und normativ bedeutsam, sondern sie taugen auch zur Analyse der durchaus unterschiedlichen Qualität realer Beteiligungsprozesse.[24]

24 Ein solcher Qualitätsrahmen für Beteiligungsprozesse im Bereich des Kinder- und Jugendengagements wurde kürzlich in einem aufwändigen Beteiligungsverfahren entwickelt (Roth/Soldanski 2009).

## Partizipation und Demokratie

Diese Beschreibung wesentlicher Dimensionen eines gehaltvollen Partizipationsbegriffs hat bereits dessen Nähe zum demokratischen Regieren deutlich werden lassen. Erinnert sei an die berühmte Definition von Abraham Lincoln in seiner Gettysburg-Adresse von 1863, wonach Demokratie als *»government of the people, by the people, and for the people«* zu begreifen sei. Bereits diese Formulierung stellt klar, dass moderne Demokratien als Kombinationen von unterschiedlichen Formen der politischen Beteiligung zu begreifen sind. Sie reichen von Formen der Selbstorganisation und Selbstverwaltung *(of the people)*, wie sie klassisch auf kommunaler Ebene und in freiwilligen Vereinigungen zu finden sind, bis hin zu den repräsentativen Formen, wo gewählte Vertreter »im Namen des Volkes« regieren und wieder abberufen werden können *(for the people)*. Dazwischen liegt ein weites Feld mehr oder weniger direkter Partizipation, das von Sachvoten bis zur Delegation und der Übernahme öffentlicher Aufgaben reicht *(by the people)*.

Von Partizipation wird vor diesem Hintergrund in zwei Versionen gesprochen. Ein *weiter* Begriff von Partizipation hebt darauf ab, dass in allen Formen von Demokratie Beteiligung gefordert ist. Repräsentative Demokratie setzt zumindest auf Wahlbeteiligung und die Bereitschaft, öffentliche Ämter zu übernehmen. Wahlvereine und Parteien organisieren den politischen Wettbewerb und greifen dabei auch auf ehrenamtliches politisches Engagement zurück. Die Selbstverwaltung schließlich lebt von der intensiven Beteiligung der Mitglieder einer Gemeinschaft. Eine mittlere Position nehmen die mehr oder weniger intensiven Formen der Beteiligung ein – man denke an Anhörungen oder die Übernahme von Ehrenämtern –, die auf zeitlich und sachlich begrenzte Mitwirkung setzen.

Einzig auf dieses mittlere Feld zwischen Selbstverwaltung und Repräsentation bezieht sich ein *enger* Begriff von Partizipation. Allerdings werden im gesamten Spektrum demokratischer Teilhabe Engagementformen angeboten, die sich zum Beispiel im Zeitbedarf und den Kompetenzanforderungen erheblich voneinander unterscheiden. Den einen Pol bildet die Beteiligung an Wahlen, die weder zeitlich noch kognitiv besondere Anforderungen stellt. Der andere Pol wird durch Formen der Selbstverwaltung gebildet, die nicht selten ein intensives und verantwortliches Dauerengagement abfordern. Partizipationsangebote im engeren Sinne liegen zumeist auf einem mittleren, thematisch und zeitlich begrenzten Anspruchsniveau. Sie ermöglichen es politischen »Laien«, sich entlang eines für sie relevanten Themas in einem überschaubaren Kontext für begrenzte Zeit zu engagieren – mit der Bereitschaft dazuzulernen.

Ein Beispiel ist die Elternvertretung einer Schule. Hier wird kein allgemeines bildungspolitisches Wissen vorausgesetzt, aber die Bereitschaft, sich über die unmittelbaren Interessen der eigenen Kinder hinaus für die Belange der Schule einzusetzen und sich dabei für pädagogische und schulpolitische Fragen zu interessieren. In dieser Begrenzung, aber auch in den Lernchancen dürfte auch ihre besondere Attraktivität liegen, weil sie mit der modernen Art zu leben vereinbar ist.

Thematisch und zeitlich begrenzte Partizipation lässt aktive Gestaltungsansprüche in der jeweiligen Lebenssphäre zu, ohne ein allgemeines politisches Mandat und Interesse zu verlangen.

Zwei weitere Unterscheidungen kennzeichnen die Dynamik der aktuellen Partizipationsdebatte. Zum einen geht es um den Politikbegriff. Klassisch wird zwischen verschiedenen Partizipationsbereichen unterschieden: politische, soziale und zivile beziehungsweise bürgerschaftliche Beteiligung. Sie gehorchen jeweils unterschiedlichen Regeln und Funktionsbedingungen, wie zum Beispiel die Übernahme eines politischen Amts, die ehrenamtliche Unterstützung einer Tafel-Initiative oder die Tätigkeit als Übungsleiter in einem Sportverein einsichtig machen. Politische Partizipation – und darauf wird zumeist die Partizipationsdebatte konzentriert – findet aus traditioneller Sicht einzig dort statt, wo es um Formen der Einflussnahme und Beteiligung im politischen System geht. Daneben gibt es zwar vielfältige Formen gesellschaftlichen Engagements, zum Beispiel in Verbänden, Kirchengemeinden oder öffentlichen Einrichtungen, sie liegen aber zumeist im Abseits institutioneller Politik.[25] Diese fein säuberliche Trennung zwischen politischer und gesellschaftlicher Partizipation und der damit verbundene enge, institutionell geprägte Politikbegriff sehen sich von einem an Boden gewinnenden Politikverständnis herausgefordert, das Politik

25 Das jeweilige Partizipationsverständnis hat zudem stark national geprägte Konturen. Dazu finden sich interessante Hinweise in einem aktuellen Fünf-Länder-Vergleich zur Jugendpartizipation, s. Loncle/Muniglia (2008: 14 ff.).

als die gemeinsame Gestaltung von Lebensweisen in allen gesellschaftlichen Bereichen betrachtet.

Ob Kinder in ihren Familien oder in der Schule eine Stimme haben, die gehört und berücksichtigt wird, ob sie an der Entscheidung über die Schulwahl oder die nächsten Unterrichtsthemen beteiligt werden, ist nicht nur für ihre Kompetenzentwicklung und Selbstbewusstsein von Bedeutung. Diese alltägliche Partizipation entscheidet auch darüber, ob sich Demokratie als Lebensweise etabliert. Sie macht zudem deutlich, dass Politik immer weniger als Frage der Substanz und der institutionellen Sphäre angesehen wird. Wir erleben, dass vormals als unpolitisch geltende Themen zum Gegenstand heftiger politischer Debatten werden können – man denke an Fragen der Technikwahl im Konflikt um die Atomenergie, an den Umgang mit der Natur bei der Klimaerwärmung oder die geschlechtsspezifischen Rollenerwartungen, wenn das Fehlen von Frauen in den Führungsetagen von DAX-Unternehmen korrigiert werden soll. Über das Gewicht und die Bearbeitung dieser neuen Themen wird nicht nur mit den klassischen politischen Mitteln entschieden, sondern sie verlangen häufig veränderte Lebensweisen oder Konsummuster, das heißt eine andere Alltagskultur, die sich nicht staatlich verordnen lässt.[26]

In der politischen Soziologie wird klassisch zwischen

---

26 In ihren »Maßverhältnissen des Politischen« unterscheiden Oskar Negt und Alexander Kluge zwischen folgenden koexistierenden, aber zumeist separierten Gegenstandsbereichen: »Politik ist das, was Berufspolitiker machen«, »Politik als Intensitätsgrad alltäglicher Gefühle, der durch besondere Aggregatzustände, die die Konflikte und Interessen annehmen,

konventionellen, verfassten Formen der Partizipation – der Beteiligung an Wahlen oder der Mitgliedschaft in Parteien – und unkonventionellen Formen – der Mitarbeit in Bürgerinitiativen, der Beteiligung an Demonstrationen und sozialen Bewegungen oder dem politisch begründeten Boykott von Markenfirmen – unterschieden, die auf Eigenaktivitäten aus der Bürgerschaft zurückgehen. Diese Unterscheidung hat ihre Grenzen. In der Regel nehmen auch nichtverfasste Initiativen und Proteste verfassungsmäßig garantierte politische Mitwirkungsrechte in Anspruch, wie zum Beispiel die Versammlungs- und Vereinigungsfreiheit. Gleichzeitig gehören vormals unkonventionelle Formen, wie zum Beispiel die Straßendemonstration, längst zum Standardrepertoire vieler Bürgerinnen und Bürger. Dennoch macht es Sinn, zwischen Formen der Partizipation zu unterscheiden, die institutionell ausgestaltet sind und rechtlich, administrativ sowie mit Ressourcen unterstützt werden, wie zum Beispiel politische Wahlen, und solchen Formen, die, wie Bürgerinitiativen oder soziale Bewegungen, auf ein hohes Maß an Selbstorganisation und Eigenaktivität setzen (müssen). Oft entscheidet sich die Nachhaltigkeit von Beteiligungsangeboten, etwa in Form von Kinder- und Jugendparlamenten, an Fragen der institutionellen Garantien, der praktischen Ausgestaltung und konkreten Unterstützung des Partizipationsprozesses.

Wenn wir gegenwärtige Demokratien in vergleichender Perspektive betrachten, können die angebotenen Unterschei-

---

seine Form permanent verändert« und »Das Politische als der Prozess, der Gemeinwesen und Emanzipation herzustellen vermag« (1992: 42 ff.).

dungen helfen, ein konturiertes Bild zu gewinnen. Ihr konkreter partizipativer Gehalt ließe sich demnach unter anderem mit folgenden Fragen bestimmen: Wie stark ist das mittlere Feld demokratischer Beteiligung (»by the people«) auf den jeweiligen Ebenen des politischen Systems – bei uns vor allem Kommunen, Länder, Bund und Europäische Union – sowie in verschiedenen Politikfeldern und Lebensbereichen ausgestaltet und mit einer Vielzahl von Akteuren besetzt? Welchen Einfluss kann dieses partizipative Feld auf repräsentative Institutionen und zentrale Entscheidungsprozesse ausüben? Wie stark entspricht dieses Partizipationsgeschehen selbst demokratischen Normen und gewährt zum Beispiel gleiche Beteiligungschancen für alle Bevölkerungsgruppen? In welchem Umfang können die Ergebnisse von Partizipationsprozessen eine besondere Legitimation beanspruchen, das heißt, gründen sie auf fairen, transparenten und allgemein zugänglichen Verfahren? Ist es gelungen, Exklusionstendenzen zu vermeiden und soziale Barrieren abzubauen, die notwendig mit zeitlich und kognitiv anspruchsvolleren Beteiligungsverfahren verbunden sind?

Je positiver die Antworten ausfallen, desto eher können wir von einer partizipativen, starken Bürgerdemokratie sprechen: »A functioning democracy … requires many interdependent elements and processes that are based on a culture of citizen participation in public affairs.«[27]

---

27 Mit dieser Definition tritt das »International Institute for Democracy and Electoral Assistance (IDEA)« in Stockholm an (www.idea.int).

## Aktuelle Lesarten von Partizipation

Vieles deutet darauf hin, dass die partizipative Herausforderung bislang eher auf Blockaden im stark durch repräsentative Verfahren und Institutionen geprägten politischen System der Bundesrepublik gestoßen ist. Das »für die Bürger« wird umso stärker behauptet, je geringer die entsprechende Legitimationsvermutung in der Bürgerschaft geteilt wird. Die demokratisch produktive Nutzung der »Ressource« Partizipation steht noch weitgehend aus. Dazu würde auch gehören, deren Eigensinn und Gestaltungsanspruch anzuerkennen und dafür entsprechende, auch institutionell gesicherte Rahmenbedingungen zu schaffen.

Am besten durchgespielt, mit institutionellen Wegmarken versehen und durch praktische Erfahrungen gestärkt ist die Idee einer starken Demokratie, die auf eine aktive Bürgerschaft setzt, bislang auf kommunaler Ebene. Allerdings sind die Initiativen in Richtung »Bürgerkommune« bislang nicht über eher kleine Reformnetzwerke hinausgekommen. Für eine Ausgestaltung partizipativer Demokratie sprechen nicht nur Normen, wie die Partizipationsnorm der UN-Kinderrechtskonvention, und Leitbilder, wie zum Beispiel das der *»aktiven Bürgerschaft«*, das nicht nur in vielen Dokumenten der Europäischen Union zu finden ist.[28] Die Argumente für mehr Partizi-

---

28 Eindrucksvoll ist z. B. der »Code of Good Practice for Civil Participation in the Decision-Making Process«, den die Konferenz der International Non-Governmental Organisations (INGO) im Europarat am 1. Oktober 2009 beschlossen hat – CONF/PLE (2009)CODE1. Ausgangspunkt ist die Diagnose: »One of the major concerns of modern democracies is the alienation

pation sind auf der individuellen Ebene (soziale Kompetenz, informelles Lernen, Selbstwirksamkeit, Anerkennung, soziale Vernetzung und vieles mehr) ebenso überzeugend wie auf gesellschaftlicher Ebene (darunter Innovations- und Zukunftsfähigkeit, Effektivität, Steigerung des Sozialkapitals, der Korrekturfähigkeit, Legitimation und Akzeptanz gemeinsam getroffener Entscheidungen durch partizipative Verfahren).

Dieser Doppelnutzen muss nicht Postulat bleiben. Ein eindrucksvolles Beispiel, wie so etwas praktisch aussehen könnte, gibt die Struktur der Kinder- und Jugendbeteiligung der Stadt Bern. Ein Kinderbüro und ein Kinderparlament mit einem stattlichen eigenen Etat und Einfluss auf die kommunalen Entscheidungsgremien gehören ebenso dazu wie sozialräumliche Partizipationsstrukturen für Jugendliche und ein kommunales Leitbild, das sich dazu bekennt, *mit* Kindern und Jugendlichen Politik machen zu wollen, so das Konzept für eine kindergerechte Stadt von 1999. Im jugendpolitischen Konzept des Gemeinderats findet sich für den Bereich Partizipation der Leitsatz: »In der Stadt Bern werden Jugendliche zu Mitsprache, Mitentscheidung, Mitgestaltung ermutigt und aufgefordert, und zwar mit ihren Mitteln und in den Bereichen ihrer Erlebniswelt. Wo möglich werden die dazu notwendigen Strukturen und Mittel von der Stadt unterstützt oder bereit gestellt.«[29]

---

of citizens from the political process« (3). Der Kodex zeigt differenziert auf, in welchen Phasen des politischen Prozesses welche Partizipationsformen greifen können.

29 Wesentliche Dokumente dieser Beteiligungspraxis können auf der Internetseite der Stadt Bern aufgerufen werden (www.bern.ch).

Nun mag offen bleiben, wie weit Bern in Sachen Kinder- und Jugendpartizipation tatsächlich vorangeschritten ist. Deutlich wird aber, dass Politikfelder umgekrempelt werden müssen und eine eigene Infrastruktur notwendig ist, wenn Partizipation als Alltagspraxis etabliert werden soll. Eine neuere Erhebung über die Beteiligungserfahrungen von Acht- bis Zwölfjährigen zeigt, dass nur etwa jeder zehnte junge Mensch solche Erfahrungen in der Schule beziehungsweise in der Gemeinde sammeln konnte – aber fast zwei Drittel erleben dies in ihrer Familie (Schneider u.a. 2009). Eine ähnlich angelegte Studie kam wenige Jahre zuvor für die Altersgruppe der 13- bis 18-Jährigen zu nur wenig besseren Befunden (Fatke/Schneider 2005). Wichtig ist, dass die befragten jungen Menschen weit überwiegend dieses Beteiligungsdefizit im öffentlichen Bereich bedauern und sich entsprechende Angebote wünschen.

Solche Angebote bedeuten stets auch Machtverzicht auf Seiten der Anbieter sowie Vertrauen und Anerkennung in die angesprochene Bürgerschaft. Die einfache politische Botschaft, wer partizipiert, will etwas gestalten können, findet in der Bundesrepublik allerdings bislang nur begrenzte Würdigung. Neuere Debatten über die Zukunft des bürgerschaftlichen Engagements weisen in eine andere Richtung, wie der einschlägige Lagebericht des Berliner Wissenschaftszentrums verdeutlicht (vgl. WZB 2009). Hier ist es gelungen, den politischen Stachel dieser Formen der Partizipation weitgehend unsichtbar werden zu lassen. Auch dort, wo von Engagementpolitik die Rede ist, geht es in erster Linie um sozialintegrative und sozialtechnische Leistungen Engagierter, um ihren

Beitrag bei der Lösung sozialer Probleme. So unstrittig es ist, dass Partizipation zur besseren Integration und zu angemesseneren Problemlösungen in vielen Politikbereichen beitragen kann, so wenig sollte dabei übersehen werden, dass die im Engagement zum Ausdruck gebrachten Gestaltungsansprüche nur mit hohen gesellschaftlichen Kosten ignoriert werden können. Enttäuschung und Rückzug bis hin zu Zynismus, die thematische Eingrenzung und soziale Rückbildung der Trägerschaft dürften zu den erwartbaren Reaktionen gehören, wenn der nicht immer sehr laut, aber doch deutlich vorgebrachte Anspruch partizipativer Mitgestaltung unbeachtet bleibt.

Partizipation ist in erster Linie ein demokratiepolitisches Konzept mittlerer Reichweite, sozialintegrative Effekte sind dagegen eher eine Nebenwirkung. Offen bleibt dennoch, ob diese Sichtweise angesichts des Trends zur politischen Entleerung und sozialtechnischen Vereinnahmungen bürgerschaftlichen Engagements Bestand hat.

## Bürgermacht als politischer Lernprozess

Auf individueller Ebene benötigt Bürgermacht Menschen mit entsprechenden sozialen und politischen Kompetenzen. Über die Konturen gelingender »citizenship education« wissen wir nach einigen Forschungsrunden heute mehr. Sie setzt früh in der Familie und im Kindergarten an, vermittelt Empathiefähigkeit und andere soziale Kompetenzen. Schon in der Vorschule sind demokratische Entscheidungs- und Mitwirkungsmodelle gefragt, entwickelt sich in ersten Ansätzen moralische Urteilskraft. Weiter geht es in Schulen mit demokratischer Schulkultur und ausgebauten Klassenräten, in Schulen, die sich zum Gemeinwesen öffnen und so eine allmähliche Ausweitung des politischen Horizonts »urbi et orbi« befördern.

Eine Analyse der aktuellen schulischen Standards und Rahmenlehrpläne kommt zu dem Ergebnis, dass in Deutschland die »Förderung demokratischer Handlungskompetenzen de facto als Neben- und Nischenaufgabe« (Fögen u.a. 2009: 66) behandelt wird. Dass soziale und demokratische Kompetenzen, wie die Kooperation und Konfliktlösung in heterogenen Gruppen, längst von der OECD als Schlüsselkompetenzen angesehen werden, die über den Erfolg in allen Lebensbereichen entscheiden, wird ignoriert.

Zu beachten bleiben auch charakteristische Grenzen schulischen Demokratielernens. Selbst positive Ergebnisse sind nicht einfach auf andere Lebensbereiche übertragbar und müssen nicht zu mehr politischer Beteiligung in der Gemeinde und darüber hinaus führen (Biedermann/Oser 2010). Gefragt ist deshalb eine demokratische Alltagskultur, die auch als individuelle Lernchance anzusehen ist.

Die strukturelle Antwort auf die Frage nach den Orten und Formen des Demokratielernens ist vergleichsweise einfach. Politische und soziale Alltagserfahrungen stellen ein »heimliches Curriculum« mit formativen Wirkungen dar. Wenn heute über Politik-, Politiker- und Parteienverdrossenheit in der

Bevölkerung geklagt wird, ist es notwendig, dies – auch und vermutlich in erster Linie – als Ausdruck alltäglicher Erfahrungen mit Politik zu begreifen. Enttäuschung, Zynismus und Rückzug können durchaus rationale Reaktionsformen von Bürgerinnen und Bürgern sein, die »ihre« Erfahrungen mit Politik und Politikern gemacht haben (vgl. Offe 2008). Wer diese Vermutung zulässt, stellt andere, ungleich schwerer zu realisierende Ansprüche an politische Lernprozesse, als dies in einer curricular orientierten Werteerziehung vorgesehen ist. Wenn es wesentlich die Alltagserfahrungen in Familien, Bildungseinrichtungen, Arbeitsstätten, freiwilligen Vereinigungen, aber auch mit Medien und Politik sind, die zur Vermittlung demokratischer Werte und ziviler Haltungen beitragen (oder eben auch nicht), dann heißt Demokratie lernen, jene alltagsrelevanten Institutionen so zu demokratisieren und zivilisieren, dass ihr »heimliches Curriculum« zumindest demokratieverträglich, wenn nicht gar -förderlich ist.

Dies bedeutet gerade auch für Bildungs- und Erziehungseinrichtungen, dass sie sich nicht auf curriculare Innovationen, Lehrplanrevisionen und neue pädagogische Formate beschränken können, so wichtig und sinnvoll sie im Einzelnen auch sein mögen. Vielmehr muss sich ihre Alltagspraxis an demokratischen Normen ausweisen können. Dies ist, wenn ich es richtig sehe, die Botschaft von Kita-Verfassungen, die Kindern und Eltern Mitwirkung und Verantwortung garantieren, dies ist die Botschaft des BLK-Programms »Demokratie lernen & leben« und des Demokratie-Audits für eine demokratische Schule, der Initiative »mit Wirkung!«, aber auch systematischer Überlegungen zum moralischen Lernen oder zur interkulturellen Pädagogik.[30] Der beachtliche pädagogische Mehrwert einer praxisorientierten Strategie zur Vitalisierung von Demokratie läge darin, dass damit zugleich neue demokratische Lernchancen eröffnet werden.

Dies sollte entsprechende curriculare Angebote und Formate einschließen, wie etwa im Bereich des sozialen Engagements im Rahmen des mit dem Carl Bertelsmann-Preis ausgezeichneten Themenorientierten Projekts Soziales Engagement (TOP SE) in Baden-Württemberg, der jugendgeführten Initiative »Schüler Helfen Leben« (vgl. Roth/Lang 2007) oder den vielfältigen Versuchen, »service learning« in der Bundesrepublik heimisch zu machen.

Das »Lernen im Engagement«, wie das informelle beziehungsweise nicht formalisierte Lernen insgesamt, hat in den letzten Jahren eine enorme wissenschaftliche Aufmerksamkeit und politische Aufwertung erfahren.[31] Dies sicherlich zu Recht, denn mit der Freiwilligkeit und dem Ernstcharakter der Aktivitäten sowie einem hohen Selbstorganisations- und Selbstbestimmungsanteil bieten Engagement und Beteiligung nahezu ideale Bedingungen für soziale und politische Lernprozesse. Vorliegende Evaluationen bestätigen weitgehend diese Annahmen (Huth 2007; Roth/Lang 2007; Düx u. a. 2008). Einrichtungen der Erwachsenenbildung (Voesgen 2006) und

30 Zentrale Anforderungen für die institutionellen Rahmenbedingungen pädagogischer Prozesse in der Einwanderungsgesellschaft haben z. B. Ulrike Hormel und Albert Scherr formuliert (Hormel/Scherr 2004: 285 ff.).

31 Vgl. Kuhn u. a. (2000); Oser u. a. (2000); Chrisholm u. a. (2005); Rauschenbach u. a. (2006); Huth (2007); Rauschenbach (2007); Otto/Rauschenbach (2008).

Weiterbildung (Faulseit-Stüber u.a. 2008) haben begonnen, »Lernen im Engagement« für sich zu erschließen und nach passenden pädagogischen und institutionellen Unterstützungsformen Ausschau zu halten. Vielversprechende Impulse kommen aus Integrationsprojekten mit Migrantinnen und Migranten oder mit Jugendlichen aus bildungsfernen Schichten, in denen zum Beispiel Mentoren- und Patenschaftsmodelle dabei helfen, interkulturelle Kompetenzlücken ehrenamtlich zu schließen (Colley 2005), die in den meisten Institutionen der Zuwanderungsgesellschaft Bundesrepublik anzutreffen sind und die sich besonders diskriminierend im Bildungsbereich auswirken (Huth 2008).

Die produktive Wirkung neuer Curricula, außerschulischer Bildungsangebote und informellen Lernens im und durch Engagement bleibt jedoch an institutionelle Rahmenbedingungen gebunden, die zur Verstärkung und Anerkennung solcher Erfahrungen beitragen – also an Möglichkeiten der eigenen Gestaltung und Selbstbestimmung, letztlich zum Beispiel an eine demokratische Schulkultur und soziale Dienste, in denen die Menschenrechte der Nutzer geachtet und in ihren Mitwirkungswünschen geschätzt und aufgenommen werden. Treffen solche Veränderungsimpulse auf Blockaden und Ignoranz, führt dies zu Parallelwelten oder im schlechtesten Fall zur Abwertung informeller wie formeller Lernorte.

Eine Mehrzahl der demokratischen Innovationen der jüngeren Zeit ist darauf ausgelegt, die Rationalität und die Wissensgrundlagen politischen Handelns und Entscheidens zu verbessern. Das reicht von deliberativen Mini-Öffentlichkeiten, die vor Wahlentscheidungen und politischen Weichenstellungen zur Qualität der politischen Debatten beitragen sollen, über Sachvoten, die zumindest ein Minimum an Informationen über den Abstimmungsgegenstand erfordern, bis hin zu partizipativen Haushaltsplanungen auf kommunaler Ebene, die eine pädagogische Aufbereitung eines komplizierten Stoffes voraussetzen und entsprechende kognitive Mobilisierungen fördern.

Es ist früh bemerkt worden, dass Bürgerinitiativen, Proteste und soziale Bewegungen ungewöhnlich produktive Lernorte sein können, weil sie dazu nötigen, öffentlich mit guten Argumenten für die eigenen Interessen und Anliegen einzutreten.[32] Wer sich in Bürgerinitiativen oder sozialen Bewegungen engagiert, muss sich mit den Standpunkten von Opponenten auseinandersetzen und Unterstützer gewinnen, Kenntnisse über politische Entscheidungswege und Verwaltungsverfahren erwerben und Öffentlichkeitsarbeit betreiben, um erfolgreich zu sein. Bürgerinitiativen und soziale Bewegungen müssen zudem angemessene Lern-, Diskussions- und Entscheidungsmuster entwickeln, die ihre Anhänger und Unterstützer zumindest nicht vergraulen, im besseren Fall sogar zum weiteren Mittun motivieren.

Die eigentliche Botschaft dieses Buches: Es gibt eine Vielfalt demokratischer Alternativen und Handlungsmöglichkeiten. Es kommt auf jede Bürgerin und jeden Bürger an! Gegen alte und neue Horizontverengungen durch selbsternannte oder

---

32 Als Dokument von Bewegungsakteuren, die ihre Lernprozesse reflektieren, s. Vack 1993. Weitere Hinweise finden sich in einem Handbuch zur politischen Sozialisation, das auch Bewegungszusammenhänge und unkonventionelle Beteiligungsverfahren aufgreift (Claußen/Geißler 1996).

beauftragte Experten, gegen die Anmaßung politischer Entscheidungsmacht und gegen ein naives Marktvertrauen gilt es, ein demokratisches Vertrauen in die »Weisheit der Vielen« zu entwickeln. Dies nicht zuletzt als Ermutigung, sich – im Sinne der Kant'schen Definition von Aufklärung – des eigenen politischen Verstandes und der eigenen Handlungsmöglichkeiten zu bedienen.

# Die historische Chance nutzen!

## Ein Plädoyer

*»Die Frage bleibt, was das schöpferische Experimentieren in Sachen Freiheit und Demokratie die Welt in den kommenden Jahren lehren wird.«*
MICHAEL HARDT UND ANTONIO NEGRI[1]

Das Frühjahr des Jahres 2011 ist durch zwei Ereignisse geprägt, die zuvor als unwahrscheinlich, wenn nicht gar als unmöglich galten: die Reaktorkatastrophe in Japan und der »Arabische Frühling«. Eigentlich handelt es sich in beiden Fällen um Ereignisketten, deren Ende auch einige Monate später nicht in Sicht ist. Über das Ausmaß der Atomkatastrophe wird nur tröpfchenweise berichtet, und die Langfristfolgen sind unabsehbar. In Fukushima ereignete sich eine atomare Katastrophe, die jenes Restrisiko erfahrbar machte, das von höchster Ebene praktisch ausgeschlossen worden war. Konnte Tschernobyl noch als Folge sowjetischer Schlamperei und

1 »Arabs are Democracy's New Pioneers«, Guardian vom 24. Februar 2011, hier zitiert nach der deutschen Übersetzung in medico international 1/2011.

Rückständigkeit abgetan werden, so ist dies für Japan nicht mehr möglich. Was dort passierte, kann ebenso bei uns geschehen – auch ohne Erdbeben und ohne Tsunami, aber durch den Absturz eines Passagierflugzeugs oder einen Terroranschlag. Fukushima bestätigt die kollektive Intelligenz sozialer Bewegungen, die eben nicht irrationale Angstpolitik betreiben, sondern auf Gefährdungen und ungelöste Folgeprobleme hinweisen, die in einer dem kurzfristigen Wohlstandserwerb verpflichteten und unter permanentem Wachstumszwang stehenden Gesellschaft notorisch verdrängt werden. Die »Weisheit der Vielen«, die heute vor allem in Protesten, Bürgerinitiativen und sozialen Bewegungen zum Ausdruck kommt, ist eine der wenigen zukunftsfähigen Ressourcen, die sich durch ihren Gebrauch vermehrt.

Dass ausgerechnet im Nahen Osten eine neuerliche Demokratisierungswelle einsetzen würde, war von kaum jemandem vorhergesehen worden. Zu sehr hatten sich nicht nur westliche Beobachter in Huntingtons »Clash of Civilizations« eingerichtet. Die Grundannahme war einfach: In diesen islamisch geprägten Gesellschaften fehlen die kulturellen Voraussetzungen für demokratische Aspirationen. Wie auch immer es zahlreiche Bewohner dieser Region geschafft haben mögen, sie sind zu Pionieren für demokratische Verhältnisse in ihren Ländern geworden. Nach den hoffnungsvollen und weitgehend friedlichen Aufbrüchen in Tunesien und Ägypten überschatten Gewaltaktionen und kriegerische Auseinandersetzungen in Libyen, Bahrein, Syrien und im Jemen die Hoffnung auf eine neuerliche friedliche Revolution. Dennoch gilt es festzuhalten: Friedliche Massendemonstrationen, die Besetzung öffentlicher Plätze, die mutige Infragestellung autokratischer und korrupter Herrschaft haben daran erinnert, dass Bürgermacht auch revolutionär sein kann.

Wie so häufig wirken die Vorbilder auch in Regionen, die gänzlich andere politische Verhältnisse und Problemlagen aufweisen. Der »Arabische Frühling«, mit der Besetzung des Tahrir-Platzes in Kairo als Modell, hat auch in den westlichen Demokratien die Bevölkerung angeregt und ermutigt, ihre politische Unzufriedenheit in dieser Form auszudrücken: ob auf der Puerta del Sol in Madrid, dem Syntagma-Platz in Athen oder auch den zentralen Plätzen britischer und italienischer Städte. Sicherlich sind die konkreten Umstände, Akteure und Forderungen unvergleichbar, aber diesem Protestmuster ist eine tiefgreifende Entfremdung von der herrschenden Politik gemeinsam, die weit über die politische Färbung der jeweiligen Regierungen hinausgeht. Aus der Sicht der Protestierenden sind ihre Regierungen weder in der Lage, die aufgelaufenen Probleme zu lösen, noch verhalten sie sich gegenüber ihrer Bevölkerung verantwortlich.

Auch in der Bundesrepublik gibt es eine demokratische Aufbruchsstimmung. Die Anti-Atom-Proteste und die Dauermobilisierungen gegen »Stuttgart 21« hatten erste wahlpolitische Effekte. Die Bundesregierung hat sich in der Atompolitik – nicht zuletzt wegen der schwindenden Unterstützung in der Bevölkerung – zur Kehrtwende entschlossen. Erstmals wurde ein Grüner zum Ministerpräsidenten in Baden-Württemberg gewählt und im Nachbarland zum Juniorpartner. Wer dies als Bestätigung für ein funktionierendes parlamentarisches System deutet, übersieht, dass beide Regierungen Bürgerdemokratie in ihre Koalitionsvereinbarungen geschrieben haben. Nun sind solche Absichtserklärungen schnell Makulatur, aber Baden-Württemberg hat mit einer Staatsrätin im Kabinettsrang eine neue Personalie für das Thema geschaffen, und in Rheinland-Pfalz wurde eine Demokratie-Enquete beschlossen, die den Handlungsspielraum einer Landesregierung in der Beteiligungspolitik ausloten soll. Es muss also nicht bei vollmundigen Versprechen bleiben, wenn sich erstmals seit 1969 zwei Landesregierungen daranmachen, mehr Demokratie zu wagen. In diesem Auszug aus der parlamentarischen Wagenburg liegt eine zweite historische Chance. Der Rückblick auf die sozialliberale Koalition macht deutlich, auf welch schwierigem Gelände sich die verstärkte Anerkennung von Bürgermacht bewegt. Damals dauerte es keine Legislaturperiode, bis das Demokratieversprechen zugunsten eines Systems der inneren Sicherheit mit Berufsverboten eingestampft wurde, das Willy Brandt wenige Jahre später zur bangen Frage nötigte, ob überhaupt noch Demokratie gewagt werden könne. Von einem Mehr war jedenfalls bald keine Rede mehr. Was können Bürgerinnen und Bürger tun, damit sich dies nicht wiederholt und ein Durchbruch in Sachen mehr Demokratie stattfindet?

Zunächst tun sie spontan das Richtige, sie protestieren weiter in Stuttgart gegen das Bahnhofsprojekt und an vielen anderen Orten für das Ende der Atomwirtschaft. Der Druck darf nicht nachlassen. Es geht um ein Marathonrennen, nicht um einen Sprint.

Gerade in den Ländern, die auf eine längere und ausgebaute Tradition direkter Beteiligungs- und Mitwirkungsformen zurückblicken, wächst die Sorge vor einer Kommerzialisierung von Beteiligung und Protest. In dem Maße, wie diese Formen des Politikmachens an Boden und Einfluss gewinnen, drängen auch mächtige Wirtschaftsinteressen in dieses Feld. Gerade in den USA wird das Anwachsen einer Beteiligungsindustrie beobachtet, die nicht nur dafür sorgt, dass Abstimmungsvorlagen – wie bei den kalifornischen propositions – gegen entsprechende Kampagnenmittel Zustimmung finden. Sie hat auch eigene Beteiligungsformate entwickelt, die, als Handelsmarken eingetragen, Erträge versprechen. Von der Finanzierung von NGOs, Bewegungsunternehmern und Lobbygruppen muss gar nicht erst gesprochen werden. Nun geht es dabei gar nicht darum, das bürgerschaftliche Engagement von Unternehmen unter Generalverdacht zu stellen. Aber die demokratischen Kosten des »industry-driven activism« (Walker 2010) können enorm sein, weil sie sowohl dazu beitragen können, starke Interessen zu privilegieren, als auch Beteiligung selbst in Verruf zu bringen. Als Mittel privilegierter Interessenpolitik und privatisierter Beteiligung hat Bürgermacht keine demokratische Existenzberechtigung.[2] Gegen diesen Machtmissbrauch, der nur verdeckt erfolgreich sein kann, gilt es Transparenz und kritische Öffentlichkeit einzufordern. Es ist kein Zufall, dass die Zahl der Kontroll- und Monitoringgruppen gegen besagte Tendenz zur wirtschaftsmächtig »gesteuerten Demokratie« in den letzten Jahren deutlich zugenommen hat. Auf einem gänzlich anderen Blatt steht die offene Unterstützung von Unternehmen für demokratieför-

---

2 Konkrete Beispiele dieser Entwicklung diskutieren Walker (2009) und Lee u.a (2011).

derliche Initiativen, die zum Beispiel gegen Fremdenfeindlichkeit und für Toleranz auftreten (vgl. Roth 2010: 66ff.).

Eine zweite Gefahrenzone für Fremdnutzung und Verschleiß von Bürgermacht besteht im Verhältnis zum Staat. Es ist oft beobachtet worden, dass gerade die deutsche Zivilgesellschaft stark staatsabhängig und in Teilen auch staatsfixiert ist. Subventions- und Projekttöpfe, auch die institutionelle Subsidiarität oder das Gemeinnützigkeitsrecht sorgen dafür, dass ein größerer Ausschnitt der Zivilgesellschaft von staatlichen Alimentierungen und Aufträgen abhängig ist und bleibt oder entsprechendes Wohlverhalten zeigt. Diese Tendenz dürfte zunehmen, wenn Behörden und Parlamente sich für Beteiligungsprozesse öffnen und die bislang noch häufig anzutreffende Mischung aus Ignoranz, Überheblichkeit und Verachtung ablegen. Gerade von den Verwaltungen wird immer wieder zu fordern sein, dass sie mit der Bürgerorientierung Ernst machen. So blieb ausgerechnet eine mit breiter zivilgesellschaftlicher Beteiligung geführte und moderierte sowie ministeriell unterstützte Debatte über eine nationale Engagementstrategie für die Bundesrepublik weitgehend folgenlos. Das Kabinett begnügte sich mit einer »Strategie«, die eine überwiegend disparate Ansammlung bereits laufender Aktivitäten in den verschiedenen Ministerien darstellt (vgl. Nationales Forum 2010). Auf die Gefahren einer staatlich hergestellten Zivilgesellschaft, die unbequeme Kritik ausgrenzt und die »Willfährigen« in staatliche Programme einbaut, ist schon am britischen Beispiel der »manufactured civil society« oder der »big society« hingewiesen worden. Gruppen, die auf Bürgermacht setzen, sollten sich jedenfalls auf einen langen und konfliktträchtigen Weg einstellen. Zivilgesellschaftliche Akteure, die sich selbst auf die Produktion von »sozialem Kitt« und auf die unkritische Zuarbeit zu staatlicher Politik und den gesellschaftlichen Verhältnissen beschränken, leisten keinen demokratiepolitischen Beitrag.

Die größten Herausforderungen dürften vorerst aus der Zivilgesellschaft selbst kommen. Schließlich geht es um nichts weniger als eine demokratische Zivilgesellschaft, die diesen Zusatz verdient. Auf die andauernde Ressourcenschwäche und die sozialen Ungleichheiten im Gefüge der Zivilgesellschaft ist in diesem Buch an vielen Stellen hingewiesen worden. Wenn zivilgesellschaftliche Gruppen diese nicht zu ihrer eigenen Angelegenheit machen, wird Bürgermacht als ein mittelständisches und privilegiertes Projekt versanden. Leider ist fehlendes Selbstbewusstsein und eine beinahe grenzenlose Duldsamkeit noch immer bei vielen zivilgesellschaftlichen Akteuren anzutreffen. So wäre hier die Liste der Herausforderungen und konkreten Aufgaben erheblich zu erweitern.

Sollte ein Durchbruch in Richtung Bürgerdemokratie gelingen, warten solche Mühen der Ebene. Zuvor wird es darum gehen, Bürgerbeteiligung und Bürgermacht aus ihrer Nischenexistenz herauszuführen. Wie schwer dies ist, lässt sich am Beispiel der lateinamerikanischen Debatte über Bürgerhaushalte zeigen. Was für die deutschen Verhältnisse bereits als »reale Utopie« erscheint, nämlich dass es in Brasilien gelungen ist, in großer Zahl und dauerhaft Beteiligungsformen zu praktizieren, nötigt dort zur Frage, ob solche konsolidierten Beteiligungsräume nicht doch als Form der Subordination gesehen werden müssen (Teixeira 2011). Für die deutsche

Situation droht womöglich eher ein banaleres Schicksal: zu selten, zu wenig, wirkungslos – beispielsweise dann, wenn es nicht gelingt, partizipative Räume rechtlich zu sichern und eine entsprechende Debatte anzuzetteln. Überhaupt dürften halbherzige Beteiligungsinitiativen ohne entsprechende Unterstützung zur Negativwerbung taugen und genutzt werden.

Solche Problemberge erzeugen leicht Ohnmachtsgefühle. Die Übermacht der bestehenden Verhältnisse schüchtert ein. Und ohne Druck von unten wird es nicht zu einer demokratischen Machtteilung kommen.

Aber es geht auch um das Glück, gemeinsam öffentlich zu handeln, die Erfahrungen von Solidarität und Gemeinsamkeit oder von Streit, Kompromiss und Aussöhnung – all dies kann authentisch nur im politischen Engagement selbst erlebt werden. Hier liegt eine besondere Chance von demokratischen Vitalisierungsstrategien: Indem sie erprobt und ermöglicht werden, verbessern sie ihre Gelingensbedingungen und verbreitern ihre Anhängerschaft.

Der britische Thinktank »Demos« entwickelte sein Leitbild »Alltagsdemokratie« (Bentley 2005) durch Erfahrungslernen mit einer Reihe von Kooperationspartnern (NGOs und Initiativen), die gemeinsam in verschiedenen Lebensbereichen experimentieren. Dazu gehört zum Beispiel auch die Kooperation mit lokalen Selbsthilfegruppen von Menschen mit Behinderungen genauso wie ein internationales Netzwerk. Demokratische Erneuerung ist nur mit aktiver öffentlicher Beteiligung möglich: »Everyday democracy means increasing public participation in the formal and informal institutions that shape our daily lives. People should be able to make individual choices in ways that contribute to the common good« (Bentley 2005: 9). Schließlich steigert, so die begründete Erwartung, die öffentliche Beteiligung unsere gemeinsame Handlungsfähigkeit, um die zentralen Probleme unserer Gesellschaft anzugehen. Dies ist der Sinn von Bürgermacht. Wir werden sie nur entfalten, wenn wir bereit sind, unsere alltägliche Lebensweise zu verändern und dem gemeinsamen Handeln mehr Raum zu geben.

# Literatur[1]

Abromeit, Heidrun 2004: Die Messbarkeit von Demokratie: Zur Relevanz des Kontextes. In: Politische Vierteljahresschrift 45 (1), 73–93

Abromeit, Heidrun 2007: Gesellschaft ohne Alternativen. Zur Zukunftsunfähigkeit kapitalistischer Demokratien. Working Paper Nr. 11. Darmstadt

Agnoli, Johannes / Brückner, Peter 1967: Die Transformation der Demokratie. Berlin

Alber, Jens u. a. 2010: Ungleichheit differenziert gemessen. Armut und materielle Not in der Europäischen Union. In: WZB Mitteilungen 126, Juni, 7–10

Albrow, Martin u. a. (Hrsg.) 2008: Global Civil Society 2007 / 8. Los Angeles u. a.

Alemann, Ulrich von / Klewes, Joachim 2011: Die Bürger sollen es richten. In: politik&kommunikation 2, 20–22

Alinsky, Saul 1971: Rules for Radicals: A Practical Primer for Realistic Radicals. New York

Amna, Erik 2010: Active, Passive, or Stand-by Citizens? Latent and Manifest Political Participation. In: ders. (Hrsg.): New Forms of Citizen Participation. Normative Implications: Baden-Baden, 191–203

1 Einzelne Passagen dieses Buches gehen – in der Regel in aktualisierter, gekürzter oder erweiterter Bearbeitung – vor allem auf folgende Veröffentlichungen zurück: Roth / Rucht 2008, Roth 2009, Roth 2010a, Olk / Lenhart / Roth / Stimpel 2010, Dräger / Roth 2011, Roth 2011. Aktuelle Übersichten und Downloads zu weiteren Ausarbeitungen sind auf www.desi-sozialforschung-berlin.de zu finden.

Arnoldt, Bettina/Steiner, Christine 2010: Partizipation an Ganztagsschulen. In: Betz, Tanja u.a. (Hrsg.): Partizipation von Kindern und Jugendlichen. Schwalbach/Ts, 155–177

Backhaus-Maul, Holger u.a. 2009: In eigener Regie! Plädoyer für eine bessere (Selbst-)Steuerungs- und Leistungsfähigkeit der Bürgergesellschaft. Berlin

Barber, Benjamin 1994: Starke Demokratie: über die Teilhabe am Politischen. Berlin

Barceló, Marta 2005: Reality Check on Children's Participation in the Governance of Barra Mansa, Brazil. In: Children, Youth and Environments (15) 2, 169–184

Baringhorst, Sigrid u.a. (Hrsg.) 2007: Politik mit dem Einkaufswagen. Unternehmen und Konsumenten als Bürger in der globalen Mediengesellschaft. Bielefeld

Barloschky, Joachim 2008: Junge Menschen erobern Räume und entscheiden mit über das Quartiersbudget in Bremen-Tenever. In: Ködelpeter, Thomas/Nitschke, Ulrich (Hrsg.): Jugendliche planen und gestalten Lebenswelten: Partizipation als Antwort auf den gesellschaftlichen Wandel. Wiesbaden, 167–175

Barnes, Samuel u.a. 1979: Political Action. Mass Participation in five Western Democracies. Beverly Hills

Bartlett, Sheridan 2008: Integrating Children's Rights into Municipal Action: A Review of Progress and Lessons Learned. In: Children, Youth and Environments (15) 2, 18–40

Beck, Kurt/Ziekow, Jan (Hrsg.) 2011: Mehr Bürgerbeteiligung wagen. Wege zur Vitalisierung der Demokratie. Wiesbaden

Beetham, David u.a. 2008: Assessing the Quality of Democracy. A Practical Guide. Stockholm

Behringer, Jeanette 2010: Engagementpolitik in Österreich und der Schweiz. In: Forschungsjournal Neue Soziale Bewegungen 4, 51–62

Bentley, Tom 2005: Everyday Democracy. Why we get the politicians we deserve. London

Berman, Sheri 1997: Civil Society and the Collapse of the Weimar Republic. In: World Politics (49) 3, 401–429

Bertelsmann Stiftung (Hrsg.) 2010: Soziale Gerechtigkeit in der OECD – Wo steht Deutschland? Sustainable Governance Indicators 2011. Gütersloh

Bertelsmann Stiftung (Hrsg.) 2011: Demokratie vitalisieren – politische Teilhabe stärken. Gütersloh

Betz, Tanja u. a. (Hrsg.) 2010: Partizipation von Kindern und Jugendlichen. Schwalbach/Ts

Biedermann, Horst/Oser, Fritz 2010: Politische Mündigkeit durch schulische Partizipation? Zur Entmythologisierung des Wirksamkeitsglaubens von Partizipation. In: Kursiv. Journal für politische Bildung 1, 28–44

Binswanger, Mathias 2010: Sinnlose Wettbewerbe. Warum wir immer mehr Unsinn produzieren. Freiburg

Blanke, Bernhard u. a. 2011: Handbuch zur Verwaltungsreform, 4. Aufl., Wiesbaden

Blickle, Peter 2000: Kommunalismus. Skizzen einer gesellschaftlichen Organisationsform. 2 Bände. München

Böhm, Birgit u. a. 2008: Verlässlich. Verantwortlich. Bürgernah. Bürgergutachten zu den Eckpunkten der Kommunal- und Verwaltungsreform in Rheinland-Pfalz. Berlin

Bogumil, Jörg u. a. 2003: Das Reformmodell Bürgerkommune. Berlin

Bohman, James 2007: Democracy across Borders. From Dêmos to Dêmoi. Cambridge, Mass.

Bräutigam, Deborah 2004: The People's Budget? Politics, Participation and Pro-poor Policy. In: Development Policy Review 22 (6), 653–668

Braithwaite, John/Drahos, Peter 2000: Global Business Regulation. Cambridge

Brand, Karl-Werner 2010: Die Neuerfindung des Bürgers. Soziale Bewegungen und bürgerschaftliches Engagement in der Bundesrepublik. In: Olk, Thomas u. a. (Hrsg.): Engagementpolitik. Die Entwicklung der Zivilgesellschaft als politische Aufgabe. Wiesbaden, 123–152

Brand, Ulrich u. a. (Hrsg.) 2007: ABC der Alternativen. Von »Ästhetik des Widerstands« bis »Ziviler Ungehorsam«. Hamburg

Bremme, Peter u. a. (Hrsg.) 2007: Never work alone. Organizing – ein Zukunftsmodell für Gewerkschaft. Hamburg

Brodocz, André u. a. (Hrsg.) 2008: Bedrohungen der Demokratie. Wiesbaden

Brunnengräber, Achim (Hrsg.) 2011: Zivilisierung des Klimaregimes. NGOs und soziale Bewegungen in der nationalen, europäischen und internationalen Klimapolitik. Wiesbaden

Brunnengräber, Achim u. a. (Hrsg.) 2005: NGOs im Prozess der Globalisierung. Mächtige Zwerge – umstrittene Riesen. Wiesbaden

Bürsch, Michael (Hrsg.) 2008: Mut zur Verantwortung. Mut zur Einmischung. Bürgergesellschaftliches Engagement in Deutschland. Bonn

Bulmer, Martin / Rees, Anthony M. (Hrsg.) 1996: Citizenship today. The contemporary relevance of T. H. Marshall. London

Bundesjugendkuratorium 2009: Partizipation von Kindern und Jugendlichen – Zwischen Anspruch und Wirklichkeit. München

Buzogany, Aron / Frankenberger, Rolf (Hrsg.) 2007: Osteuropa: Politik, Wirtschaft und Gesellschaft. Baden-Baden

Cabannes, Yves 2005: Children and young people build participatory democracy in Latin American cities. In: Children, Youth and Environments (15) 2, 185–210

Campbell, David F. J. / Schaller, Christian (Hrsg.) 2002: Demokratiequalität in Österreich. Zustand und Entwicklungsperspektiven. Opladen

Castel, Robert 2000: Die Metamorphosen der sozialen Frage. Eine Chronik der Lohnarbeit. Konstanz

Castel, Robert 2011: Die Krise der Arbeit. Neue Unsicherheiten und die Zukunft des Individuums. Hamburg

Chrisholm, Lynne u. a. (Hrsg.) 2005: Trading up. Potentials and performances in non-formal learning. Strasbourg

Claußen, Bernhard / Geißler, Rainer (Hrsg.) 1996: Die Politisierung des Menschen. Instanzen der politischen Sozialisation. Ein Handbuch. Opladen

Colley, Helen 2005: Formal and informal models of mentoring for young people: issues for democratic and emancipatory practice. In: Chrisholm u.a. (Hrsg.): Trading up. Potentials and performances in non-formal learning. Strasbourg, 31–45
Crick, Bernard 2001: Introduction. In: ders. (Hrsg.): Citizens: Towards a Citizenship Culture. Oxford
Crouch, Colin 2008 (2004): Postdemokratie. Frankfurt/M
Crouch, Colin 2011: The Strange Non-death of Neo-liberalism. New York
Dalton, Russell J. 2004: Democratic Challenges, Democratic Choices. The Erosion of Political Support in Advanced Industrial Democracies. Oxford
Damkowski, Wulf/Rösener, Anke 2003: Auf dem Weg zum Aktivierenden Staat. Vom Leitbild zum umsetzungsreifen Konzept. Berlin
Della Porta, Donatella 2009: Democracy in Social Movements. Houndsmill
Dettling, Warnfried 2008: Politische Konsequenzen aus der Debatte um die Bürgergesellschaft. In: Dettling, Daniel (Hrsg.): Die Zukunft der Bürgergesellschaft. Wiesbaden, 214–225
DStGB (Deutscher Städte- und Gemeindebund) 2010: Rettet die lokale Demokratie! DStGB Dokumentation Nr. 100. Berlin
Diamond, Larry 2008: The Spirit of Democracy. The Struggle to Build Free Societies Throughout the World. New York
Dörner, Andreas/Vogt, Ludgera 2008: Das Geflecht aktiver Bürger. »Kohlen« – eine Stadtstudie zur Zivilgesellschaft im Ruhrgebiet. Wiesbaden
Dörre, Klaus 2010: Hartz-Kapitalismus. Vom erfolgreichen Scheitern der jüngsten Arbeitsmarktreformen. In: Heitmeyer, Wilhelm (Hrsg.): Deutsche Zustände. Folge 9. Berlin, 294–305
Dräger, Jörg/Roth, Roland 2011: Wandlung, nicht Krise – Herausforderungen und Chancen für die Demokratie in Deutschland. In: Bertelsmann Stiftung (Hrsg.): Demokratie vitalisieren – politische Teilhabe stärken. Reinhard Mohn Preis 2011. Gütersloh, 11–27

Dryzek, John S. 1996: Political Inclusion and the Dynamics of Democratization. In: American Political Science Review (90), 475–487

Düx, Wiebken u.a. 2008: Kompetenzerwerb im freiwilligen Engagement. Wiesbaden

Eick, Volker u.a. (Hrsg.) 2007: Kontrollierte Urbanität: Zur Neoliberalisierung städtischer Sicherheitspolitik. Bielefeld

Eikel, Angelika 2009: Demokratie und Partizipation lernen in der Schule. In: Newsletter Wegweiser Bürgergesellschaft 5, 1–10

Embacher, Serge 2009: Demokratie! Nein danke? Demokratieverdruss in Deutschland. Bonn

Embacher, Serge/Lang, Susanne 2008: Bürgergesellschaft. Eine Einführung in zentrale bürgergesellschaftliche Gegenwarts- und Zukunftsfragen. Bonn

Embacher, Serge/Roth, Roland 2010: Ein neuer Gesellschaftsvertrag. Rahmung für Corporate Citizenship (CCCD-Debatte 04). Berlin

Europarat 2005: Green Paper: The Future of Democracy in Europe. Strasbourg

Fatke, Reinhard/Schneider, Helmut 2005: Kinder- und Jugendpartizipation in Deutschland. Daten, Fakten, Perspektiven. Gütersloh

Feldmann-Wojtachnia, Eva/Gretschel, Anu u.a. 2010: Youth participation in Finland and in Germany. Status analysis and data based recommendations. Helsinki/München

Finley, Moses 1988: Antike und moderne Demokratie. Stuttgart

Fögen, Ines u.a. 2009: Demokratiepädagogik im Bildungssystem der Bundesrepublik Deutschland. Weinheim

Franzke, Jochen/Kleger, Heinz (Hrsg.) 2006: Kommunaler Bürgerhaushalt in Theorie und Praxis am Beispiel Potsdams. Potsdam

Franzke, Jochen/Kleger, Heinz (Hrsg.) 2009: Bürgerhaushalt ohne Bürger? Analyse der Ergebnisse einer Einwohnerbefragung in der Stadt Potsdam im Frühjahr 2007. Potsdam

Franzke, Jochen/Kleger, Heinz 2010: Bürgerhaushalte. Chancen und Grenzen. Berlin

Fung, Archon/Wright, Erik Olin (Hrsg.) 2003: Deepening Democracy:

Institutional Innovations in Empowered Participatory Governance. London
Gabriel, Oscar W./Kropp, Sabine (Hrsg.) 2008: Die EU-Staaten im Vergleich. Strukturen, Prozesse, Politikinhalte. 3. aktualisierte und erweiterte Auflage. Wiesbaden
Gabriel, Oskar W. 2009: Verwaltungsvertrauen und Demokratie. In: König, Klaus/Kropp, Sabine (Hrsg.): Theoretische Aspekte einer Zivilgesellschaftlichen Verwaltungskultur. Speyerer Forschungsberichte 263. Speyer, 121–160
Gastil, John 2008: Political Communication and Deliberation. London u.a.
Gastil, John/Levine, Peter (Hrsg.) 2005: The Deliberative Democracy Handbook. Strategies for Effective Civic Engagement in the 21st Century. San Francisco
Gaventa, John/Barrett, Gregory 2010: So What Difference Does it Make? Mapping the Outcomes of Citizen Engagement. Brighton
Geißel, Brigitte 2011: Kritische Bürger. Gefahr oder Ressource für die Demokratie? Frankfurt/M
Gensicke, Thomas 2002: Modellprojekt »Lokale Demokratiebilanz«. Das Beispiel der Stadt Viernheim und bundesweiter Vergleich. München
Gensicke, Thomas/Geiss, Sabine 2010: Freiwilliges Engagement in Deutschland 1999–2004–2009. Hauptbericht. München
Gensicke, Thomas u.a. 2006: Freiwilliges Engagement in Deutschland 1999–2004. Wiesbaden
Gitlin, Todd 1980: The Whole World is Watching: Mass Media in the Making and Unmaking of the New Left. Berkeley
Goodin, Robert E. 2008: Innovating Democracy. Democratic Theory and Practice After the Deliberative Turn. Oxford
Gross, Bertram 1980: Friendly Fascism: The New Face of Power in America. New York
Guerra, Eliana 2002: Citizenship knows no age: Children's participation in the governance and municipal budget of Barra Mansa, Brazil. In: Environment Urbanization (14) 2, 71–84

Habermas, Jürgen 1961: Strukturwandel der Öffentlichkeit. Neuwied

Häusler, Alexander (Hrsg.) 2008: Rechtspopulismus als »Bürgerbewegung«. Kampagnen gegen Islam und Moscheebau und kommunale Gegenstrategien. Wiesbaden

Hale, Thomas/Held, David (Hrsg.) 2011: Handbook of Transnational Governance. Institutions and Innovations. Cambridge

Hamm, Brigitte 2003: Menschenrechte. Ein Grundlagenbuch. Opladen

Hart, Roger (Hrsg.) 1996: Children's Participation. The Theory and Practice of Involving Young Citizens in Community Development and Environmental Care. London

Hauck, Gerhard 2008: Das Lokale als Widerpart destruktiver Globalisierung? Der Mythos von der »kulturellen Gemeinschaft« in Postdevelopmentalismus und Kommunismus. In: Leviathan (36) 4, 576–589

Heinrich, Klaus 1964: Versuch über die Schwierigkeit nein zu sagen. Frankfurt/M

Heitmeyer, Wilhelm (Hrsg.) 2010: Deutsche Zustände. Folge 8. Berlin

Herbert, Sérgio 2008: Beteiligung der Jugendlichen aus Barão am Bürgerhaushalt. In: Ködelpeter, Thomas/Nitschke, Ulrich (Hrsg.): Jugendliche planen und gestalten Lebenswelten: Partizipation als Antwort auf den gesellschaftlichen Wandel. Wiesbaden, 153–165

Herzberg, Carsten 2010: Von der Bürger- zur Solidarkommune. Lokale Demokratie in Zeiten der Globalisierung. Hamburg

Hessel, Stéphane 2011: Empört Euch! Berlin

Hirschman, Albert O. (1991) 1995: Denken gegen die Zukunft. Frankfurt/M

Hirst, Paul/Khilnani, Sunil (Hrsg.) 1996: Reinventing Democracy. Oxford

Hodgson, Lesley 2004: Manufactured Civil Society: Counting the Cost. In: Critical Social Policy (24) 2, 139–164

Hormel, Ulrike/Scherr, Albert 2004: Bildung für die Einwanderungsgesellschaft. Perspektiven der Auseinandersetzung mit struktureller, institutioneller und interaktioneller Diskriminierung. Wiesbaden

Hummel, Konrad 2009: Die Bürgerschaftlichkeit unserer Städte. Berlin

Huth, Susanne 2008: Patenatlas. Aktion zusammenwachsen: Bildungspatenschaften stärken, Integration fördern. Frankfurt/M

IDEA (International Institute for Democracy and Electoral Assistance) 2008: Direct Democracy. The International IDEA Handbook. Stockholm

Jakob, Gisela 2009: Kommunen und bürgerschaftliches Engagement – gegenwärtiger Stand, Probleme und Lösungsansätze. Expertise im Auftrag des WZB. Berlin

Jörke, Dirk 2005: Auf dem Weg zur Postdemokratie. In: Leviathan (33) 4, 482–491

Kaiser, André/Seils, Eric 2005: Demokratie-Audits. Zwischenbilanz zu einem neuen Instrument der empirischen Demokratieforschung. In: Politische Vierteljahresschrift (46) 1, 133–143

Kersting, Norbert (Hrsg.) 2008: Politische Beteiligung. Einführung in dialogorientierte Instrumente politischer und gesellschaftlicher Partizipation. Wiesbaden

Keupp, Heiner 2007: Plädoyer für eine zivilgesellschaftliche »Neuerfindung« sozialer Arbeit. Theorie und Praxis Sozialer Arbeit 3, 11–18

Kim, Jee/Sherman, Robert F. 2006: Youth as Important Civic Actors: From the Margins to the Center. In: National Civic Review (95) 1, 3–6

Klages, Helmut/Daramus, Carmen 2006: »Bürgerhaushalt Berlin-Lichtenberg«. Partizipative Haushaltsplanaufstellung, -entscheidung und -kontrolle im Bezirk Lichtenberg von Berlin. Begleitende Evaluation des ersten Durchlaufs. Abschlussbericht

Klages, Helmut 2007: Beteiligungsverfahren und Beteiligungserfahrungen. Bonn

Klages, Helmut u.a. 2008: Bürgerbeteiligung durch lokale Bürgerpanels. Berlin

Klages, Helmut u.a. 2009: Bürgerbeteiligung als Weg zur lebendigen Demokratie. Bonn

Kleger, Heinz (Hrsg.) 1997: Transnationale Staatsbürgerschaft. Frankfurt/New York

Klewes, Joachim u. a. 2011: Deupas – Deutsche Parlamentarierstudie 2010. Abschlussbericht. Meerbusch

Kluge, Alexander 1982: Das Selbstvertrauen in unseren Ängsten. In: Hartwig, Helmut u. a. (Hrsg.): Krieg – Friedensangst, Kriegslust. Berlin, 44–50

Knauer, Raingard 2007: In der Kinderstube der Demokratie – Engagement in Kindertageseinrichtungen. In: Bertelsmann Stiftung (Hrsg.): Vorbilder bilden – Gesellschaftliches Engagement als Bildungsziel. Gütersloh, 113–124

Ködelpeter, Thomas / Nitschke, Ulrich (Hrsg.) 2008: Jugendliche planen und gestalten Lebenswelten. Partizipation als Antwort auf den gesellschaftlichen Wandel. Wiesbaden

Kolb, Felix 2004: Movement Action Success Strategy. Ein Handbuch für erfolgreiche Kampagnen von Bürgerinitiativen, Verbänden und sozialen Bewegungen. (www.bewegungsstiftung.de/bridge/w/files/dokumente/mass_studienbrief.pdf)

Kost, Andreas (Hrsg.) 2005: Direkte Demokratie in den deutschen Ländern. Eine Einführung. Wiesbaden

Kriesi, Hanspeter u. a. 1995: New Social Movements in Western Europe: A Comparative Analysis. Minneapolis

Kubicek, Herbert u. a. 2011: Erfolgreich beteiligt? Nutzen und Erfolgsfaktoren internetgestützter Bürgerbeteiligung – Eine empirische Analyse von 12 Fallbeispielen. Gütersloh

Landman, Todd (Hrsg.) 2008: Assessing the Quality of Democracy: An Overwiew of the International IDEA Framework. Stockholm

Lauth, Hans-Joachim 2004: Demokratie und Demokratiemessung. Eine konzeptionelle Grundlegung für den interkulturellen Vergleich. Wiesbaden

Lauth, Hans-Joachim 2008: Demokratieentwicklung und demokratische Qualität. In: Gabriel, Oscar W. / Kropp, Sabine: Die EU-Staaten im Vergleich. Strukturen, Prozesse, Politikinhalte, 33–61

Lee, Caroline W. u. a. 2011: Civic-izing Markets: Selling Social Profits in Public Deliberation. Easton

Leggewie, Claus / Welzer, Harald 2009: Das Ende der Welt, wie wir sie kannten. Klima, Zukunft und die Chancen der Demokratie. Frankfurt / M

Leighninger, Matt 2011: Using Online Tools to Engage – and be Engaged by – The Public. Washington

Lerner, Josh / Wagner, Estair van 2006: Participatory Budgeting in Canada: Demoratic Innovations in Strategic Spaces (http://www.tni.org/detail_page.phtml? page=newpol-docs_pbcanada)

Linden, Markus / Thaa, Winfried (Hrsg.) 2009: Die politische Repräsentation von Fremden und Armen. Baden-Baden

Loncle, Patricia / Muniglia, Virginie (Hrsg.) 2008: Youth participation, agency and social change. Thematic report. Deliverable No. 21 to the project »Youth – Actor of Social Change«

Luhmann, Niklas 1996 (1990): Dabeisein und Dagegensein. Anregungen zu einem Nachruf auf die Bundesrepublik. In: Ders.: Protest. Systemtheorie und soziale Bewegungen. Frankfurt / M, 160 – 174

Lutz, Burkart 1984: Der kurze Traum immerwährender Prosperität. Neuinterpretation der industriell-kapitalistischen Entwicklung im Europa des 20. Jahrhunderts. Frankfurt / New York

Mackert, Jürgen / Müller, Hans-Peter (Hrsg.) 2007: Moderne (Staats)Bürgerschaft. Nationale Staatsbürgerschaft und die Debatten der Citizenship Studies. Wiesbaden

Märker, Oliver / Nitschke, Ulrich 2008: Bürgerhaushalt als Rahmen einer Beteiligungskultur. In: Ködelpeter, Thomas / Nitschke, Ulrich (Hrsg.): Jugendliche planen und gestalten Lebenswelten. Partizipation als Antwort auf den gesellschaftlichen Wandel. Wiesbaden, 129 – 142

Märker, Oliver / Wehner, Josef 2007: E-Participation: Gewinnung bürgerschaftlicher Expertise zur Qualifikation von Planungs- und Entscheidungsprozessen. In: Zechner, Achim (Hrsg.): Handbuch E-Government. Strategien, Lösungen und Wirtschaftlichkeit. Stuttgart, 367 – 382

Mansbridge, Jane J. 1983: Beyond Adversary Democracy. Chicago/London

Marshall, Thomas H. (1950) 1992: Bürgerrechte und soziale Klassen. Frankfurt/New York

Marx, Rita 2003. Gewaltprävention an Schulen. Erfahrungen mit einem Modellprojekt in Brandenburg. In: Lynen von Berg, Heinz/Roth, Roland (Hrsg.): Maßnahmen und Programme gegen Rechtsextremismus wissenschaftlich begleitet. Opladen, 175–191

Massing, Peter/Breit, Gotthard (Hrsg.) 2001: Demokratietheorien. Von der Antike bis zur Gegenwart. Schwalbach/Ts

Melucci, Alberto 1966: Challenging codes. Collective action in the information age. Cambridge

Merkel, Wolfgang 2010: Participation and the Quality of Democracy. Presentation at the Reinhard Mohn Prize International Workshop Berlin, June 9. Berlin

Metz, Markus/Seeßlen, Georg 2011: Blödmaschinen. Die Fabrikation der Stupidität. Berlin

Mielke, Gerd 2007: Auf verlorenem Posten? Parteien in der Bürgergesellschaft. In: Forschungsjournal Neue Soziale Bewegungen (20) 4, 63–71

Miller, David/Dinan, William 2008: A Century of Spin. How Public Relations Became the Cutting Edge of Corporate Power. London/Ann Arbor

Ministry of the Interior and Kingdom Relations 2006: The State of Our Democracy 2006. The Hague

Mittendorf, Volker/Schiller, Theo 2008: Initiative und Referendum. In: Kersting, Norbert (Hrsg.): Politische Beteiligung. Einführung in dialogorientierte Instrumente politischer und gesellschaftlicher Partizipation, 142–156

Morozov, Evgeny 2011: The Net Delusion. How not to Liberate the World. London: Penguin

Moyer, Bill 1987: A Strategic Framework Describing The Eight Stages of Successful Social Movements. (http://historyisaweapon.com/defcon1/moyermap.html)

Moyn, Samuel 2010: The Last Utopia. Human Rights in History. Cambridge

Müller, Hubert 2008: Miteinander leben in Wiesbaden. In: Rathausfraktion Bündnis 90/Die Grünen (Hrsg.): Halbzeitbilanz der Grünen zur Jamaika-Koalition 2006–2008. Wiesbaden, 15–18

Münch, Richard 2011: Akademischer Kapitalismus. Über die politische Ökonomie der Hochschulreform. Berlin

Nationales Forum für Engagement und Partizipation (Hrsg.) 2010: Engagementpolitik im Dialog. Kommentare und Stellungnahmen zur Engagementstrategie der Bundesregierung. Berlin

Negt, Oskar/Kluge, Alexander 1992: Maßverhältnisse des Politischen. 15 Vorschläge zum Unterscheidungsvermögen. Frankfurt/M

Netzer, Nina 2011: Ein weltweiter Green New Deal. Krisenmanagement oder nachhaltiger Paradigmenwechsel? Berlin

Nitsch, Wolfgang u. a. 1965: Hochschule in der Demokratie. Kritische Beiträge zur Erbschaft und Reform der deutschen Universität. Neuwied/Berlin

Norris, Pippa 2002: Democratic Phoenix. Reinventing Political Activism. Cambridge

Norris, Pippa 2005: Radical Right. Voters and Parties in the Electoral Market. Cambridge

Norris, Pippa 2011: Democratic Deficit: Critical Citizens Revisited. Cambridge

Norris, Pippa/Inglehart, Ronald 2009: Cosmopolitan Communications. Cultural Diversity in a Globalized World. Cambridge

Nowak, Manfred 2002: Einführung in das internationale Menschenrechtssystem. Wien: NWV

Ober, Josiah 2007: The Original Meaning of »Democracy«: Capacity to Do Things, not Majority Rule. Stanford

Ober, Josiah 2008: Democracy and Knowledge. Innovation and Learning in Classical Athens. Princeton/Oxford

Offe, Claus 2008: Political Disaffection as an Outcome of Institutional Practices? Some Post-Tocquevillean Speculations. In: Brodocz, André u. a. (Hrsg.): Bedrohungen der Demokratie. Wiesbaden, 42–60

Olk, Thomas / Lenhart, Karin / Roth, Roland / Stimpel, Thomas 2010: Beteiligungshaushalte und kommunale Bildungslandschaften (unveröffentlichte Expertise). Januar

Olk, Thomas u. a. (Hrsg.) 2010: Engagementpolitik. Die Entwicklung der Zivilgesellschaft als politische Aufgabe. Wiesbaden

Otto, Hans-Uwe / Rauschenbach, Thomas (Hrsg.) 2008: Die andere Seite der Bildung. Zum Verhältnis von formellen und informellen Bildungsprozessen. 2. Auflage. Wiesbaden

Overwien, Bernd / Prengel, Annedore (Hrsg.) 2007: Recht auf Bildung. Zum Besuch des Sonderberichterstatters der Vereinten Nationen in Deutschland. Opladen / Farmington Hills

Parliamentary Assembly / Council of Europe 2008: The state of democracy in Europe. Specific challenges facing European democracies: the case of diversity and migration. Report. Doc. 11623, June 6, 2008

Parliamentary Assembly / Council of Europe 2010: Democracy in Europe. Crises and perspectives. Draft Report, May 26, 2010

Penta, Leo (Hrsg.) 2007: Community Organizing. Menschen verändern ihre Stadt. Hamburg

Pernau, Margrit 2008: Emotionen, Zivilität, Zivilgesellschaft. Berlin

Petersen, Thomas 2011: Autorität in Deutschland. Eine Studie des Instituts für Demoskopie Allensbach. Bad Homburg

Pfahl, Lisa 2010: Organisierte Armut. Soziale Ausgrenzung im gegliederten Schulsystem. In: WZB Mitteilungen H. 126, Juni, 11–13

Piven, Frances Fox / Cloward, Richard A. 1986: Aufstand der Armen. Frankfurt / M

Plotke, David 1997: Representation is Democracy. In: Constellations (4) 1, 19–34

Pohl, Wolfgang u. a. (Hrsg.) 1985: Handbuch für alternative Kommunalpolitik. Bielefeld

Power, Michael 1997: The Audit Society. Rituals of Verification. Oxford: Oxford University Press

Pross, Harry 1992: Protestgesellschaft. Von der Wirksamkeit des Widerspruchs. München

Putnam, Robert D. 2000: Bowling Alone. The Collapse and Revival of American Community. New York

Rauschenbach, Thomas u. a. (Hrsg.) 2006: Informelles Lernen im Jugendalter. Vernachlässigte Dimensionen der Bildungsdebatte. Weinheim/München

Reich, Robert 2008: Superkapitalismus. Wie die Wirtschaft unsere Demokratie untergräbt. Frankfurt/New York

Reimer, Sabine 2006: Die Stärke der Zivilgesellschaft in Deutschland. Berlin

Riley, Dylan 2010: The Civic Foundations of Fascism in Europe: Italy, Spain and Romania, 1870–1945. Baltimore

Risse, Thomas u. a. (Hrsg.) 1999: The Power of Human Rights. International Norms and Domestic Change. Cambridge

Roth, Roland 1994: Demokratie von unten. Neue soziale Bewegungen auf dem Wege zur politischen Institution. Köln

Roth, Roland 1999: Lokale Demokratie »von unten«. Bürgerinitiativen, städtischer Protest, Bürgerbewegungen und neue soziale Bewegungen in der Kommunalpolitik. In: Wollmann, Hellmut/Roth, Roland (Hrsg.): Kommunalpolitik. Politisches Handeln in den Gemeinden. Opladen, 2–22

Roth, Roland 2004: Die dunklen Seiten der Zivilgesellschaft – Grenzen einer zivilgesellschaftlichen Fundierung von Demokratie. In: Klein, Ansgar u. a. (Hrsg.): Zivilgesellschaft und Sozialkapital. Herausforderungen politischer und sozialer Integration. Wiesbaden, 41–64

Roth, Roland 2005: Transnationale Demokratie – Beiträge, Möglichkeiten und Grenzen von NGOs. In: Klein, Ansgar u. a. (Hrsg.): NGOs im Prozess der Globalisierung. Mächtige Zwerge – umstrittene Riesen. Wiesbaden, 80–128

Roth, Roland 2006: Bürgerorientierung, Bürgerengagement, Corporate Citizenship – Bürgerschaft als Akteur des Stadtmanagements. In: Sinning, Heidi (Hrsg.): Stadtmanagement. Strategien zur Modernisierung der Stadt(-Region). Dortmund, 132–143

Roth, Roland 2009: Handlungsoptionen zur Vitalisierung von Demokratie. Gütersloh

Roth, Roland 2010: Eine gemischte Bilanz – deutsche Erfahrungen und Perspektiven mit dem bürgerschaftlichen Engagement. Rüschlikon (Vortragsmanuskript)

Roth, Roland 2010: Demokratie braucht Qualität! Beispiele guter Praxis und Handlungsempfehlungen für erfolgreiches Engagement gegen Rechtsextremismus. Berlin

Roth, Roland 2010a: Engagementförderung als Demokratiepolitik: Besichtigung einer Reformbaustelle. In: Olk, Thomas/Klein, Ansgar/Hartnuß, Birger (Hrsg.): Engagementpolitik. Die Entwicklung der Zivilgesellschaft als politische Aufgabe. Wiesbaden, 611–636

Roth, Roland 2011: Partizipation. Begriffe, Formen, Bedeutung. In: aksb (Hrsg.): Position beziehen im 21. Jahrhundert. AKSB-Jahrbuch 2011/2012. Schwalbach/Ts, 139–154

Roth, Roland/Benack, Anke 2003: Bürgernetzwerke gegen Rechts. Evaluierung von Aktionsprogrammen und Maßnahmen gegen Rechtsextremismus und Fremdenfeindlichkeit. Bonn

Roth, Roland/Lang, Susanne 2007: »Schließlich ist Schüler Helfen Leben ja der beste Beweis dafür, dass Jugendliche sehr wohl etwas tun können.« Evaluation der Initiative Schüler Helfen Leben und ihres Sozialen Tages 2006 im Rahmen der Partnerschaft mit Nokia Deutschland. Berlin

Roth, Roland/Rucht, Dieter (Hrsg.) 2008: Die sozialen Bewegungen in Deutschland seit 1945. Ein Handbuch. Frankfurt/New York

Roth, Roland/Soldanski, Sarah Maria 2009: Ausgezeichnet! Kinder- und Jugendengagement wirksam fördern. Gütersloh

Rucht, Dieter/Roth, Roland 2008: Globalisierungskritische Netzwerke, Kampagnen und Bewegungen. In: Roth, Roland/Rucht, Dieter (Hrsg.): Die sozialen Bewegungen in Deutschland seit 1945. Ein Handbuch. Frankfurt/New York, 493–512

Salamon, Lester H. u.a. 1999: Global Civil Society. Dimensions of the Nonprofit Sector. Baltimore

Salamon, Lester H. u. a. 2004: Global Civil Society. Dimensions of the Nonprofit Sector. Vol. Two. Bloomfield

Sandoval, Marisol u. a. (Hrsg.) 2011: Bildung MACHT Gesellschaft. Münster

Sarcinelli, Ulrich u. a. 2011: Bürgerbeteiligung in der Kommunal- und Verwaltungsreform. In: Aus Politik und Zeitgeschichte 7-8, 32–39

Scharpf, Fritz W. u. a. 1976: Politikverflechtung. Königstein/Ts

Scheuch, Erwin K. (Hrsg.) 1968: Die Wiedertäufer der Wohlstandsgesellschaft. Eine kritische Untersuchung der »Neuen Linken« und ihrer Dogmen. Köln

Schimank, Uwe 1981: Neoromantischer Protest im Spätkapitalismus. Der Widerstand gegen die Stadt- und Landschaftsverödung. Bielefeld

Schlosser, Insa 2008: Kinder und Jugendliche im Bürgerhaushalt des Bezirkes Marzahn-Hellersdorf von Berlin. Newsletter Wegweiser Bürgergesellschaft 18/2008.

Schneider, Helmut u. a. 2011: Kinder ohne Einfluß? In: Schächter, Markus (Hrsg.): Ich kann. Ich darf. Ich will. Chancen und Grenzen sinnvoller Kinderbeteiligung. Baden-Baden, 114–152

Schultheis, Franz u. a. (Hrsg.) 2008: Humboldts Albtraum. Der Bologna-Prozess und seine Folgen. Konstanz

Schultheis, Franz u. a. (Hrsg.) 2010: Ein halbes Leben. Biografische Zeugnisse aus einer Arbeitswelt im Umbruch. Konstanz

Schulz, Winfried 2011: Politische Kommunikation. Theoretische Ansätze und Ergebnisse empirischer Forschung. 3., überarbeitete Auflage. Wiesbaden

Shklar, Judith N. 1995: American Citizenship: The Quest for Inclusion. Harvard

Simon, Barbara Levy 1994: The Empowerment Tradition in American Social Work. A History. New York

Simon, Titus u. a. 2001: Wem gehört der öffentliche Raum? Zum Umgang mit Armen und Randgruppen in Deutschlands Städten. Opladen

Sintomer, Yves u. a. 2010: Der Bürgerhaushalt in Europa – eine realistische Utopie? Zwischen partizipativer Demokratie, Verwaltungsmodernisierung und sozialer Gerechtigkeit. Wiesbaden

Sirianni, Carmen 2009: Investing in Democracy. Engaging Citizens in Collaborative Governance. Washington

Smith, Graham 2005: Beyond the Ballot. 57 Democratic Innovations from Around the World. A Report for the POWER Inquiry. Exeter: Short Run Press (www.powerinquiry.org)

Smith, Graham 2009: Democratic Innovations. Designing Institutions for Citizen Participation. Cambridge

Smith, Jackie 2008: Social Movements for Global Democracy. Baltimore

Sonnemann, Ulrich 1963: Das Land der unbegrenzten Zumutbarkeiten. Reinbek

Sontheimer, Kurt 1976: Das Elend unserer Intellektuellen. Linke Theorie in der Bundesrepublik Deutschland. Hamburg

Soziologisches Forschungsinstitut (SOFI) u. a. (Hrsg.) 2005: Berichterstattung zur sozioökonomischen Entwicklung in Deutschland. Arbeit und Lebensweisen. Erster Bericht. Wiesbaden

Steinbrecher, Markus 2009: Politische Partizipation in Deutschland. Baden-Baden

Streck, Danilo R. 2006: Erziehung für einen neuen Gesellschaftsvertrag. Oberhausen

Streck, Danilo R. 2008: Beteiligung von Kindern und Jugendlichen im Bürgerhaushalt brasilianischer Städte. In: Ködelpeter, Thomas / Nitschke, Ulrich: Jugendliche planen und gestalten Lebenswelten. Partizipation als Antwort auf den gesellschaftlichen Wandel. Wiesbaden, 41 – 57

Sugranyes, Ana / Mathivet, Charlotte (Hrsg.) 2010: Cities for All. Proposals and Experiences towards the Right to the City. Santiago de Chile

Teixeira, Ana Claudia 2011: How far can citizen participation go? In: Logolink 3

Thaa, Winfried 2009: Das ungelöste Inklusionsproblem in den partizipatorischen Neubewertungen politischer Repräsentation.

In: Linden, Markus/Thaa, Winfried: Die politische Repräsentation von Fremden und Armen. Baden-Baden, 61–78

Ullrich, Sebastian 2009: Der Weimar-Komplex. Das Scheitern der ersten deutschen Demokratie und die politische Kultur der frühen Bundesrepublik. Göttingen

UNDP (United Nations Development Program) 2002: Deepening democracy in a fragmented world. Human Development Report 2002. New York/Oxford

Vack, Hanne & Klaus (Hrsg.) 1993: Politische und soziale Lernprozesse. Möglichkeiten, Chancen, Probleme. Andreas Buro zum 65. Geburtstag gewidmet. Sensbachtal

Verhulst, Jos/Nijeboer, Arjen 2007: Direkte Demokratie. Fakten, Argumente, Erfahrungen. Brüssel

Vester, Michael 2009: Soziale Milieus und die Schieflagen politischer Repräsentation. In: Linden, Markus/Thaa, Winfried: Die politische Repräsentation von Fremden und Armen. Baden-Baden, 21–59

Vetter, Angelika (Hrsg.) 2008: Erfolgsbedingungen lokaler Bürgerbeteiligung. Wiesbaden

Von der Leyen, Ursula/Schäuble, Wolfgang 2009: Was die Gesellschaft zusammenhält. In: Frankfurter Allgemeine Zeitung vom 06.01.2009

Walker, Edward T. 2009: Privatizing Participation: Civic Change and the Organizational Dynamics of Grassroots Lobbying Firms. In: American Sociological Review (74) 2, 83–105

Walker, Edward T. 2010: Industry-Driven Activism. In: Contexts (9) 2, 44–49

Walter-Rogg, Melanie 2008: Direkte Demokratie. In: Gabriel, Oscar W./ Kropp, Sabine: Die EU-Staaten im Vergleich. Strukturen, Prozesse, Politikinhalte. 3. aktualisierte und erweiterte Auflage. Wiesbaden, 236–267

Weber, Max 1922: Wirtschaft und Gesellschaft. Tübingen

Whiteley, Paul F. 2010: Is the party over? – The Decline of Party Activism and Membership across the Democratic World. In: Party Politics 1, 1–24

Wildt, Michael 2007: Volksgemeinschaft als Selbstermächtigung. Gewalt gegen Juden in der deutschen Provinz 1919 bis 1939. Hamburg
Wilson, Richard Ashby (Hrsg.) 2005: Human Rights in the »War on Terror«. Cambridge/New York
Wohlfahrt, Norbert/Zühlke, Werner 2005: Ende der kommunalen Selbstverwaltung. Zur politischen Steuerung im »Konzern Stadt«. Hamburg
Wolfrum, Edgar 2006: Die geglückte Demokratie. Geschichte der Bundesrepublik Deutschland von ihren Anfängen bis zur Gegenwart. Stuttgart
Wolin, Sheldon S. 2001: Tocqueville between two worlds. The making of a political and theoretical life. Princeton/Oxford
Wolin, Sheldon S. 2008: Democracy Incorporated. Managed Democracy and the Specter of Inverted Totalitarianism. Princeton/Oxford
Wright, Erik Olin 2010: Envisioning Real Utopias. London/New York: Verso
Wüst, Andreas M./Heinz, Dominic 2009: Die politische Repräsentation von Migranten in Deutschland. In: Linden, Markus/Thaa, Winfried: Die politische Repräsentation von Fremden und Armen. Baden-Baden, 20–218
WZB (Wissenschaftszentrum Berlin Projektgruppe Zivilengagement) 2009: Bericht zur Lage und zu den Perspektiven des bürgerschaftlichen Engagements in Deutschland. Berlin
Zakaria, Fareed 2003: The Future of Freedom. Illiberal Democracy at Home and Abroad. New York/London
Ziese-Henatsch, Gregor 2008: Kinder- und Jugendbeteiligung in Berlin. Dissertationsentwurf. Berlin
Zittel, Thomas 2008: Wie viel und welche Partizipation braucht die Demokratie? Papier zur gemeinsamen Tagung von DVPW, ÖGPW und SVPW. Workshop 2: Weniger Demokratie wagen? Die Entpolitisierung der Demokratie. Osnabrück